이 땅의 모든 것들의
행복을 바라는 마음으로.
천선란

노랜드

노랜드

천선란 소설집

한겨레출판

차례

흰 밤과 푸른 달

안내받은 장소에는 사람이 많았다.

도저히 새벽 4시처럼 느껴지지 않았다. 그들의 양손에 가득 들린 짐을 보고 강설은 그들이 기다리는 버스가 자신과 같은 것임을 알아차렸다. 안내장에는 조리 시설을 이용할 수 있다는 말이 적혀 있었다. 그들이 양손 가득 대파가 튀어나온 봉투와 반찬통을 들고 있는 이유다. 쌀쌀한 새벽바람에 주머니에 손을 넣었다. 강설이 챙긴 것이라고는 갈아입을 옷과 세면도구가 전부였다. 원래도 요리를 못했다. 명월도 바라지 않을 거였다. 제사상 차리느냐고 비웃었을 테고. 강설은 명월이 보였을 몇몇 반응을 떠올리다 45인승 버스에 올라탔다.

강설은 창가 자리에 앉았다. 다행히 버스 좌석보다 인원이 적어 옆자리가 비었다. 차가 고속도로로 진입하자 맨 앞자리에 앉아 있던 직원이 자리에서 일어나 마이크를 쥐었다. 직원이 천장에 달려 있던 모니터를 켜고 준비해 온 프레젠테이션을 여는 동안 하늘을 채우고 있던 드론들이 하나둘씩 빛을 끄며 그 사이로 일출의 붉은 파도가 밀려왔다. 앞을 집중해달라는 직원의 목소리에는 잠에서 덜 깬 듯한 피곤함이 느껴졌지만 나긋나긋한 말투는 새벽과 잘 어울렸다. 강설은 직원의 말을 라디오 삼아 들으며 창문에 머리를 기대 태양을 응시했다.

"다들 뉴스에서 들으셨겠지만 외향적인 큰 변화는 없습니다. 한창 인터넷에 떠돌던 괴수 사진은 누가 만들어낸 사진이고요. 그렇다고 아예 변하지 않았다는 건 아니에요. 다시 한번 말씀드리지만 아주 세세한 부분들, 이를테면 손톱이나……."

앞 좌석 아이가 의자와 창문 틈으로 강설을 바라봤다. 많아 봤자 내년에나 초등학교에 들어갈 나이로 보였고 어디를 가는지, 누구를 만나러 가는지도 모르는 것 같았다. 강설은 아이의 쌍꺼풀이 참 짙다고 생각했다. 아이가 만나러 가는 사람은 형제일까, 아빠일까, 아니면 자신처럼 피가 섞이지 않은, 그저 아이의 옆에 있는 엄마의 지인일까를 두고 시답잖은 고민을 했다.

"후각 역시 진화했습니다. 3킬로미터 내의 냄새를 전부 맡을 수 있습니다. 덕분에 어둠 속에서도 크람푸스의 냄새를 맡아 찾아낼 수 있던 겁니다."

아이는 한참 동안 자세를 유지하다 똑바로 앉으라는 제 엄마의 말에 몸을 돌렸다. 강설도 다시 시선을 창밖으로 돌렸지만 일출의 붉은 태양은 지나간 후였다. 조금씩 잠이 몰려왔다. 버스 어디에선가 코 고는 소리가 들렸다. 생각해보면 모두가 이미 아는 내용이었다. 몇 날 며칠 찾아봤겠지. 인터넷에 떠도는 음모론이나 가십에 심장이 내려앉았다가 벼랑 끝에 내몰린 인류를 생각하며 마음을 다잡아 계속해서 정보를 찾고, 모든 소식을 쓸어 모았겠지. 자신이 그랬던 것처럼. 그러니 듣지 않아도 모두가 알 거였다. 크람푸스를 잡기 위해 탐색하고, 소리 없이 접근하다 돌진한다는 것을. 도망치는 크람푸스를 끈질기게 추격하며 막다른 골목으로, 건물 안으로 몰아 잡는다는 것을. 늑대의 사냥 습성이 그러하니까.

기지에 도착하자 기다리고 있던 직원들이 연구소로 안내했다. 인원 파악이 쉽도록 두 사람씩 짝을 지어 줄을 서달라고 부탁했다. 짝을 짓는 사람들로부터 멀찌감치 물러나 있던 강설은 맨 마지막 줄에 혼자 섰다. 다행히 인원은 홀수였다.

연구소는 'ㅁ'자 형태로 가운데에 정원을 품고 있었다. 직원은 그곳을 '정원'이라 말했지만 사실 그곳은 늑대 열 마리를 가둔 커다란 사육장에 지나지 않았다. 사람들이 유리에 붙어 서서 마치 이곳에 늑대를 구경하기 위해 온 사람들처럼 구는 동안 강설은 몇 발자국 떨어져 자신처럼 무리에서 떨어진 채 큰 바위 위에 엎드려 있는 늑대를 바라봤다. 가장 높은 곳에서 다른 늑대들을 내려다보는 저 늑대가 대장일 것이다. 늑대 사회에서도 대장은 고독하고 쓸쓸한 존재라면, 늑대들의 세계에 따돌림이 없다면 말이다. 고독한 건 둘 중에 하나라고 했으니까. 자처했거나 따돌려지고 있거나.

정원을 지나 도착한 연구실에서 직원은 유전자의 완벽한 결합을 연설하며 투입 1일 차부터 34일 차까지의 변화를 보여줬지만 육안으로는 뚜렷한 차이를 알 수 없었다. 손발톱이나 털 따위로는 두 종족이 합쳐졌다는 경이감을 불러일으킬 수 없었다. 그 정도의 미미한 변화로는 강설의 마음을 동요시킬 수 없었다.

훈련받는 영상, 심리 안정을 위한 인터뷰, 대원들의 일상 모습을 담은 사진들을 다 훑은 뒤에야 방진복을 입고 표본실로 향했다. 표본실 안에는 죽은 크람푸스가 살이 벗겨지거나, 해부되거나, 냉동된 상태로 걸려 있었다. 사람들은 황급히 아이의 눈을 가렸다. 직원은 죽었으니 안심해도 된다며 잘린 크람푸스의 머리와 망치를 가지고 왔다. 그리고 눈을 가린 아이들 앞에서 망치로 크람푸스의 뿔을 세게 내리쳤다.

"우리는 이 뿔을 상대해야 했습니다."

뿔은 부러지지 않았다.

"실험 결과 이 뿔을 자를 수 있는 건 전기톱 정도였습니다. 그것도 뿔 한 쪽을 자르는 데 세 시간 정도가 걸렸고요."

말은 그렇게 했지만 상대해야 했던 건 뿔만이 아니었다. 뿔은 그저 창이었고, 이겨야 하는 건 창을 쥔 몸. 총도 뚫지 못하는 두꺼운 가죽과 인간의 운동력으론 잡을 수 없는 속도, 그리고 당해낼 수 없는 힘의 차이. 인류에게 필요한 건 힘이었다. 크람푸스의 목을 비틀어 숨을 끊을 수 있을 정도의. 반은 염소, 반은 악마인 뿔 달린 외계 생명체를 죽이기 위해서는 총칼이 아닌 머리를 뜯어낼 힘이 필요했다.

"시술의 안정성은 보장되었습니다. 걱정하실 필요 없습니다. 다시 한번 말씀드리건대 강압적인 지시는 없었습니다. 이곳에 있는 대원들은 전부 가족을, 그러니까 여러분을 지키기 위해 지금의 선택을 했습니다. 모두가 잘 적응했고, 비극의 시대는 지났습니다. 이제 우리는 더는 같은 비극을 맞이하지 않을 것입니다. 인류는 그렇게 발전해왔으니까요."

직원은 확신에 찬 말투였다. 신뢰를 주기 위한 장황한 연설. 신뢰가 분노로 변하면 가장 무서운 적이 될 집단을 사로잡기 위한 말일 뿐이라고, 강설은 맨 뒷줄에 서서 생각했다. 비극을 되풀이하는 거면서. 단지 그 공간이 지구가 아닐 뿐이면서. 결국 하고 싶은 말은 네 가족이 지구가 아닌 우주에서 전쟁을 치를 예정이니 이해하라는 말이면서.

표본실을 지나 마주한 것은 그 너머에 용이 살고 있을 것만 같은 문이었다. 폭탄이 떨어져 건물이 다 무너져도 이 문만은 멀쩡할 것 같은 그런 자태. 버스 앞 좌석의 아이와 눈이 또 마주쳤고, 아이는 떨고 있는 엄마와 달리 너무도 평온한 표정으로 계속 강설을 쳐다보았다. 강설은 아이와 눈을 맞추다가 주변을 둘러보았다. 그제야 홀로 온 사람이 자신밖에 없다는 걸 깨달았다. 불쌍해서 봤던 거구나. 아니면 다른 사람들과 달리 아직 한 번도 울지 않은 사람이 신기하거나.

문이 열리자마자 대원들이 가족 품으로 달려들었다. 육안으로는 이전과 크게 다르지 않았지만 길고 두꺼운 손톱과 웃을 때 드러나는 송곳니 따위가 눈에 띄었고 그 탓에 가족의 품에 안겨 머리를 비비는 행동들이 꼭 개처럼 보였다. 울어도 끼잉끼잉거릴 것만 같은. 강설은 뒤엉킨 가족들이 자리를 뜰 때까지 한 발짝도 움직이지 않고 서 있었다.

운동장에서 사람들이 전부 빠져나간 뒤에야 벤치에 앉아 우두커니 제 발만 바라보고 있는 명월을 발견했다. 강설이 다가가 옆에 섰다. 악다구니가 있는 성격인 건 익히 알았지만 그 시술을 저 몸이 버텼다는 게, 대원 중 가장 세서 팀장이 됐다는 게 무엇보다 죽지 않고 살아남았다는 게 눈앞에 있는 명월을 보고도 영 믿기지 않았다.

"어디 돈이라도 떨어져 있냐?"

명월이 웃으며 고개를 들었다. 눈동자가 파랗다. 따뜻하지 않고 시리다.

생각해보면 말을 거는 건 언제나 명월이었다. 아르바이트는 언제 끝나는지, 학원은 언제 끝나는지, 밥은 먹었는지부터, 너는 왜 이곳에 왔는지, 까지. 말이 많은 편은 아니었는데 강설에겐 이상할 정도로 질문이 많았다. 강설의 하루를, 그날의 기분을, 잠깐의 행복을 다 알아야만 속이 풀리는 것처럼. 전투의 후유증이나 시술의 부작용으로 공황장애를 앓는 대원들이 있다고 들었다. 명월이 그럴 것 같지는 않았지만 혹시나 싶은 생각 탓에 밤새 몸을 뒤척인 적도 있었는데 그랬던 게 억울할 정도로 명월은 예전과 조금도 다르지 않았다. 명월은 숙소로 가는 내내 단 한 순간도 쉬지 않고 할 수 있는 모든 질문을 다 던졌다. 그런 이유로 강설은 숙소 문 앞에 도착해서야 첫 질문을 할 수 있었다.

"너도 맞았냐?"

묻지 않아도 명월이 맞았다는 것은 이미 알고 있었지만 구태여 물은 건 맞고서 몸은 괜찮은지 묻기 위해서였다. 방문을 열며 명월이 씩 웃었다.

"내가 우리 팀에서 1등으로 맞았어. 그리고 나만 하나도 안 아팠어."

명월은 투정 부리기를 좋아해서 조금만 엄살떨 구석이 있어도 몇 배는 부풀려 말하는 버릇이 있었다. 무릎이 까졌을 때도 다리가 부러진 것 같다고 말했고, 종이에 손이 베였을 때도 손가락이 곧 썩을지도 모른다고 호들갑을 떨었다. 그러니 이 대답은 진실이다. 아프지 않았다는 건. 강설은 그러길 바란다.

저녁 식사는 방으로 배달되었다. 다른 방들은 요리하느라 정신없겠구나, 생각하며 강설은 제 옷가지만 달랑 챙겨 들고 온 가방이 갑자기 민망해졌다. 명월은 그런 강설의 손을 잡아 끌어 식탁 의자에 앉혔고, 맞은편 자리에 앉음과 동시에 제 얼굴보다 큰 고깃덩어리를 덥석 물었다.

핏물이 떨어지는 고기를 크게 삼키는 명월의 모습은 히에로니무스 보스의 그림을 떠올리게 했다. 그의 그림을 접하게 된 건 대학생 때 학점을 채우기 위해 들었떤 타 과의 미술사 교양 수업이었다. 너무 오래전이라 머리에 남은 것이 하나도 없다고 생각했는데 불현듯 그가 그렸던 지옥이 머릿속에 어른거렸다. 원인을 찾으려 한다면 여러 이유가 있을 것이다. 입이 짧았던 명월이 두 손으로 고기를 쥐고 먹는 모습이 낯설어서. 아니면 다 익지 않은 고기에서 나는 핏물 냄새가 비려서. 그것도 아니면 이 순간에 이르기까지 명월이 거쳤을 세계가 예상돼서……. 어쩌면 이유는 더 먼 곳에 있을지도 모른다. 물리적인 거리. 강설은 가지 못할 곳. 앞으로 명월이 가야만 하는 곳. 그러니까 명월은 히에로니무스가 그렸던 지옥의 세계에 입장하기 위해 준비 중인 것 같았다.

"나 입소한 후로 처음이지? 우리."

강설은 아니라고 말하려다가, 그걸 말하는 건 남은 시간을 망치는 일인 것 같아서 그냥 고개를 끄덕였다.

"응. 맞아."

침대에 눕자 옆방의 대화 소리가 생생하게 들렸다. 곧 있으면 자정이었지만 그들은 대화를 멈출 생각이 없어 보였다. 저렇게 할 말이 많다는 것이 신기할 뿐이었다.

"나도 침대에서 자면 안 돼?"

바닥에 이불을 깔고 누운 명월이 강설에게 물었다.

"좁아."

"거기 원래 내 침대잖아."

명월이 시무룩하게 말하는 건 얻고 싶은 게 있을 때 나오는 말투다. 강설이 몸을 일으켰다.

"그럼 네가 여기서 자든가……."

"아냐, 아냐. 장난이다, 장난."

명월이 다급하게 입을 열었다. 강설은 못 이기는 척 도로 침대에 누웠다. 강설은 무늬 없는 천장 벽지를 바라보며 옆방의 대화 소리에 집중했다. 즐거운 소리. 꽁꽁 묶어뒀던 마음을 하나씩 풀고 쌓아두었던 추억을 서로 엮는 중이리라. 자신과 명월에게도 그럴 마음과 추억은 충분할 것이다. 강설은 그렇게 생각하면서도 굳이 자신의 마음을 명월에게 풀어주고 싶지 않았다.

"너 냄새 난다."

한참 동안 말이 없던 명월이 입을 열었다.

"사실 아까도 너 온 거 냄새로 알고 있었는데 네가 먼저 찾길 기다려봤어. 옛날에도 너 냄새는 내가 진짜 잘 맡았는데. 다른 애들 옷이랑 뒤엉켜 있어도 네 옷이 뭔지 냄새로 알았어. 근데 지금은 후각이 더 발달했잖아. 그러니까 더 잘 나. 이 방이 네 냄새로 꽉 찼어."

"……."

"우리 이러고 있으니까 꼭 옛날 같지 않아?"

명월은 툭하면 옛날 같다고 했다. 옛날이 뭐가 좋다고. 거기에 엄청난 추억이라도 있는 것처럼. 강설은 아무리 톺아보아도 마음을 두고 온 시절이 없다고 느꼈다. 짓이겨져 들러붙은 마음은 있었을지라도. 그런데 명월의 말만 들으면 명월과 자신이 대단한 시절을 보낸 것만 같았고 그래서 싫었다. 완전히 떠나왔다고 생각했는데 자신이 놓친 순간이 있을까 봐 자꾸만 돌아보게 했다.

"우리 옛날에 다이아몬드로만 이루어진 행성이 있다, 없다 갖고 싸웠는데. 내가 있다고 그랬는데 너는 자꾸 없다고 그랬잖아. 나 그거 진짜 책에서 봤는데."

"……."

"자?"

"아직."

"알겠어. 나 이제 말 안 걸게. 자. 잘 자."

조금 전보다 차분해진 목소리로 명월이 말했다.

"그리고 사실 나는 너 안 올 줄 알았거든. 너 원래 남들 경조사에 참여하는 것도 싫어하고 와달라고 부탁하는 거 딱 질색하잖아."

"말 안 건다며."

명월이 아는 척은 다 하면서 아직도 자기를 잘 모르고 있다고 강설은 생각했다.

"근데 와줬네. 나 진짜 감동. 와줘서 고마워. 나 진짜 잔다. 말 걸지 마."

명월은 할 말을 다 뱉은 뒤 이불을 머리까지 뒤집어썼다. 명월은 정작 중요한 순간을 기억하지 못한다. 이를테면 명월의 시합을 보기 위해 강설이 학원을 빠지고 응원 온 날이나, 명월의 생일을 축하하려고 케이크를 사서 도장 앞에서 기다렸던 날을. 그런 건 다 까먹고, 올 줄 몰랐다고 하니 강설은 어이가 없어 코웃음이 났다.

아침은 구내식당을 이용했다. 명월은 새벽 일찍 훈련장으로 나갔다. '아침밥은 더 맛있으니까 거르지 말고 꼭 먹어, 제발'이라는 쪽지를 남겨놓고 말이다. 강설이 아침 식사를 거를 거라는 확신이 담겨 있었고, 아마 그 확신은 10여 년 동안 강설과 살며 자연스럽게 체득한 정보에 기반한 것일 터였다.

명월의 말처럼 어제 저녁밥과 다르지 않은 질이었다. 그래서 문제였다. 강설은 접시를 든 채 호텔 조식 같은 뷔페를 어처구니없게 바라봤다. 음식을 담는 사람들 속에서 강설은 식빵 한 조각과 잼, 우유 한 잔을 들고 구석 테이블에 앉았다.

일행끼리 앉은 건지, 아니면 이곳에서 친해진 건지 사람들은 모두가 무리를 지어 앉아 식사를 하며 담소를 나눴다. 이별을 목전에 둔 사람들 같지 않았다.

"저 여기 앉아도 되죠?"

식빵을 손으로 잘게 뜯던 강설 앞에 한 여자가 접시를 내려놓았다. 언뜻 봤을 때 연령대가 비슷했다. 여자는 강설이 고개를 끄덕인 뒤에야 의자에 앉았다.

여자의 접시에는 단호박 수프와 모닝빵 두 개가 전부였다. 묘한 동질감을 느꼈다가, 스스로가 웃겨 강설은 고개를 숙였다.

"누구 보러 왔어요?"

여자는 가져온 음식에 손을 대기도 전에 먼저 물었다. 강설이 곧바로 대답하지 못하자 여자가 옅게 웃었다.

"가족은 아닌가 보네요?"

여자가 말을 이었다.

"저는 동생 애인 만나러 왔어요."

여자는 숟가락을 쥐었지만, 숟가락을 매만지기만 할 뿐 수프를 뜨지 않았다.

"죽은 동생을 기억하는 사람이 걔밖에 없거든요. 아마 걔도 마찬가지였을 거예요. 먼저 연락이 오더라고요. 떠나기 전에 누구를 초대하라는데 저를 초대하고 싶다고요. 여기 있는 동안 실컷 동생 얘기나 하자네요. 웃기죠?"

웃기지 않았지만 강설은 고개를 끄덕였다.

"신채은이라고 해요, 제 이름. 가족들 와도 훈련은 못 뺀다는데 앞으로 저랑 아침밥 짝꿍 해줄래요?"

강설은 어쩐지 채은의 부탁을 거절할 수 없었다. 그렇다 해도 만약 채은이 수다 떠는 걸 좋아했다면 식사 도중 언제고 결정을 번복할 생각이었지만 다행히 채은은 그 부탁을 끝으로 말을 걸지 않았다.

식당을 나오는 길에 채은이 물었다.

"훈련장 가실 거죠?"

강설은 운동장 방향으로 향하는 사람들을 바라봤다. 이곳으로 오던 버스에서 직원이 훈련하는 모습을 볼 수 있다고 말했던 게 어렴풋이 떠올랐다. 채은이 같이 가자며 손을 내밀었다. 강설은 그 손을 응시하다가 끝내 고개를 저었다.

"저는 쉴래요."

채은은 고개를 끄덕이며 몸을 돌렸고, 강설은 방으로 향하려다 옥상 문이 열려 있는 것을 보고 그곳으로 걸음을 옮겼다.

왜 싸우냐고 물었다.

명월은 싸우는 게 아니라고 대답했다.

하지만 명월은 광대와 입술이 터졌고, 상대방은 코뼈가 부러져 병원에 실려 갔다. 명월은 교무실에 불려 가 세 시간 동안 반성문을 썼고 상대방 부모에게 죄송하다고 사과했다. 그건 학생들이 싸울 때 학교가 내리는 처벌이었다.

나라면 안 싸워, 하고 말하며 강설은 뒤돌아 복도를 걸었다.

누구나 싸운다. 싸우는 건 생각보다 별일 아니라는 것도 안다. 특히 서로 대등하게 싸웠을 때는 더 문제없다는 걸 안다.

더군다나 학교 복도라서 목격자가 서른 명은 족히 넘었으며 남자애가 먼저 명월을 쳤으니 따지자면 정당방위였고, 그걸 증명해줄 목격자도 많았고, 사과를 해야 한다면 그건 명월이 아닌 상대방이었다. 강설도 안다. 누구나 싸우고, 언제든 사과받을 수 있다는 걸. 그렇지만 사람에 따라 대수롭지 않은 일이 유별난 일이 되는 경우도 있다.

담임이 먼저 명월에게 이번까지만 원장을 부르지 않겠다고 말했다. 그 말에는 싸움의 원인이 누구에게 있는지 따위는 중요하지 않고 그저 상대방 부모에게 사과하고 조용히 넘어가자는 의미가 담겨 있었다. 어쨌거나 얼굴이 조금 까진 명월과 달리 그 남자애는 코뼈가 부러졌으므로. 그건 기술의 차이로 인한 결과이고 정말 중요한 건 싸움을 한 원인이라는 걸 담임도 알고 있었을 테지만 말이다.

싸우는 게 아니라 지킨 거야. 명월이 강설의 팔을 붙잡으며 말했다.

싸운 게 아니라 지킨 거라고. 강설이 뒤돌자 명월은 다시 힘주어 말했다.

깡패 새끼도 아니고 쌈질로 뭘 지켜. 강설은 화가 난 목소리로 말했다.

그러자 명월은 강설의 팔을 붙잡은 손에 힘을 주며 말했다.

나는 이게 지키는 수단이야. 나는 이렇게 해야 지킬 수 있었어.

팔을 놓고 저 혼자 가는 명월의 뒷모습을 보며 강설은 아차, 하며 이마를 짚었다. 자신이 지키기 위해 똑똑해진 것처럼 명월은 지키기 위해, 살아남기 위해 강해졌다는 걸 잊고 있었다.

훈련을 구경하고 돌아오는 사람들 소리가 옥상까지 흘러들어왔다. 공연이라도 보고 온 듯한 들뜬 목소리. 대화 사이사이에 자연스럽게 섞인 웃음소리. 강설은 그 모든 것이 이 공간과 어울리지 않는다고 느꼈다. 사람들은 억지로 웃고 있다. 억지로 행복해하고 있다. 억지로 아무렇지 않은 척하고 있으며, 억지로 외면하고 있다. 이별을 짊어지고 흘러가는 초침을. 등 돌린다고 피할 수 있는 순간이 아닌데. 도망치고, 숨고, 외면해도 기어코 그 초침은 등을 찌를 텐데. 깊게. 심장을 관통하게.

4년 2개월의 전쟁이 끝난 후, 지구에는 크람푸스와 밤이 사라졌고 늑대의 유전자를 가진 인간이 생겼다. 진화는 침략 이전으로 돌아가기 위한 희생이었지만 인류는 결코 그 이전으로 돌아가지 못했다. 도착한 미래는 통로 같았다. 머물지 못하고 지나가야만 하는 단계, 목적지가 있는 길 위, 통과하지 못하면 괴멸해버리고 마는 공간. 통로는 불안정했고 어둠이 사라진 세계에는 불안을 감출 그림자도 존재하지 않았다. 크람푸스로부터 인류를 구하기 위해 늑대의 유전자를 심은 인간들은 아주 잠시 인류의 영웅이 되었다가 크람푸스가 사라진 뒤 언제 인류를 통제하려 할지 모르는 불가해한 존재가 됐다. 힘을 도로 빼앗았으면 좋겠는데 크람푸스나 그것과 비슷한 존재가 언제 또 침략할지 모르니까. 만약 그전처럼 몇만 년씩 외계 생명체가 쳐들어오지 않는다면? 100년, 200년, 1000년, 그렇게 1만 년이 지날 때까지 지구가 외부 세계로부터 안전하다면 결국 1만 년 후에는 저 진화 인류의 후손에게 인간이 지배받고 말 것이라고, 자신들이 인간보다 강하다는 종족적 우월감에 사로잡혀 인간을 개돼지처럼 키우고, 먹고, 이용할 거라고. 너무 당연하게 저 진화 인류도 인간이므로, 인간이었으므로, 인간들은 두려워했다.

크람푸스는 사라졌지만 지구에는 예전처럼 밤이 찾아오지 않았고 여전히 두려움이 남았다. 크람푸스가 사라져도 진화한 대원들은 가족에게 돌아가지 못했고, 훈련과 보호라는 말로 감시와 통제 속에 두어졌다. 그러다 대원 한 명이 기지를 탈출하는 사건과 대원을 '포획'하는 과정에서 실수로 사망하는 사고가 일어나자 한쪽에서는 대원들을 가족의 품으로 돌려달라는 피켓을 들었고 다른 한쪽에서는 통제를 강화해야 한다고 했으며 또 다른 쪽에서는 모든 인간에게 늑대 유전자를 심어다 함께 진화하자고 말했다. 혼란스러운 가운데, 대원들은 우주로 나가고 싶다는 뜻을 전했다. 더 넓은 세계로, 강한 상대가 있는 곳으로, 개척할 수 있는 땅으로, 인간의 몸으로는 가지 못한 저 너머로. 그 욕망이 어디에서 나왔는지 아무도 알지 못했으나 진화한 대원 대부분이 자기 한계를 뛰어넘을 수 있는 세계로 나아가기를 희망했다. 외부 존재가 찾아오기를 기다리는 것보다, 그렇게 지구에서 두려움에 떠는 것보다 차라리 지구를 위해 자신들이 먼저 그들의 행성을 파멸시키고 오겠다고. 그것은 늑대의 본성이라기에 너무 파괴적이었고, 인간의 본성이라기에 너무 순애적이었다.

길고 긴 정상들의 회의, 하루도 빠짐없이 방영되는 특집 뉴스, 난무하는 예언과 오염된 진실 속에서 통로는 천천히 끝을 향했고 그렇게 도착한 종착지에는 '더 넓은 지구'라는 슬로건이 걸렸다. 생명체가 사는 행성은 반드시 있으므로, 크람푸스를 겪으며 얻은 보상이라고는 그 확신뿐이므로, 다른 종족의 행성을 빼앗아 지구에 넘쳐나는 인간을 위해 새로운 터전을 만들자는 의미였다.

옥상 난간이 흔들렸다. 고개를 돌리니 높이뛰기를 한 건지 돌출된 창문을 딛고 암벽 등반이라도 한 것인지 난간을 넘는 명월이 보였다. 명월은 사람 키보다 높은 난간을 넘었다.

"내가 너 여기 있는 거 어떻게 알았게?"

"계단 내버려두고 뭐 하냐?"

"냄새로 알았지."

명월이 웃었다. 별것도 아닌 일에 뿌듯하다는 듯이.

웃는 건 명월의 습관이다. 강설에게 처음 말을 걸었을 때도 웃고 있었다. 입술과 얼굴이 딱지로 범벅이어서 가만있어도 쓰릴 것 같은 얼굴로. 그 또한 명월이 살아남기 위해 체득한 것이라는 걸 나중에 알았다. 싸움의 기술보다 먼저 깨달았다고, 표정이 굳어 있거나 울면 더 화를 낸다는 걸 안 이후로는 무작정 웃었다고 말했다. 하지만 강설이 생각하기에 깨달았다는 표현을 쓰기에 그때의 명월은 어렸고, 명월이 말하는 어린 시절은 더 어렸기에 그건 깨달았다는 말보다 애를 썼다는 표현이 더 잘 어울렸다. 맞지 않기 위해 어린 명월은 애를 쓰며 웃었고 그래서 신고가 늦어졌던 것 같다고.

애가 너무 울어 눈도 팅팅 붓고 그래야 주변에서 더 빨리 의심했을 텐데 나는 너무 웃었어. 안 웃고 있던 적이 없었어. 그냥 기본 얼굴이 웃는 상태였어. 그러니까 등에 시퍼런 멍이 든 걸 유치원 선생님이 보기 전까지 아무도 몰랐지. 다들 내가 엄마 아빠랑 사이가 좋은 줄 알았대. 같이 있으면 항상 웃으니까. 말 잘 듣는 딸이라 생각했대. 둘 다 맞는 말이기는 한데 이 말에 너무 허점이 많지 않아?

명월의 부모는 각각 6년 10개월의 형을 받았다. 명월이 그 이야기를 해줬을 때 그들은 이미 받은 형을 마치고 사회에 나온 뒤였다. 다행히 그들은 뻔뻔하게 명월을 찾아오지 않았는데, 언제든 다시 만나면 세게 한 대만 치고 싶다는 명월의 바람을 가까이에서 들은 강설은 그걸 다행이라 여기는 게 맞는지 헷갈렸다. 가끔은 명월이 한 대만 세게 칠 수 있도록 찾아오길 바라기도 했다. 죽을 때까지 생각날 바에야 차라리 그 편이 나으니까.

하지만 명월이 성인이 되어 시설을 나갈 때까지 그들은 찾아오지 않았다. 함께 집을 얻어 살던 초창기까지도 명월은 이따금씩 베란다 창밖을 한참 동안 바라보고는 했다. 강설은 그런 명월을 설명할 단어를 끝끝내 떠올리지 못했다. 기다리는 것도, 그리운 것도, 찾는 것도, 후회하는 것도, 보고 싶은 것도, 증오하는 것도 아닌 마음. 설명할 수도 표현할 방법도 없는 마음.

명월은 강설과 둘이 했던 조촐한 스무 번째 생일에 혼자 소주 한 병을 다 마시고 방바닥에 드러누워 이렇게 말했다.

등에 뾰족뾰족한 털이 나 있는 기분이야. 안을 찌르는. 숨 쉴 때마다 따갑고 뻣뻣한 털이 오므라들었다가 솟았다가 해. 뽑고 싶은데 그 끝이 핏줄이랑 연결된 기분이야. 하나 뽑으면 핏줄까지 딸려 나와서, 줄줄이 나와서, 심장까지 다 뽑힐 거 같아.

명월은 그 말을 하면서도 웃었고, 강설은 맥주 한 잔에도 기분이 알딸딸해져 명월을 따라 벌러덩 누웠다. 명월이 고개를 돌려 강설을 바라봤다.

나는 네가 부러워. 너 진짜 잘 안 웃어. 상대방이 몇 살이든, 어떤 사람이든 상관 안 하고 네 기분에 따라 행동하잖아.

욕처럼 들리는데.

진짜 부러워서 그래. 나는 나도 모르게 웃고 있는 내가 가끔 징그러워.

강설은 꿋꿋이 천장을 보며 명월과 자신 중 누가 더 최악인지를 가늠해보았다. 쉽게 답이 내려지지 않았다. 어느 쪽이든 최악이었고, 어느 쪽이든 강하게 살아남았다.

웃으면 혼났어.

이제는 가물가물한 기억이라 말을 하는 것도 우습지만 문득 타인에게 한 번도 해본 적 없던 말을 하고 싶어졌다.

할머니 장례식장에서 내 얼굴이 좋아 보인다고 욕하더라고. 아. 웃고 있던 건 아니구나. 그냥 얼굴이 좋아 보여서 욕먹은 거구나. 부모님이 사고로 돌아가셨을 때는 기억이 안 나지만 웃었겠지. 아기가 뭘 알고 울겠어. 울다, 웃다 했겠지.

할머니 영혼이 화냈겠다.

그랬으려나. 그랬을 수도 있겠지만 어쩌면 할머니도 조문객들과 같은 마음이었을지도 모른다. 할머니는 자신을 사랑했지만 제 딸을 더 사랑했을 테니까. 그래서 할머니 앞에서 마음껏 행복할 수가 없었다. 할머니가 언제든 자신에게 울며 화를 낼지도 모른다는 긴장감 속에 살았다. 아무에게도 말하지 않았고, 강설조차 자신이 그런 생각을 하고 있었는지 몰랐지만 크고 나서 깨달았다. 자신은 웃으면 죄가 되는 세상을 살았다.

그다음 날 명월은 종일 자리를 비웠다. 해군 훈련이라 했는데 해변이나 뭍이 아니라 아주 깊은 수심까지 도달해야 하는 훈련이라 했다. 몇몇 가족은 고작 일주일을 쥐놓고 어떻게 하루를 이렇게 보내게 하느냐고 따졌지만 훈련을 교체하거나 미루는 일은 일어나지 않았다. 강설은 그날 방에서 한 발자국도 나가지 않았다. 아무것도 하지 않고. 예전처럼 명월이 돌아오기를 기다리며.

하루 훈련을 마치고 명월이 돌아온 시간은 다음 날 새벽이었다. 명월에게서는 역한 냄새가 진동했다. 잠들지 못한 채 침대에 누워 있던 강설은 자는 연기를 그만두고 자리에서 일어났다. 아무래도 역한 냄새의 정체가 피 냄새 같았기 때문이고, 방에 들어온 뒤로 명월의 발걸음 소리가 들리지 않았기 때문이었다. 암막 커튼을 걷으려고 하자 걷지 말라는 명월의 목소리가 들려왔다. 천천히 걸음을 내디뎌 신발장 쪽으로 향했다. 어렴풋하게 보이는 명월을 향해 손을 뻗자, 명월은 강설을 끌어안으며 주저앉았다.

피 냄새가 맞았다. 명월의 머리카락과 온몸을 뒤덮은 것은 끈적하고 뜨거운 피가 맞는데, 분명 피인데, 명월의 것인지 다른 사람의 피를 묻혀 온 것인지 구분되지 않았다.

"너 이거 뭐냐?"

하지만 피가 아닐 수도 있으니까.

"뭐긴 뭐야. 훈련의 영광스러운 흔적이지."

살며시 매만진 명월의 등은 엉망진창이었다. 옷이 찢어져 있었고 벌어진 살갗이 느껴졌다. 당장 병원을 가야지 왜 방으로 기어들어왔냐고 화를 내려고 했는데, 구급차를 부르겠다고 하려 했는데, 강설은 세차게 뛰고 있는 명월의 심장 박동을 느꼈다. 마라톤을 뛰었을 때처럼 헐떡이고 있었고, 그 심장 박동은 인간의 진폭과 달라 귀로 들릴 만큼 소리가 컸고, 맞닿은 몸으로 느껴졌다.

명월이 숨을 길게 내뱉었다. 길게, 길게, 아주 길게. 그리고 숨이 끝날 무렵 웃었다.

"재밌다."

뭐가 재미있었느냐고 묻고 싶었지만 강설은 묻지 않았다. 끈적했던 피가 굳고, 벌어진 상처가 다 아물 때까지 그렇게 자리를 지켰고 그렇게 있던 시간은 고작 90분이었다.

채은이 잘 잤느냐며 아침 인사를 건넸을 때 강설은 지난 새벽의 명월을 떠올리고 있었다. 상처가 아문 등이 신기해서. 그럼에도 피가 잔뜩 묻은 명월을 씻기고 싶어서. 그리고 낯설어서. 설명할 수 없는 감정이 새벽 내내 강설의 몸을 휘감아서, 그래서 잠들지 못했다. 채은이 식탁을 툭툭, 두드렸다. 강설은 그제야 뒤늦은 인사를 건넸다.

"강설 씨는 여기 왜 왔어요?"

숟가락을 내려놓으며 채은이 물었다. 강설은 채은의 질문을 이해하지 못했다. 왜 왔냐니. 다른 이유가 있을까. 여기 있으니까 왔다는 말밖에.

"다른 사람들은 설득하려고 왔대요."

강설이 이해하지 못하고 있음을 읽은 채은은 오히려 당황하며, 옅은 웃음을 내뱉었다가 차분히 설명했다.

"우주로 나가는 사람도 있지만 지구에 남는 대원들도 있대요. 지구에도 당연히 용병이 필요하니까……. 그래서 다들 지구에 있으라고 설득하려고 난리인데, 강설 씨는 몰랐어요?"

강설이 고개를 끄덕였다.

"물론 지구에 남는다고 해서 가족과 함께 살 수 있는 건 아니래요. 그렇지만 같은 지구에 있다는 것만으로도 얼마나 안심이겠어요? 1년에 한 번씩 볼 수 있는 것만으로도, 안전을 실시간으로 확인할 수 있다는 것만으로도요."

그거야 그렇겠지만. 사람의 마음을 바꾸는 게, 한 사람의 인생을 바꾸는 게 그렇게 쉬운 일이던가. 강설은 소란스럽게 떠들다가도 약속한 듯 주기적으로 적막이 찾아오는 식당을 둘러보았다. 접시에 가득 담은 음식이 남아 있었고 사람들의 시선은 사방으로 퍼졌다. 강설은 그제야 공간을 가득 메운 카운트다운을 느낀다.

그리고 곱씹는다. 우주로 나가는 게, 명월의 선택이었다는 걸.

"저는 진짜 가족이 아니라서 잘 모르겠어요."

채은이 말했다.

"어떤 느낌일까요? 이기기 위해 괴물이 되기를 선택한 가족을 지구 밖으로 보내야 하는 건. 궁금해요. 뭘 탓하고 있을지, 탓할 게 있긴 할지. 탓하고 싶을 텐데."

"……사고니까."

강설은 간신히 들릴 정도의 크기로 말했다.

"자신을 탓하겠죠. 탓할 게 없으면 다들 그러더라고요."

우주에서 적이 쳐들어온 건 누구도 예측하지 못했던 사고였다. 해일이나 화산 폭발처럼 인간의 실수나 잘못이 조금도 섞여 들지 않은 완전한 비극. 시간당 100밀리미터의 비가 쏟아지며 하수구가 범람하고 지대가 낮은 도로를 지나던 차량이 순식간에 물에 잠긴 것도, 하필 그날 고열을 앓는 딸이 있어 당장 응급실을 가야 했고 비 때문에 구급차가 출동할 수 없어 딸을 살리기 위해 어쩔 수 없이 차를 몰았던 것도 불가항력의 사고라고 칠 수 있다면, 그렇게 목숨을 부지한 사람이 무엇을 탓하며 살아가는지 강설은 잘 알았다.

그날은 사람들을 따라 훈련장을 찾았다. 훈련장은 실내였고 가족들은 2층에 마련된 대기실에서 그 모습을 볼 수 있었다. 1층을 내려다볼 수 있는 유리창 앞에 강설이 섰다. 대원들은 안전 장비 없이 절벽을 오르고 다시 낙하하고, 깊은 물속으로 끝없이 잠수하며 다른 세계로의 진입을 준비했다. 명월은 5미터 높이의 밧줄을 오르는 중이었다. 너무 빠르고, 너무 가뿐하게. 완등을 했을 땐 짧은 높이에 아쉬워하는 것 같았고 미련 없이 두 손을 놓고 추락할 땐 즐거워 보였으며 안전하게 땅에 착지했을 땐 살아 있어 행복한 것 같았다. 새벽에 안았던 명월의 끈적하고 따뜻했던 몸이 떠올랐다. 명월은 기척을 잘 숨기는 애였다. 웃음은 정체를 들켰을 때의 방어책이었고 그전에는 숨을 죽이고, 까치발을 하며 지냈던. 주의를 끌까 봐 심장 소리마저 작아져서, 끌어안아도 도통 심장 박동이 느껴지지 않던. 유도를 배운 후에는 상대방이 예측할 수 없게 움직이던. 웃으면서, 기척도 없이. 자다가 숨이 멎어도 죽었다는 걸 한참 후에야 깨달을까 봐 새벽에 깰 때마다 명월의 숨을 확인했을 만큼 명월은 영 살아 있는 것 같지 않았고 그래서 강설은 새벽에 느꼈던 명월의 심장 박동이 잊히지 않는다.

강설은 오래 보지 않고 자리를 떴다. 채은이 말했던 설득이란 단어가 자꾸 머릿속에 맴돌았다.

시간이 흐를수록 모든 것이 적막해진다. 저녁 식사 시간도 어제처럼 떠들썩하지 않았다. 내일쯤이면 울음소리로 가득할지 모르겠다고 강설은 생각했다.

"가고 싶냐?"

강설이 졸인 콩을 젓가락으로 만지작거리며 물었다.

"어디를?"

입안 가득 고기를 욱여넣은 명월이 뭉개진 발음으로 되물었다.

"우주선 타고. 밖으로."

자신과 눈을 맞추고 입안의 고기를 빠르게 씹어 삼키는 명월을 보며, 강설은 자신이 무슨 대답을 듣고 싶어 하는지 생각했다. 답이 나오지 않았다.

답을 외면하고 있는 것 같기도 했고.

"재미있어 보이잖아. 너는 안 가고 싶어? 다른 나라도 아니고 우주의 다른 행성에 간다는데. 나는 말만 들어도 설레는데."

보통은 설레겠지. 그렇지만 지구로 귀향하지 못할 우주선에는 아무도 타려 하지 않겠지. 새로운 세계로 가는 것과 돌아오지 못한다가 맞붙으면 보통은 후자가 이겨서 전자를 없애버리니까. 강설은 돌아오지 않는 우주선인 걸 아냐고 명월에게 다시 확인시켜줄까 고민했고, 아니면 돌아오는 우주선인데 자신이 잘못 알고 있는 건가 고민했다.

"언제 돌아오는데?"

"그건 잘 모르겠는데? 뭐, 식민 행성도 빨리 발견하고 전쟁도 빨리 끝나면 금방 돌아오겠지만 아무래도 아주 금방은 아닐 것 같은데……."

끝말을 흐리며 눈을 피하는 걸 보니 '금방은 아닐 것' 같다는 말 속에 '영원히'가 포함되어 있는 모양이었다.

"나는 네 결정 말릴 마음 없어."

명월도 모르진 않은 것이다. 다른 대원들의 가족들이 지금쯤 대원들을 열심히 설득 중이라는 걸. 그래서 혹시 명월이 자신을 부른 게 붙잡아주기를 바라서 부른 건 아닐까 싶었다.

"그래서 부른 거야. 얼굴 보고 가려고."

강설은 순간 울컥 화가 치밀었다.

"그런데 왜 날 불렀냐? 너 유도 스승님이랑도 친했고 원장님도 계시잖아."

강설도 안다. 명월이 떠나기 전 지구에서 마지막으로 만나야 할 사람이 있다면 그건 자신이라는 걸. 스승님과 원장님, 그리고 명월이 살아오며 숱하게 만나고 도움 준 사람들을 다 붙여도 자신 한 명을 이기지 못할 거라는 걸. 그런 생각을 하자 갑자기 명월이 괘씸해졌다. 명월도 강설에게 다를 바 없는 존재인데. 곁에 있는 사람을 다 붙여도 명월 한 명을 못 이기는데.

명월은 강설의 얼굴을 지그시 바라보다 웃음을 터트렸다.

"나도 기다리라고 안 할 거니까 표정 풀어. 살벌해."

명월은 쓸데없이 기억력이 좋다.

잘 잊히지 않는다고 했다. 강설은 그 나이에 자신이 뭘 하고 살았는지 기억도 안 나는데 명월은 뒤집어쓰고 있던 이불의 색과 무늬, 그리고 이불 사이로 보이던 텔레비전의 장면까지도 생생하게 기억이 난다고 했다. 편의점 야외 테이블을 치우던 강설은 그 순간이 강렬해서 기억에 오래 남은 것뿐이라고, 그 기억에 너무 머물려고 하지 말라고 시큰둥하게 말했다. 테라스 원목 기둥에 앉아 캄캄한 밤하늘을 보고 있던 명월은 그 말에 고개를 돌려 강설을 쳐다봤다.

그러고는,

네가 나 위로해주는 거 처음이다,

하고 감격했다. 위로하려고 한 말은 아니었지만 이런 온도의 말을 명월에게 단 한 번도 한 적이 없다는 사실을 깨닫고 굳이 아니라고 정정하지 않았다. 그리고 한편으로는 이렇게 보잘것없는 말도 위로로 받아주는 명월이 고마웠다. 누군가에게 위로를 준 게 그때가 처음이었으니까.

나 여기서 계속 기다려도 돼?

명월이 물었다. 명월의 손에는 띠로 둘둘 묶인 유도복이 들려 있었고, 명월의 앞머리는 땀에 젖었다 마른 흔적으로 헝클어져 있었다.

마음대로 해.

기다린다?

기다리라고는 안 했다.

응, 기다릴게.

유도를 끝마치고 편의점에 온 지도 한 시간이 흐른 뒤였고, 강설의 아르바이트가 끝나려면 앞으로 두 시간은 더 있어야 했는데 명월은 정말로 기다릴 셈이었는지 강설을 뒤따라 편의점에 들어와서는 과자 한 봉지를 사서 야외 테이블에 앉았다. 그날 기다리지 말라고 말했어야 했다. 하루를 기다리게 내버려뒀더니 그날을 기점으로 명월은 매일 강설을 기다렸다. 시설로 돌아가는 길이 무섭다는, 명월이 내뱉기에 퍽 어울리지 않는 말을 뱉으면서.

"시체를 못 봤어요. 저는 괜찮다고 했는데 끝까지 막더라고요. 화를 내고, 악을 쓰다가 나중에는 빌었어요. 제발 보여달라고. 피부가 다 벗겨져 있어도 괜찮으니까 사랑한다고 한 번만 귓가에 말할 수 있게 해달라고. 그런데도 못 봤어요. 무엇을 위한 보호인지 이해를 못 했어요. 아니, 사실 지금도 이해가 안 가요. 전염병이 돈 것도 아니고, 그 끔찍함은 내가 끌어안고 산다는데 못 보게 하니까요. 그래서 그게 제일 후회가 돼요."

식당에서는 더 이상 대화 소리가 들리지 않았다. 식기들이 힘없이 부딪치는 소음과 간헐적으로 누군가 코를 훔치는 소리만이 퍼졌다. 그 적막만으로도 강설은 설득에 성공한 사람이 아무도 없다는 것을 알아차렸다.

"동생의 마지막 모습을 못 본 거."

덤덤하게 말하던 채은의 목소리는 그 말을 뱉던 순간 가라앉았다. 맞은편 테이블을 바라보던 강설이 채은을 향해 고개를 돌렸다.

"후회했을 거예요."

강설이 말했다. 그러자 이번에는 채은이 숙였던 고개를 들었다.

"봤으면 악몽을 꿨을 거예요."

주제넘은 조언이라는 걸 알지만 강설은 말해주고 싶었다.

"기억하고 싶은 모습은 생각나지 않고 기억하고 싶지 않은 모습만 계속 생각났을 거예요. 그러니까 후회하지 마세요."

"누구였는지 여쭤봐도 돼요?"

채은이 물었다.

"언니였어요. 친언니는 아니었고."

"그랬군요. 그래도 저는 본 게 조금 더 부러워요. 왜 그때 우리 지역 군인은 그렇게 융통성 없게……."

"제 눈앞에서 죽었어요. 시체를 찾으러 간 게 아니라."

집을 침입하려던 사람들로부터 구해준 건 언니였다. 언니는 강설의 현관 앞에 모여 있는 사람들을 향해 와인병을 던졌고 총을 겨누었다. 그 총은 모형이었지만 사람들은 그 총을 진짜라 생각해 도망쳤다. 그런 시대였다. 진실과 거짓을 구분할 수 없고 가능과 불가능을 판단할 수 없던. 언니는 명월의 자리에 잠시 머물렀다. 오래 머물지는 못했다. 크람푸스에게 죽었으니까.

그날은 하필 기온이 영하로 떨어지던 한파였고 전기마저 끊긴 새벽이었다. 반년 전부터 원활히 이루어지던 전기와 가스 공급은 그날 자정을 기점으로 뚝 끊겼고, 강설의 집에 있던 이불을 전부 끌어다 덮어도 찬 공기가 뼈를 에워쌌다. 언니는 자신의 집에서 손난로와 이불을 더 챙겨 오겠다고, 손전등 하나를 쥐고 방을 나갔다. 강설은 말렸다. 손전등 하나로는 그 괴물을 쫓아낼 수 없다고, 필요 없으니까 그냥 아침까지 참으라고. 그런데 언니 눈에는 강설이 당장이라도 얼어 죽을 것처럼 보였는지 1분 안에 다녀올 수 있다는 말도 안 되는 공약을 내

걸며 방을 나갔다. 그리고 현관문이 열리기도 전에 거실에서 커다란 소리가 들렸고 집이 흔들렸다. 강설은 곧장 자리에서 일어나 문을 열었고, 바닥에 나뒹구는 손전등을 보았으며 사람이 낼 수 없는 숨소리와 어렴풋한 뿔의 형상을 보았다. 언니의 머리는 천장에 닿아 있었는데 발은 여전히 장판을 밟고 있었고, 차츰 어둠에 적응한 눈이 기어코 아직 숨이 붙은 언니와 밑으로 쏟아지는 검은 덩어리들을 목격했다. 강설이 기억하고 싶은 건 언니의 이름과 목소리인데 그런 것들은 이제 기억나지 않는다. 분명 그 목소리로 제 이름을 말해줬는데.

자못 놀란 표정으로 채은이 입을 열었다.

"그럼 어떻게……."

소거된 뒷말은 '살아남았냐'일 것이다.

"운이 좋았어요."

강설은 그렇게 식사를 마쳤다.

크람푸스의 홍채는 붉었고 동공은 염소처럼 가늘고 길었다. 그것과 눈이 마주쳤을 때 강설은 발끝부터 시작해 온몸이 뻣뻣하게 굳었다. 몇 발자국만 뛰어가면 빛이 있는 방에 닿을 텐데 그마저 불가능처럼 느껴졌다. 죽지 않았지만 죽었다고 생각했다. 숨 쉬고 있었지만 이미 내장이 쏟아진 듯 몸에 힘이 들어가지 않았다. 죽을 거면 고통 없이 죽고 싶었다. 언니처럼 숨이 붙어 있는 채로 몸이 뜯기고 싶지 않았다. 쥐고 있던 언니의 목덜미를 내려놓고 크람푸스가 자신을 향해 몸을 돌렸던 순간을 강설은 기억한다. 천장 벽지를 긁던 뿔을. 피로 범벅된 손을. 벌어진 입으로 흘러나오던 검은 액체를. 그리고 깨지던 유리창과 순식간에 뒤엉킨 두 형체를. 크람푸스의 뿔을 붙잡아 꺾고, 그 뿔을 크람푸스의 목에 찔러 벌어진 틈에 손을 넣어 목을 가르던 그 모든 장면. 검고 비린 피를 사방에 흩뿌리며 몸부림치는 크람푸스와 그 몸에 매달려 아무런 무기도 없이 오로지 손으로 괴물을 파괴하던 명월을, 강설은 전부 기억하고 있다.

그날 명월은 강설을 살렸다. 하지만 이 문장은 억지다. 명월은 강설을 살린 것이 아니다. 명월은 크람푸스를 죽였을 뿐이다. 명월은 석 달을 굶다 먹이를 발견한 짐승처럼 크람푸스에게 달려들었고 절망과 간절함이 아닌 환희와 즐거움으로 범벅된 놀이를 했다. 유리창을 깨고 들어와 크람푸스의 뿔을 꺾은 것이 사람이라는 걸, 그리고 그 사람이 명월이라는 것을 강설은 학살이 끝났을 때 알았다. 명월은 죽은 크람푸스를 발로 툭툭 건들다가 강설을 봤지만, 그 눈은 강설을 알아보지 못했고 크람푸스인지 인간인지만 구분했다.

물어보고 싶었다. 그때 자신을 마주했던 순간이 기억나느냐고. 기억한다고 하면 말하려고 했다. 네가 크람푸스를 죽이고 나를 봤을 때, 그 순간 네가 달려들까 봐 무서웠다고. 크람푸스보다 네 눈이 낯선 게 더 두려웠다고. 그렇지만 명월은 입소 후 처음 만나는 것 아니냐고 물었었기에 강설은 질문하는 수고를 덜었다.

무엇을 기억해야 할까. 섞이지 않는 두 장면이 계속 충돌을 일으켰다. 하나는 삭제해야만 한다. 그렇다면 강설은 유도복을 입은 명월을 기억하고 싶은데, 평생 보지 못할 명월을 떠올리며 슬퍼하더라도 차라리 슬픔에 허덕이고 싶은데 푸른 눈동자로 크람푸스의 시체를 발로 차던 명월이 자꾸만 커진다. 그 기억의 크기를 줄이려고 이곳에 왔는데. 잘못된 선택이었다. 예전의 명월은 이제 없다는 걸 헛된 희망으로 외면하다 결국 진실의 덫에 걸린 격이었다.

식당을 빠져나오자 직원이 강설을 불렀다. 직원이 강설을 데려간 곳은 첫날 방문했던 연구실이었다. 직원은 맞은편 소파에 앉으며 이곳 생활은 어떤지, 시설에 대한 인상은 어떤지 따위를 물었다. 강설은 지낼 만하다고 성의 없게 대답했다. 직원이 옅은 웃음을 터트렸다.

"강설 씨는 훈련도 잘 안 보시던데."

강설은 그게 무슨 문제가 되냐는 듯 대꾸하지 않았다.

"지낼 만하다고 대답한 방문객은 강설 씨가 처음이에요. 아직 모든 분과 면담한 건 아니지만, 보통 너무 열악하다며 개선점을 줄줄이 읊으시더라고요. 어제는 온수와 냉수가 너무 세다는 항의도 있었어요. 적당하게 따뜻한 온도를 찾기가 어렵다고."

그 말은 꼭 나무라는 것처럼 느껴졌고, 기분이 언짢았으나 반박할 수 없었다. 실제로 강설은 명월의 생활이 어떤지를 눈여겨본 적이 없었다.

"괜찮다고 해주시니 저희야 좋죠. 저희도 최선을 다하고 있거든요. 이 시국에 해줄 수 있는 건 최상으로 다 해주려고 해요. 지구를 지킨 주역들인데 당연하죠."

강설은 이번에도 적당한 반응을 찾지 못해 고개만 끄덕였다. 직원은 무릎에 팔꿈치를 올리고 다리 사이로 두 손을 맞잡았다.

"사실 직계가족이 아닌 사람은 딱 두 분뿐이거든요. 그중 한 분이 강설 씨입니다. 직계가 아니면 절차가 조금 달라요. 다른 분들은 가족 관계 증명이랑 서명만 하면 되는데 두 분은 그게 아니니까 다른 방식으로 관계를 증명해주셔야 합니다. 별로 어렵지는 않아요. 저희도 인정 없게 일할 생각은 없으니까요. 그래도 대원 사망 시 위로금 지급은 강설 씨의 사망 때까지 계속 지급되는 일이라 명분이 필요하거든요."

"잠깐만요."

"예?"

"이게 다 무슨 말인데요?"

직원은 왜 모르냐는 듯한 표정이었다.

강설은 훈련장으로 향했다. 훈련이 끝날 때까지 기다려줄 여유가 없었다. 대화를 미룬다면 명월의 멱살이라도 잡아끌고 나올 것이라고, 강설은 다짐하며 걸음을 빨리했다. 직원의 말을 요약하자면 행성 침탈 임무 도중 명월이 사망할 경우 그 이후 강설에게, 강설이 죽을 때까지 명월의 사망 위로금이 매달 300만 원씩 지급될 것이며 이에 동의하는 서명과 관계 증명을 해달라는 것이었다. 그 서명에는 돈을 받겠다는 의미와 명월이 우주에서 죽어도 받아들이겠다는 의미가 포함되어 있었다.

훈련장 1층 출입구는 전부 등록된 지문으로만 문을 열 수 있어 들어갈 수 없었다. 강설은 2층으로 향했다. 대기실에는 늘 그렇듯 사람들이 몰려 있었고 강설은 복도 끝에 있는 직원을 발견했다. 하지만 그 순간 채은이 달려와 강설의 앞을 가로막았다. 강설이 여기에 있다는 것에 적잖게 놀란 표정이었다. 왜 그러느냐고 물으려고 했지만 한순간 주위가 소란스러워지며 강설의 시선이 대기실로 향했다. 한 여자가 유리를 등지고 주저앉았다. 사람들은 일사불란하게 여자가 편하게 앉을 수 있도록 공간을 만들고, 휴지를 뽑아 우는 여자의 손에 쥐여주었다. 할머니 한 분이 여자의 등을 쓸어내리며 괜찮다고 반복해 말했다. 강설은 그늘진 사람들의 얼굴을 보았다. 그 그늘에 드리운 슬픔을 보았다. 강설이 대기실 안으로 들어가려고 하자 채은이 손을 붙잡았다.

"보지 마세요."

강설이 채은의 손을 떼어놓았다. 대기실로 들어가자 여자를 둘러싼 사람들의 시선이 강설에게 향했다. 강설은 그 시선이 어딘가 낯익다고 느꼈다. 탓할 수 없음을 알면서도 원망을 갈망하는 눈과 그 속에 뒤섞인 연민과 슬픔을 가만 곱씹다가 장례식에서 마주했던 조문객의 얼굴과 똑같구나, 했다.

피로 얼굴이 뒤덮여 어디가 얼굴이고 뒤통수인지 구분할 수조차 없는 상대에게 주먹을 내리꽂는 명월을 보자 강설은 명월이 목숨을 구해준 그날 이후로 줄곧 느끼고 있었지만 애써 외면했던 마음속 덩어리 하나가 터지는 것을 느꼈다.

대기실을 빠져나갔다. 도망치듯 걸었다. 걸음을 내디딜 때마다 어둠 속에서 느꼈던 공포가 껍질을 벗으며 속에 감춰두었던 연약한 알맹이를 드러냈다. 그것은 마치 밖으로 튀어나온 내장 같아서 강설이 걸음을 내디딜 때마다 흔들렸고 작은 충격에도 터질 것처럼 불안했다. 두 손으로 쓸어 담을 수 없는 크기였다. 어찌할 바를 모르고 무작정 걷는 강설을 어느새 뒤쫓아온 채은이 앞을 가로막으며 끌어안았다. 뿌리칠 수 없을 만큼 단단하게 팔을 둘렀다.

"강설 씨, 헷갈리지 말아요."

고맙다고 생각했지만 강설에겐 마음을 표할 여력이 없었다. 단단하게 두른 팔은 의외로 쉽게 풀렸다. 강설은 인사도 건네지 못하고 자리를 떴다. 방으로 가야 한다는 생각뿐이었다. 방에 도착하면 짐을 쌀 거고, 직원에게 돌아갈 수 있는 방법을 물어볼 것이다. 강설은 순서를 잊지 않도록, 오로지 그것만 생각하며 방으로 향했다.

명월은 강설이 가방 지퍼를 잠갔을 때 방으로 들어왔다.

"너 뭐 해?"

"가려고."

"갑자기 왜?"

"가고 싶어서."

명월의 손가락에는 지우지 못한 혈흔이 남아 있었다. 마주치고 싶지 않은 장면이 또다시 선명하게 떠올랐다.

"아니, 이유를 제대로 말해줘."

"너랑 더 있을 이유가 없어서."

"나랑 더 있기 싫은 이유를 말해달라니까."

"낯설어. 그래서 같이 있기 싫어."

명월은 아가미처럼 입술을 벙긋거렸다가 다물었다. 가까웠던 만큼 둘은 서로에게 가장 잔인하게 상처 주는 법을 알고 있었다. 그렇다고 해도 상처를 주기 위해 의도적으로 말을 내뱉었다는 뜻은 아니다. 내뱉고 난 뒤에야 이 말로 명월이 얼마나 상처받을지 안다는 것 정도.

"너한테 그런 말 들으면 나 슬픈데."

"상관없잖아. 이런 말 들어도."

"왜 그렇게까지 말해? 충분히 있을 수 있는 상황이었어. 그런 일 종종 일어나. 아니, 그렇게 해야만 하는 훈련이야. 괴물이 봐주면서 공격하겠어?"

자신이 이렇게 행동하는 이유를 명월은 알고 있었다. 아마도 채은이 말해줬을 것이다. 덕분에 말이 수월하게 나왔다.

"너는 놓을 수 있었어. 진짜 죽일 게 아니었다면."

"그거 금방 회복돼. 하루도 안 걸려. 몇 시간이면 다 나을 걸? 그 정도 상처는 진짜 아무것도 아니고 나도 예전에 그렇게 다친 적……."

"거기 가족들 있었어."

90분이면 다 낫겠지. 목이 뜯기거나 심장이 뽑히지 않는 이상 대부분의 상처는 다 나을 것이다. 그러라고 진화시켰고, 그렇기 때문에 쫓겨나는 존재였으므로.

다행히 명월은 반박하지 않았다.

"안 그래도 내가 오늘 여기 직원한테 서명하라는 말을 듣고 왔거든. 너 죽으면 돈 준다는데 내가 거기에 왜 서명을 하고 돈을 받아야 하는지 모르겠는데."

강설은 명월에게 전부 물을 기세로 태도를 바꾸었다. 훈련장에 찾아간 이유를 잊을 뻔했다. 명월의 미간이 일그러졌다. 변명이라도 할 듯이 명월이 입을 열었지만 강설은 틈을 주지 않았다.

"각자 1인분씩 살자고 했지. 서로 떠넘기지 말자고. 네가 나랑 같이 살 때 네 입으로 한 말이었어. 네가 다 챙기지 못하고 남긴 삶, 나한테 떠넘기지 마."

명월의 목숨값을 받는다는 점은 어떤 말로도 바뀌지 않을 거였다. 강설이 명월을 지나쳐 방을 나왔다. 명월은 고맙게도 강설이 상처받을 말을 내뱉지 않았다.

직원에게 돌아가겠다고 말했고, 직원은 난감해했으나 강설은 완강한 태도로 버텼다. 하루 사이 뚝 떨어진 기온은 코끝과 뺨을 시리게 했고 직원의 차를 기다리는 동안 진눈깨비가 내렸다. 강설이 차를 타고 떠나기 전, 채은이 달려와 강설의 연락처를 물었다. 강설은 알려줘야 할지 말지 고민했는데, 혼자냐고 묻고 자신도 혼자라고 말하는 채은의 말을 넘길 수가 없었다. 차가 운동장을 가로질러 울창한 숲으로 들어갈 때까지 명월은 나타나지 않았고, 강설은 고개를 돌리며 돌아보지 않겠다고 다짐했다. 목이 아플 만큼 빳빳하게 힘을 주고서. 쌓이지 못하는 눈이 내렸고 흰 밤은 오늘도 그림자의 자리를 빼앗았다.

혼자 살면 외로울 거 같지 않아?

너는 몇 년을 부대끼고 살았는데 같이 살고 싶냐?

시설에서 지원해주는 돈을 합쳐 더 큰 집에서 함께 살자고 명월이 먼저 제안했다. 싫지 않았고, 거절할 이유도 없었지만 바로 그렇게 하자는 대답이 나오지 않았다. 하지만 명월은 굴하지 않았다. 명월은 강설이 청소 중인 야외 테이블 의자에 앉아 본격적으로 입을 열었다.

나는 정신없고, 시끄러운 건 괜찮아. 늦게 씻어서 조금 짜증 나는 것도, 귀찮은데 청소해야 되는 것도 좀 참으면 별거 아니더라고. 그것보다 내가 제일 두려운 건 정말 혼자가 되는 거야. 세상에 나뿐인 기분. 그게 너무 무서워서 어렸을 때도 웃고 지냈나 봐. 떠나지 말라고.

네가 떠날 힘이 없어서였겠지. 어렸으니까.

나 그때도 힘 있었어. 마음만 먹었으면 경찰서 가서 상황 진술 다 할 수 있었다고. 누구한테든 도움 요청할 수 있었다니까? 힘이 없어서 누군가 구해주길 기다렸던 게 아니야. 내가 진짜 두려웠던 건 그다음이야. 나는 집이 무서웠지만 아무도 오지 않는 집은 서러웠고, 함께 있으면 불편했지만 혼자 있으면 눈물이 났어. 그러니까 나는 힘을 버티는 데 쓴 거야.

강설은 대꾸 없이 테이블을 치웠고, 손길은 점점 느려졌다.

잘 생각해봐. 나랑 멋지게 살 생각 없어?

멋지게는 무슨…….

너 책 읽는 거 좋아하잖아. 서재도 만들고 요리도 해 먹고. 종일 영화 보다가 산책 가고, 나중에 우리처럼 버려진 강아지 한 마리 입양해서 셋이 오순도순 살면 얼마나 좋아. 사람들은 나열된 우리 모습만 보고 불쌍한 인생이라고 생각할 거 아냐. 그게 아니라는 거, 우리한테도 우리의 삶이 있고 우리가 택한 삶이고 내 인생 멋지다는 거 보여줘야지.

고작 그걸로 되겠냐?

고작이라니, 그럼 어떤 게 멋있는 삶인데? 나는 그거면 된다고 생각해. 함부로 안쓰럽게 생각하지 못하게 목 디스크 올 정도로 고개 들고 살자고, 같이.

명월은 그러고도 며칠 동안이나 설득했다. 어느 순간 강설은 명월의 말이 웃겨서 대답을 미뤘고, 명월은 계속해서 허튼 소리와 부푼 기대와 설레는 약속을 해왔다. 네게 네 삶을 바쳐야 하는 사랑을 구걸하지 않을 것이고, 네게 내 삶을 책임지게 하는 일도 하지 않을 거라고.

강설은 그때의 대화를 떠올리다 문득, 외롭지 않기 위해 외로워진 자신과 버티기 위해 싸우는 법을 배운 명월이 안쓰럽다고 느꼈다.

채은이 강설을 찾아온 것은 그로부터 닷새 후였다. 강설은 닷새 동안 아무것도 하지 않았다. 집에 오면 명월의 물건부터 다 버리겠다고 다짐했으나 커튼조차 걷지 않고 컴컴한 집에서 침대와 화장실만 오갔다. 그래서 초인종이 울렸을 때 처음에는 환청이라 생각했다. 어느 순간부터 이명이 들렸고 꿈과 현실의 경계가 희미해졌으니 그럴 만도 했다. 두 번째 초인종이 울렸을 때는 누군가 오긴 왔다고 받아들였지만 생각뿐이었고, 세 번째 초인종이 울렸을 때에야 상체를 일으켰다. 네 번째는 초인종이 아니라 노크였다. 강설 씨, 하고 부르는 목소리가 낯익었다. 다행히 문을 열기 전에 채은임을 알아차렸다. 채은과 그 후로 연락을 한 적이 있던가. 강설은 휴대전화를 만진 기억이 없었다. 그렇다면 채은은 알려주지도 않은 집을 어떻게 알고 찾아온 것일까.

그런 생각을 하며, 강설은 채은을 둥근 식탁으로 안내했다. 갑작스러운 방문에 강설은 일의 순서를 정하지 못하고 정신 사납게 움직였다. 불을 켰다가 다시 커튼을 열었고, 마실 걸 준다고 해놓고 돌연 세수를 해야겠다는 생각에 화장실로 들어갔다. 씻고 나왔을 땐 식탁에 김밥이 놓여 있었다.

"식사 안 하셨을 것 같아서 가져왔어요. 저도 안 하기도 했고……. 같이 먹어요."

채은은 식사를 마칠 때까지 천천히 먹으라는 말을 간혹 뱉을 뿐 다른 말은 하지 않았고 강설의 속도에 맞춰 최대한 천천히 음식을 입에 넣었다. 식사를 마친 후 강설은 식탁을 정리하고 물을 끓였다. 그동안 채은은 집을 구경했다.

"이거는 백명월 씨 건가요?"

채은이 금메달을 가리키며 물었다.

"네."

"두 분 같이 사시는 거죠?"

강설이 고개를 끄덕였다.

"강설 씨 사는 곳 명월 씨한테 여쭤보고 알았어요. 기분 나빴다면 미안해요. 그렇지만 강설 씨를 꼭 다시 만나고 싶었어요. 연락해도 안 받고 해서 어쩔 수 없었어요."

"괜찮습니다."

강설이 따뜻한 차를 식탁에 올렸다. 채은이 도로 식탁 의자에 앉았다.

"내일 출발해요."

강설은 그 말을 한 번에 알아듣지 못했다. 내일 (무엇이), (어디로), 출발한다는 것이고 그걸 왜 (나한테) 말하는 것일까. 강설은 괄호 속의 문장들을 하나씩 채워갔다. 아마도 내일 우주선이 우주로 출발한다는 것일 테고, 명월이 떠나기 때문에 강설에게 말한 것일 터였다. 강설은 수수께끼가 풀린 문장을 곱씹으며 손가락이 차가워지는 걸 느꼈다. 채은이 강설의 손을 감쌌다.

"헷갈리면 안 돼요, 강설 씨."

지난번에 했던 말과 똑같은 말. 도대체 뭘 혼동하지 말라는 걸까.

"우리가 진짜 두려워했던 게 뭔지를요."

강설은 이해가 되지 않았다. 한번 보고 말면 되는 사이에 이렇게 찾아와 말하는 이유를.

"저는 동생의 마지막 모습을 보지 못하는 게 두려웠던 게 아니에요. 정확하게 말하자면 그게 마지막이라는 게 두려웠죠. 저는 동생이 그 애를 만나는 게 싫었어요. 큰 이유는 없었어요. 그냥 마음에 들지 않았어요. 적어도 제가 동생보다 사람 보는 눈이, 촉이 좋다고 생각했어요. 많이 싸웠어요. 어린 게 결혼할 것처럼 구니까. 근데 오래갈 싸움은 아니었거든요. 결국 제가 졌겠죠. 영원을 약속한다면 들어줬을 거예요. 그런데 지구가 외계인으로 쑥대밭이 되고, 동생의 애인이 외계인과 싸우게 되면서 동생도 민간인 지원으로 군에 간다고 하는 거예요."

채은의 말투는 덤덤했다. 아주 먼 옛날이야기를 하듯이.

"엄청 싸웠어요. 싸웠다고 말해야 하나. 그게 맞는 표현인가. 싸웠다에는 꼭 화해가 있을 것 같잖아요. 그 정도가 아니었는데. 상처를 주고, 상처를 받고. 그렇게 다툴 시대가 아니었는데도 서로 죽일 듯이 싸웠다는 게 저도 이해가 안 가요, 지금은. 함께 끌어안아도 모자랄 판에. 서로 다시는 보지 말자고 화를 내고 헤어진 날, 동생이 죽었어요."

아. 강설이 나지막한 슬픔을 뱉었다.

"마지막 말을 그렇게 끝내고 싶지 않았어요. 미안하다고 사과하고 세상에서 너를 제일 사랑한다고 말하고 싶었어요. 대답을 듣지 못하더라도 들을 거라 생각했어요. 그걸 못한 게 후회가 돼요. 강설 씨, 우리는 무엇을 두려워하고 있는 걸까요? 두려운 시절은 이미 다 지나갔는데. 강설 씨가 두려워하는 건 뭐예요?"

크람푸스를 죽일 때 보았던 명월의 눈. 상대방을 공격하던 명월의 손. 하지만 정말로 그것이 두려운가 묻는다면 속 시원하게 그렇다고 할 수 없었다.

적막이 집 안을 감싸고 따뜻했던 차가 미지근해졌을 즈음 강설이 입을 열었다.

"잃을까 봐 ……."

"하지만 아직 마지막은 오지 않았잖아요. 동생이 살아만 있어준다면 괴물이 되어도 좋고 우주에 나가도 좋아요. 허락했을 거예요. 적어도 내가 바라볼 수 있는 곳에 동생이 있다는 거니까. 보이지는 않겠지만요. 그렇게라도 살아만 있어주면 됐어요. 어떤 모습으로든, 어디에서든."

윗배가 무겁고 코가 아리다. 묵직하고 뜨거운 기운이 몸에 퍼지며 그 수증기가 눈을 비집고 나오려고 했다. 사랑해 마지 않던 사람들을 연이어 떠나보내게 되면 마음은 주는 것이 아니라 보관해두는 것, 기댄다는 건 그것이 사라졌을 때 넘어진다는 것, 함께한다는 건 섞일 수 없는 물체가 잠시 머물다 갈 뿐이라는 것. 그렇게 생각했다. 떠난다는 건 붙잡는다고 되는 게 아니라고. 크람푸스가 지구를 침략했을 때 정말로 무서웠던 건 그 존재 자체가 아니라 그들로 인해 명월이 자신의 곁을 영원히 떠날까 봐 두려웠던 것이다.

내일이라고 했지만, 출발하려면 스물여덟 시간이 남았지만 강설은 집을 나섰다. 밖을 나선 순간부터 눈이 내리기 시작했다. 함박눈이었다. 택시를 잡아 세우고 기사에게 주소를 말했다. 눈발은 점점 거세졌다. 강설은 엄지손톱을 물어뜯으며, 이 손톱을 다 뜯기 전에 명월이 있는 곳에 도착했으면 좋겠다고 간절히 바랐다. 전화를 먼저 할 걸 그랬나, 싶었다. 하지만 그럴 바에야 입구에 도착해서 연락하는 게 나았다.

기사는 숲에서 택시를 멈췄다.

"여기는 더 못 들어가게 해놨는데요."

"그럼 여기서 내릴게요."

"예. 근데 눈보라가 이렇게 심한데……."

택시 요금을 지불하고 내린 뒤 강설은 익숙한 건물을 향해 뛰었다. 눈보라가 뒤에서 불어오는 덕에 바람을 헤치고 달려가는 수고는 덜었지만 머리카락이 자꾸 시야를 방해했고 귀와 코가 떨어질 것처럼 추웠다. 먼 거리를 쉬지 않고 달렸다. 몸은 금방 열을 냈고 목에서 쇠 맛이 느껴졌다. 숨이 너무 찰 땐 멈춰 서서 숨을 골랐다. 금방 닿을 것 같았는데 어느새 발목까지 쌓인 눈 때문에 쉽지 않았다. 눈 위로 이마에서 흐른 땀이 떨어졌다. 땀을 내면 행복해진다고, 명월이 그러지 않았던가. 땀 한 방울, 한 방울에 고민과 슬픔이 섞여 있다고 생각하면 진탕 땀을 빼고 난 후 편안해진다는 걸 느낀다고 땀에 범벅된 상태로 말했던 기억이 떠올랐다. 강설은 정말로 큰일 났음을 느꼈다. 삶 구석구석에 명월이 있음에.

숲이 끝나가고 저 멀리에 얼마 전 버스를 타고 통과했던 입구가 보였다. 그리고 명월을 어떻게 불러내야 할지에 대해 고민하다가, 곧 고민을 할 필요가 없어졌다. 저 멀리에서 명월이 달려오고 있었다. 강설은 그 자리에 멈춰 섰다. 힘들어서 죽을 지경이었다. 손으로 나무를 짚고 몇 번 숨을 고르자 명월이 한

달음에 이곳까지 달려왔다.

"뭐야. 너 어떻게 알았냐?"

목 끝까지 찬 숨을 애써 삼켜내며 강설이 물었다.

"냄새."

그렇게 모진 말을 하고 갔는데도 명월은 아무 말도 들은 적 없는 사람처럼 웃었다.

"사과하려고 왔어?"

기대하는 얼굴이 미묘하게 늑대를 닮았다. 원래 닮았던가, 아니면 변해서 닮게 된 것인가. 명월은 언제나 웃는 얼굴이었기에 맨 얼굴이 어땠는지 기억나지 않았다.

"할 말 있어서 왔어. 사과는 아니지만."

명월은 웃지 않는 강설의 표정이 부럽다고 했지만 강설은 여전히 웃지 않아야만 했고, 그래서 굳어버린 자신의 얼굴이 싫었다.

"꼭 와."

좀 웃으며 말하고 싶은데.

"늑대는 귀소본능 같은 게 있다며. 그래서 죽기 전에 기어들어온다는데 너도 죽기 전에 기어들어와. 여기서 죽어."

추위에 얼어서 그런 건지 웃음이 나려는 걸 억지로 참는 건지 명월의 입술 끝이 씰룩거렸다.

"오라는 거야, 죽으라고 고사 지내는 거야?"

"죽을 거면 내 눈앞에서 나랑 마지막으로 인사하고 죽으라는 거야. 안 죽을 것 같아도 내가 죽기 전에 와. 내가 너보다 빨리 늙을 거 아냐. 아무리 늦어도 70년 안에는 와. 100살 넘어서까지 살 생각 없으니까."

아주 어색한 만남이 될 것이다. 같은 종족의, 같은 나이였던 두 소녀는 70년 후 늑대와 할머니로 만나게 될 테니까. 그렇지만 강설은 기다릴 만하다고 생각했다. 모래 알갱이보다 작아서 육안으로는 보이지 않겠지만 그래도 쳐다보는 곳 어딘가 명월이 살아 있다고 생각하면, 영원히 떠난 사람들을 그리워했던 시간에 비해 훨씬 기다릴 만했다.

"그럼 내가 다이아몬드 꼭 캐 올게."

명월이 웃었다. 언제나처럼.

강설은 명월과 헤어진 후에야, 크람푸스로부터 구해줘서 고맙다는 말을 하지 않았다는 걸 깨달았다. 그렇지만 명월이라면 말하지 않아도 자신의 마음을 알 것 같았고 만일 알지 못한다고 할지라도 상관없었다.

다음 날 흰 밤하늘을 우주선이 가로질렀고, 강설은 우주선을 보며 언젠가 다시 마주 보게 될 명월의 눈을 떠올렸다. 시리지만 깊은 그 눈을.

바키타

세 개의 배아통을 우주선에 싣는 데 성공했습니다. 두 개는 배터리가 망가져 전원이 꺼졌습니다. 안타까운 일이지만 지금 지구의 상태로는 세 개가 멀쩡하다는 것만으로도 기적입니다. 보초병은 없었습니다. 보관실도 마찬가지입니다. 무사했던 건, 단순히 도시와 떨어져 외진 곳에 지어졌기 때문으로 보입니다. 지구를 찾아온 낯선 생명체로부터 신이 마지막으로 지킨 창조물이 아닐까 생각합니다. 신의 손바닥으로 감쌀 수 있었던 크기가 고작 배양통 세 개였던 겁니다. 착륙 과정에서 암벽에 부딪칠 뻔해 급하게 에너지를 끌어 쓰다 보니 배터리가 방전되었습니다. 배터리가 태양 에너지로 채워지기까지 며칠 걸릴 예정입니다. 그동안 꼼짝없이 지구에 있게 되었네요. 복귀가 예정보다 늦어지겠습니다.

그동안 지구의 변화를 기록해보려고 합니다. 지구로부터

신호가 없다는 걸 진작 알았으니, 어떤 이유로든 우리가 우주로 떠난 사이에 인류가 전멸했을 수도 있다고 예측하지 않았습니까? 그 예측이 반은 맞고, 반은 틀린 것 같습니다. 절망적이거나 슬프지는 않습니다. 잠시 마음이 숙연해지기는 했지만 우리의 예측을 따라, 우리는 인류가 멸망한 지구에서 배양통을 우리의 새로운 행성으로 옮기기 위해 온 것 아닙니까. 그런데 어쩐지 지구는, 아니 인류는 우리의 예측과 다르게 세월을 보낸 모양입니다. 대장님도 분명 흥미로워하실 겁니다. 지구는 익숙하지만 낯선, 무섭고 아름다운 행성이 되었습니다.

#

문명이 멸망했다고 하기에는 다소 애매한 부분이 많습니다. 비슷하게 파멸이나 괴멸, 몰락, 함몰, 종말 같은 단어도 어울리지 않습니다. 그렇지만 현 상황을 표현하기 위해 반드시 어떤 단어를 붙여야 한다면 애석하게도 저는 번영이라 말하겠습니다. 이전 기록에도 남겨두었듯이 바키타가 가져온 물질은 전기를 끌어오지 않아도 밤이 되면 도시 전체를 밝힙니다. 송전탑은 식물이 뒤덮어 얼핏 봤을 땐 풀이 무성히 자란 천 년 된 나무인 줄로만 알았고, 발전소가 있던 곳은 빈터가 되어 붉은여우의 집이 되어 있었습니다. 그곳에서 만난 붉은여우는 호기심 어린 눈으로 저를 지켜보다가 곧 살며시 다가와 다리에 얼굴을 비볐습니다. 그러다 토끼처럼 뛰며 저에게 장난을 걸기도 했습니다. 야생에서 자란 짐승이 두려움 없는 호의를 베푼다는 것이 신기했습니다. 야생동물을 길에서 만난 게 처음이었습니다. 그곳은 너무도 당연하게 우리의 영역이었으니까요. 길에 인간만 다니는 걸 이상하게 여기지 않은 것이 더 이상하게 다가왔습니다. 조금만 생각해봤다면 정말 이상한 게 뭔지 바로 알아차렸을 텐데. 한 행성을 한 종이 절반 가까이 정복하고 있었다는 게 소름 끼칩니다. 지금도 인간의 흔적이 곳곳에 선명하게 남아 있는데도 동물들은 인간이 없다는 이유 하나로 금단의 구역을 원래 자신들의 영역인 양 자유롭게 누비고 있습니다. 애초에 인간의 것이 아니었다는 듯이. 대장님이 발전소에 사는 붉은여우를 만났다면 대장님 역시 저와 같은 생각을 하셨을 겁니다.

붉은여우 외에도 이름을 알지 못하는 다양한 생명체를 목격했습니다. 대장님, 검은 몸통에 푸른 에메랄드빛 턱시도를 한 새를 보신 적 있으십니까? 반대로 푸른 몸통에 멋진 검은 보타이를 한 새는요. 앵무새처럼 구부러진 부리가 반은 붉고 반은 파란 새를, 얼핏 보면 나비처럼 보이지만 자세히 보면 꼬리가 더듬이처럼 말린 새를, 파마를 한 것처럼 머리털이 멋스럽게 말린 새와 분홍색 날개가 펄럭일 때마다 물결처럼 파도치는 새를 본 적은 있으십니까. 그것들은 우리가 자리를 비운 사이 창조됐을 수도, 바키타의 행성에서 옮겨 왔을 수도, 혹은 진화했을 수도 있지만 어쩐지 저는 그 새들이 이전부터 줄곧 우리와 함께 있었을 거라는 확신이 듭니다. 낯선 울음소리가 아니었거든요. 언젠가는 분명 들어본 적 있는 소리입니다. 붉은여우와 같겠죠. 그 새들은 담쟁이넝쿨의 일부분이 된 송전탑과 전선줄에 앉아 있었습니다. 대장님이 부리 달린 동물을 무서워한다고 하셨던 게 기억납니다. 하지만 전선줄에 앉아 그네 타듯 몸을 흔드는 새들을 보았다면 분명 대장님도 그 새들을 귀여워하셨을 겁니다.

제가 머물고 있는 곳은 발전소와 멀지 않은 산입니다. 지난번에 거처가 너무 열악해서, 질병과 재난, 그리고 야생동물 습격에 취약해서 이곳 인간들은 오래 살지 못할 거라고 말씀드렸습니다. 그 말을 정정해야 할 것 같습니다. 그들이 그런 열악한 환경을 유지하는 건 눈에 띄지 않기 위한 전략이고, 그들은 지붕과 울타리가 없는 공간에서도 살 수 있도록 진화했습니다. 여전히 불을 사용하지만 불은 위치가 쉽게 발각될 수 있습니다. 겨울이 되면 불을 더더욱 피울 수 없습니다. 자칫 산에 불이라도 붙는다면 정말 큰일이 날 테니까요. 하지만 불이 없어 힘든 것은 저뿐이었습니다. 질긴 풀과 열매, 익히지 않은 포유류의 살점을 저는 씹을 수 없었지만 강한 아래턱을 가진 그들은 익힌 고기나 채소를 먹듯이 아무렇지 않게 씹었습니다. 그들의 턱은 우리와 다릅니다. 우리가 자리를 비운 시간 동안 바키타로부터 살아남기 위해, 아니 이 표현은 맞지 않습니다.

바키타가 인간을 죽이는 건 아니니까요. 뭐라고 표현하면 좋을까요…… 길들여지지 않기 위해. 네, 이 표현이 잘 어울립니다. 길들여지지 않기 위해, 인간으로 남기 위해, 사육되지 않기 위해 그 짧은 기간 동안 외계인 침략이라는 역사상 존재하지 않았던 사건으로부터 튀어 오르듯 급격한 진화를 이뤘습니다. 언젠가 대장님이 제게 해주셨던 이야기지요. 진화 과정에서 어느 한순간 종간의 뚜렷한 단절이 생기고 안정기에 들어가면 한동안 점진적인 진화가 일어나지 않는다고요.

숲속에 사는 인간들의 이야기를 더 해야겠습니다. 이들은 자신들이 인간이라 고집했습니다. 그러니까 이들은 저곳…… 저 문명 속 존재들은 이제 인간이 아니라 생각합니다. 그 말은 확고한 듯하면서도 어딘가 필사적이었습니다. 지난번에는 정신이 없어서 대장님께 이 말을 안 드린 것 같군요. 바키타와 함께 지내는 것들은 이미 우리와 너무 달라져버린, 자신을 가축화시킨 하등한 종족이라 칭했습니다. 물론 이들이 정확하게 그들이 가축화되었다고 표현한 것은 아닙니다. 언제나 바키타와 동행하는 문명의 인간들을 보고 제가 추측한 거죠. 말씀드렸다시피 숲속의 인간과 의사소통이 거의 되지 않습니다. 침팬지나 보노보. 그런 짐승들과 대화한다면 딱 이런 기분일 것 같습니다.

이들에게는 미안하지만 숲속의 인간들 역시 저한테는 인간이라 받아들여지지 않았습니다. 첫 번째 이유는 이들의 어휘력이 현저하게 낮다는 것에 있습니다. 6세 수준의 문장 정도만 구사합니다. 그들의 언어가 생존으로 귀결되어 그런 것으로 여겨집니다. 처음에 저는 그들이 제가 모르는 또 다른 언어를 쓴다고 생각했습니다. 하지만 아니었습니다. 제가 알고 있는 언어였습니다. 그걸 깨닫기까지 시간이 꽤 오래 걸렸지만 양성모음이 들린 이후 음성모음과 중성모음까지 발음하고 있다는 걸 알았습니다. 그래도 소통은 합니다.

어쨌거나 그 사실이 저를 한동안 암울하게 만들었습니다. 고도의 작전을 짤 이유조차 없다고 느껴졌습니다. 그들이 숲으로 들어오기까지 겪은 숱한 좌절과 절망, 함락, 패배 따위가 생각하고 싶지 않아도 떠올랐습니다. 마음이 착잡했습니다. 왜 그들에게 감정을 몰입하는지 스스로도 이해되지 않았습니다. 인간이 패배했다고 느껴서일까요? 어떤 면으로는 맞겠지만, 어떤 면으로는 아니지 않습니까. 다른 면으로 인간은 또다시 환경에 적응하고 살아남았습니다. 살아남았다는 건 멸종의 위기에서 벗어났다는 것입니다. 그것만으로도 우리는 이긴 것과 다름없습니다.

두 번째 이유는 외형입니다. 대장님께 사진을 보내드릴 수 있다면 참 좋을 텐데, 아쉽습니다. 저는 처음에 공포심과 적대감을 느꼈지만 어쩐지 대장님이라면 이들을 마주한 순간부터 흥미로워하셨을 것 같습니다. 물론 그런 호의로 인해 더 위험한 상황에 처했을지도 모르지만요.

조금 전 말씀드렸다시피 이들의 아래턱은 우리보다 훨씬 발달된 형태입니다. 소의 턱처럼요. 그래서 발음이 정교하지 않습니다. 전혀 다른 언어, 그러니까 외국어 정도가 아니라 우리의 구강 구조로 할 수 없는 소리와 음역대로 말을 했습니다. 아래턱이 발달한 건 불 없이 음식을 섭취하며 비이성적으로 빠르게 진화한 탓으로 보입니다. 물론 단절에 가까운 진화가 아래턱에만 나타난 것은 아니지만……. 턱이 발달해서인지 숲속 인간들의 머리 크기는 예전의 인간들보다 2배에서 2.5배 정도 컸습니다. 머리둘레는 저와 크게 다르지 않았는데 좋은 징조였습니다. 뇌의 활동량이 우리와 크게 다르지 않다는 걸로 받아들여졌으니까요. 실제로 저와 그들 사이의 장벽은 언어로 인해 소통이 힘들다는 것 빼고는 없었습니다. 이들은 제가 야생초를 씹지 못하자, 불을 피웠고 보관해두었던 아주 오래된 냄비를 꺼냈습니다. 무척 서툴렀지만 끓는 물에 야생초를 데쳐서 주었고, 제가 편히 잘 수 있도록 움막 한편에 따로 잠자리를 마련해주었습니다. 이뿐만 아니라 이들에게도 남아있는 문명의 흔적들이 있었습니다. 이들은 식사 후 물로 입을 헹궜습니다. 누군가는 손으로 이를 정리했고, 누군가는 칫솔과 비슷한 도구를 이용해 이 사이에 낀 음식물을 제거했습니다. 화장실 역시 식생활 구역과 철저하게 구분해놓았고요. 최소한 병균으로부터 살아남으려면 어떻게 생활해야 하는지 알고 있었습니다. 이들이 날것으로 먹는 야생초와 버섯, 꽃, 열매는 전부 예전부터 인간들이 먹었던 식품들이었고요.

이들은 그저 야생에서 살아남도록 더 강하게 진화한 것뿐이었습니다. 인간이 가지고 있던 나약한 부분을 전부 지우면서요. 신체 변화 역시 털에서만 일어난 것이 아닙니다. 이들의 손톱과 발톱은 육식동물의 것처럼 두껍고 날카로우며, 허리가 훨씬 길었습니다. 상체와 하체의 비율이 거의 같아 보입니다. 이 역시도 음식물을 오래 저장하거나 혹은 소화가 되지 않는 음식을 소화시키느라 장기가 비대하게 커진 것으로 보입니다.

저는 한동안 숲속의 인간들과 지냈습니다. 다행히도 그들이 보존하고 있는 자료 중에 우리 탐사선 정보가 남아 있었습니다. 기다리고 있었던 모양입니다. 자신들을 구원해줄지 모르는 이전 세대의 인간을요. 어찌 보면 신과 같은 존재라 느낄 수도 있을 법한데 과학기술 문명을 지나쳐온 그들에게는 신이 존재하지 않았습니다. 실망했다는 뜻은 아닙니다. 오히려 다행이었습니다. 만일 그들이 신을 믿었다면 꼼짝없이 선두에서서 바키타를 공격했어야 했을 겁니다. 다행히 그런 일은 일어나지 않았고, 또 남아 있는 자료 덕분에 두 번째 침공 외계인이라는 오해도 빗길 수 있었습니다. 그 이전의 인간. 스스로를 냉동시켜 짧은 인간의 삶을 기이하게 늘렸다가 진화 이전의 모습으로 나타난 인간. 어젯밤에는 문득 저 역시 바키타와 다를 게 없다는 생각이 들더군요. 대장님도 서명하셨다고 하셨지요. 지구에 남아 있는 가족들에게, 그리고 후손들에게 우리가 돌아올 때까지 지원을 아끼지 않겠다는 그 서류에요. 대장님은 얼마나 걸리셨습니까? 생각해보니 그걸 묻지 못했네요. 저는 2년이 걸렸습니다. 몇백 년 동안 죽지 않고 살아갈 것에 대해, 그 공간이 우주인 것에 대해, 살아가는 동안 앞으로 사랑하는 가족과 지인들을 죽을 때까지 만날 수 없다는 것에 대해서요. 쉽지 않은 결정이었습니다. 탐사선에 탑승한 누구라도 그랬겠죠. 저는 운명이라 생각했습니다. 운명. 이런 단어를 대장님이 가장 싫어하신다는 건 알고 있습니다. 모든 일은 선택이 만들어낸 결과물이라고 생각하시니까요. 하지만 어쩔 땐 운명이라는 말 외에 대치할 수 있는 단어가 없는 상황이 생기기도 합니다. 제가 수학과 과학을 잘한 건 어머니의 피를 물려받은 것이니 저의 선택이라기보다 타고난 성질이고, 아버지가 완치 가능성이 없는 병에 걸려 평생 병원 신세를 져야 했던 것도 저의 선택은 아니지 않습니까. 물론 이런 것들 역시도 하나하나 따지고 들면 대장님 말처럼 선택의 결과물이겠지만, 어찌 됐건 저는 운명이라 생각하는 게 편했습니다. 갑자기 너무 제 이야기로 빠졌었네요. 아무튼 대장님에게도 영원한 작별을 했던 사람들이 있었겠죠. 만일 그들이 여태껏 살아 있었다면, 그래서 숲속의 인간들처럼 혹은 바키타와 공생하는 인간들처럼 변했다면 우리는 어땠을까 궁금해졌습니다.

대장님, 바키타가 처음 지구에 등장했던 순간을 기억하시는지요. 냉동 수면의 상태가 길어지면 길어질수록 기억상실이라는 부작용을 초래한다지만 바키타에 대한 기억만큼은 생생합니다. 단 한 톨도 지워지지 않았습니다. 너무도 충격적이었으니까요. 밤하늘이 대낮처럼 밝아지더니 창공이 갈라지듯 문이 열리던 그 모습을, 어떤 인간이 잊을 수 있을까요.

저는 그때 열두 살이었습니다. 방학이었고, 그날 오전에 가족끼리 2박 3일 울산으로 여행을 갔다가 돌아온 길이어서 일찍 침대에 누웠죠. 자다 눈이 부셔서 깼습니다. 처음에는 부모님이 제 방 불을 켠 줄 알았습니다. 그래서 잠결에 불을 꺼달라고 부탁했습니다. 하지만 어디서도 기척이 들리지 않았습니다. 한참 후에야 안방 문이 열리며 무슨 빛이냐고 중얼거리는 부모님의 목소리가 들렸습니다. 그때서야 무언가 이상하다는 걸 깨닫고 자리에서 일어났습니다. 부모님과 함께 베란다 창문을 열어보니 아파트 주민 대부분이 환한 하늘을 올려다보고 있었습니다. 다른 사람들은 밝게 빛나던 하늘이 갈라지며 등장한 바키타를 보고 어떤 생각을 했을지 궁금합니다. 솔직히 말하면 저는 신났습니다. 한동안 지속됐던 정적과 긴장의 시대 때도 저는 그것이 거대한 게임 속 세상인 것 같아 들떴습니다. 조금 더 컸다면 그러지 못했을 겁니다. 바키타의 정체를 모른 채 공존해야 했던 그 시대는 통행권이 없으면 바깥 외출을 할 수 없었고 무장한 군인만이 텅 빈 거리를 활보할 만큼 극도로 예민한 시대였다는 걸 기억합니다. 오래가지는 않았죠. 바키타가 인간을 공격할 생각이 없다는 걸, 그리고 바키타가 우리가 만들어낸 인공화합물을 먹기 위해 왔다는 걸 알아냈으니까요. 우리가 몇천 년 동안 쌓아둔 쓰레기를, 그 골칫거리를, 인류의 죄를 주식으로 먹어 화합물의 흔적이 남지 않는 분비물로 배출한다는 걸 알아냈고 그 사실 하나만으로 바키타가 어떤 무기에도 타격을 받지 않는다는 건 중요하지 않은 문제가 되었습니다.

인간은 아낌없이 우리의 쓰레기를 바키타에게 넘겼습니다. 멈췄던 공장들이 가동되고, 인간들의 삶은 순식간에 일회용품을 가장 많이 배출했던 시대로 회귀했습니다. 법으로 금지되었던 제품들이 다시 생산되면서 저는 열세 살에야 처음으로 식당에서 플라스틱 포크를 보았고, 슈퍼에서 페트병을 보았습니다. 그것이 바키타를 살찌우는 일이라는 걸 알았더라면 그러지 않았을 텐데 말입니다. 바키타는 아주 오래도록, 천천히 인간과 공존하며 세력을 불렸습니다. 자그마치 11년 동안 말입니다.

우리가 떠날 때까지만 해도 바키타에게서는 이상한 낌새가 없었던 것으로 기억합니다. 그렇지만 다시 지구에 돌아와 추측건대, 바키타의 식성이 인공화합물에 국한되지 않은 듯합니다. 숨기고 살았던 건지 아니면 때를 기다리다 본색을 드러낸 것인지 모르겠으나 건물을 비롯하여 송전탑, 다리, 전광판, 유리, 조형물…… 인간이 만들어낸 거라면 무엇 하나 빼놓지 않고 먹어치운 흔적이 만연합니다. 대장님이 직접 봐야 제 말을 이해하실 겁니다. 문명의 흔적은 이제 거의 남지 않았습니다. 치열하게 쌓아 올린, 인간이 인간을 죽이며 쟁취하려고 했던 그 번영은 결국 우리가 내뱉은 잔해로 무너진 격입니다.

대장님, 제 메시지를 듣고도 지구로 오지 못할 대장님께 이런 메시지를 남기는 저를 이해해주셨으면 좋겠습니다. 변화를 기록으로 남겨야 한다는 사명감과 기록을 남겨봤자 이 기록을 흥미롭게 들어줄 인간이 지구에 남아 있지 않다는 사실이, 그 인간은 이미 진화 이전의 개체로 사라졌다는 생각이 저를 우울하게 합니다.

#

바키타를 가까이에서 관찰하고 왔습니다. 그것들은 제가 기억하는 모습 그대로였습니다. 인간과 비슷한 두골과 사지, 직립보행, 3미터 정도의 신장, 검은 피부, 정강이까지 내려오는 긴 팔과 인간과 똑같이 생긴 눈 말입니다. 저는 그 눈이 이따금씩 떠오르곤 했습니다. 그토록 희한한 겉모습을 보고도 흰자와 홍채, 동공으로 이루어져 있던 우리와 똑같은 그 눈이 다른 것보다 유달리 더 선명하고 징그러웠습니다. 그것들이 함께 무언가를 바라보거나 시선을 주고받으면 소름이 돋았고, 그건 백 마디의 협박이나 말보다 훨씬 무서웠습니다. 우리와 다를 거 없는 그 눈이 왜 그렇게 무서웠을까요. 물론 그건 지금도 마찬가지입니다. 바키타의 눈을 다시 보자마자 그 시절에 느꼈던 감정이 되살아났습니다. 무언가를 도모할 것만 같은 눈이었습니다. 인간과 똑같은 바키타의 흰자는 시선으로 사물을 가리킬 수도, 분위기를 바꿀 수도, 암호를 주고받을 수도 있습니다. 눈에 감정이 있다는 것을, 눈빛으로 말한다는 말을 이해하지 못했는데 바키타를 보며 깨달았습니다.

대장님, 바키타의 인지 방식은 인간과 다르지 않습니다. 그것들은 우리가 우주에 있는 동안 지구에 도시를 지었습니다. 우리가 만든 문명과 전혀 다른 방식으로 말입니다. 제가 지난번에 문명이 번영했다는 표현을 썼던 것 기억하십니까? 네, 지구의 문명은 인류가 살았던 시대보다 훨씬 더 아름답습니다. 그것은 아름답다는 말로밖에 표현할 길이 없습니다. 바키타가 가지고 온 빛은 에너지원을 필요로 하지 않으며 그들이 만든 건축물은 강철보다 강하고 플라스틱보다 질긴 섬유질로 만들어졌습니다. 기둥을 필요로 하지 않는 이 건축물들은 인류가 만들지 못했던 기이한 곡선 형태로 지어졌고 그 모습은 낯설고 아름다웠습니다. 건물마다 다른 역할을 맡고 있는 듯했습니다. 마치 회사처럼 말입니다. 숲속 인간들의 말에 따르면, 도시 중심부에 있는 광대버섯 형태의 건물이 핵심 역할을 하는 것으로 보입니다. 이따금씩 푸른 불빛이 그 건물 옥상에서 뿜어져 나와 하늘까지, 저 우주까지 뻗어 올라간답니다. 꼭 아직 지구에 오지 않은 동료들을 부르는 것 같지요. 진실은 알 수 없지만요.

더 오래 관찰할 수 있다면 좋겠지만 복귀해야 하는 시간이 얼마 남지 않았습니다. 많은 이들이 탑승할 수 있도록 준비해서 왔는데 다시 혼자 돌아간다는 사실이 씁쓸합니다. 배양통이라도 있어 다행입니다.

아직까지 문명의 인간들은 제대로 보지 못했습니다. 문명의 인간들은 우리와 체구가 비슷해서 아주 가까이 가지 않는 이상 잘 보이지 않습니다. 떠나기 전에 한 번만 가까이서 볼 기회가 있으면 좋겠습니다. 하지만 불가능할 거라 생각합니다. 문명의 인간은 늘 바키타와 함께 다니니까요.

저는 슬슬 떠날 준비를 해야겠습니다. 대장님도 부디 무사히 복귀하셨으면 좋겠습니다.

#

대장님, 조금 전 숲속 인간들이 문명의 인간 한 명을 붙잡아 왔습니다. 지금은 나무에 묶어두었습니다. 가까이 가보려고 했지만 숲속 인간들이 제지해서 성공하지 못했습니다. 멀리서나마 보고 있지만 어두워서 보이지 않습니다. 내일 날이 밝는 대로 다시 확인해보려고 합니다.

#

조금 놀라운 것은 문명의 인간이 저나 대장님과 외향적으로 크게 다르지 않다는 것입니다. 숲속의 인간들처럼 아래턱이 발달하지도 않았고 신체 비율도 저와 비슷했고 피부 역시 짐승의 가죽처럼 두꺼웠던 숲속 인간과 다르게 매끄럽고 연약했습니다. 그중에서도 가장 두드러지는 특징은 눈이 크다는 점입니다. 이왕 말이 나온 거 얼굴에 대해 먼저 설명하는 게 좋겠습니다. 이 특징이 제가 본 문명 인간만의 것인지, 아니면 문명 인간들의 공통된 특징인지는 잘 모르겠으나 우선 이 문명 인간은 얼굴의 세로 길이가 짧고 눈과 귀가 상당히 크며 코와 입이 작았습니다. 특히나 눈은 얼굴의 절반을 차지할 정도의 크기이고, 검은 눈동자가 상당히 커 흰자가 거의 보이지 않았습니다. 한마디로 문명 인간을 마주했을 때, 저는 그가 어떤 상태인지 파악할 수 없었습니다. 두려워하는 기색조차 찾기 어려웠습니다. 무엇을 바라보고 있는지도 알 수 없었습니다. 제가 숲속 인간들의 허락을 받고 가까이 다가가자, 저를 향해 고개를 돌렸고 저는 그제야 문명의 인간이 저를 바라보고 있다는 걸 느낄 수 있었습니다. 문명의 인간은 저를 뚫어지게 바라보다가 눈썹 앞머리를 위로 올렸습니다. 가여운 표정. 흥미로운 지점이었고 제게는 꽤 충격적인 장면이었습니다. 왜냐하면 숲속 인간들의 표정에는 감정이 담겨 있지 않다는 걸 문명 인간의 표정을 보고 깨달았으니까요.

숲속 인간들이 저와 같은 인간이라 느껴지지 않았던 가장 큰 이유가 표정에 있었습니다. 웃거나 운다는 극단적인 감정의 표출뿐만 아니라 대화를 나눌 때 자연스럽게 새어 나오는 표정의 움직임 역시 일체 없었습니다. 말할 때 입술과 그 주변 부위 근육을 제외하고 얼굴의 다른 근육들은 가죽으로 만들어진 가면을 쓴 것처럼 움직이지 않았습니다. 어쩌면 주변의 신경들이 전부 퇴화된 것 같기도 합니다. 의도적으로 표정을 없애려고 노력했을 수도 있지만 몇 시간도 아니고 제가 이곳에 있는 며칠 동안 내내 무표정이었다는 걸 생각하면 근육이 퇴화했다는 쪽이 더 맞겠지요. 아니, 살아남기 위해서 변한 거라면 발달했다고 표현해야 할지도 모르겠습니다.

반대로 문명의 인간은 마치 어린아이처럼 얼굴 근육을 움직입니다. 나이가 가늠되지 않을 정도로요. 얼굴만 보면 5세 정도로 보입니다만, 포박되어 있는 상태에서도 침착함을 잃지 않는 것으로 보아 그보다 훨씬 많을 거라 추정됩니다. 어쨌거나 중요한 건 커진 눈과 눈동자입니다. 큰 눈은 최소한의 동작으로도 표정을 극대화시킵니다. 효과적으로 전달하기 위해서라 봅니다. 자신의 감정을. 그러니까 어쩌면 바키타에게…….

문명 인간을 보며 저는 몇 가지 공존에 대해 생각해보았습니다. 하나는 바키타와 친선 관계를 약속한 인류가 저 도시 안에서 함께 살고 있다는 겁니다. 분명 어떤 이들은 바키타를 전부 죽여야 한다고 했을 것이고, 어떤 인간은 바키타를 쫓아내야 한다고 했겠지만 그중에서는 어떤 이유에서든 바키타와 공존해서 살아야 한다는 인간도 있었겠지요. 바키타를 이길 수 없을 거라고 주장하는 무리와 자신들의 쓰레기를 먹어치우는 바키타를 없앨 수 없다고 주장하는 무리, 혹은 진정으로 낯선 외계 생명체를 친구로 받아들인 인간들도 있었겠지만 어쨌거나 있었을 거라는 겁니다. 평화와 사랑을 외친 자들이. 저희가 지구를 떠날 때까지만 해도 두려움의 대상이었던 바키타는 어느새 삶에 섞여 든 자연스러운 존재가 되었으니까요. 어쨌거나 어떤 이유로 바키타를 적으로 두지 않은 인류와 그렇지 않은 인류가 나뉘어 긴 시간 동안 극단적으로 진화한 것으로 보입니다. 바키타 역시 초반처럼 얌전히 있지는 않았겠지요. 80억 명에 육박했던 인류가 절반, 아니 어쩌면 5분의 1정도로 줄어든 것을 보면 학살의 가능성이 큽니다. 전쟁으로 인한 전사자가 많을 것이라는 가능성도 염두에 두어야 하지만 결과를 놓고 봐도 힘의 크기가 비등하지는 않았던 것으로 해석됩니다. 확실한 건 바키타가 공격을 했다는 겁니다. 일방적인 학살이든, 공격에 대한 대응이든. 우리가 바키타를 너무 얕잡아봤다는 거죠. 그것들은 우리의 쓰레기를 먹어치우기 위해 탄생한 존재가 아닌데 말입니다.

제가 방금 너무 흥분했군요. 저도 모르게 목소리가 커졌습니다. 그러니까 제가 하고 싶었던 말은, 문명의 인간들은 절대적인 힘의 차이를 느끼고 바키타와 함께 사는 전략으로 바꿨다는 겁니다. 공존이라는 말이 맞을지 모르겠습니다. 하지만 틀린 표현은 아니지요. 인간도 가축과 공존하며 살고 있다고 표현하지 않았습니까. 지금도 다르지 않습니다. 인간의 위치가 가축으로 바뀌었다는 사실만 다르죠. 문명 인간에게서 보이는 진화가 숲속 인간들과 다른 이유도 여기에 있어 보입니다. 바키타에게 위협적인 존재로 비춰지지 않도록, 자신의 의사를 더 잘 전달하기 위해서 말입니다. 문명 인간과 숲속 인간은 비슷하지만 같아 보이지 않습니다. 네발이 달렸다고 해서 말과 소가 같게 느껴지지 않듯이 말입니다.

문명 인간은 딱 한 번 숲속 인간들이 잠시 자리를 비운 틈에 저를 불렀습니다. 얇고 고운 소리였습니다. 두려워하는 기색은 어느새 물러가고 얼굴은 호기심으로 뒤덮였습니다. 제가 자신을 해치지 않을 거라는 확신이 깃든 얼굴이었습니다. 제가 한 발자국 다가가자 문명 인간은 저를 향해 고개를 더 내밀었습니다. 가까이서 보고 싶다는 뜻이라 해석되어, 저는 망설이지 않고 거리를 좁혔습니다. 문명 인간은 킁킁거리며 제 살냄새를 맡았습니다. 그리고 결박된 손을 움직일 수 없어서였는지 코끝을 제 뺨에 대었습니다. 그렇게 제 뺨을 문지르며 느끼고 있었습니다. 자신과 비슷한 가죽을요……. 신기해했고, 반가워했고, 기뻐했고, 그리고 그 감정들이 다 지나간 후에는 슬퍼했습니다.

이유를 알 수 없었습니다.

저는 숲속 인간과 대화했던 것처럼 어떻게든 문명 인간과 소통하려 노력했지만 문명 인간은 이내 눈을 감고 잠이 든 것처럼 움직이지 않았습니다.

#

대장님, 지금 저는 떠나기 위해 우주선에 탑승했습니다. 마지막 기록으로부터 이틀이 흐른 시각입니다. 그동안 기록을 남길 수 없을 정도로 지쳐 있어서 우주선 안에서만 지냈습니다. 떠나기 전에 마지막으로 남기는 기록입니다. 지난 새벽에 큰 소란이 있었습니다. 소란이라는 말보다 전투가 맞겠습니다만, 전투라기에는 추측대로 힘의 크기가 비등하지 못했으니 학살이 맞겠습니다. 숲속 인간들은 갑자기 찾아온 바키타들에게 꼼짝없이 당했습니다. 시끄러운 소리를 듣자마자 본능적으로 이곳이 안전하지 못하다는 걸 깨달은 저만이 어두운 숲속으로 피신해 살아남을 수 있었습니다. 그리고 그 숲에서 보았습니다. 몇 안 되는 바키타에게 속수무책으로 당하는 숲속의 인간들을요. 그 모습은 무기를 가진 인간들이 동물을 학살하고, 숲의 나무를 밀었던 것과 다르지 않았습니다. 그것을 지켜보고 있던 제 마음은 어때야 했을까요. 숲속의 인간들이 저와 달라서였던 건지, 아니면 저는 이미 인류와 완벽한 안녕을 고

하고 우주로 떠났기 때문이었던 건지 모르겠으나 그저 잔혹하고, 안타깝다는 감정 외에 다른 감정이 들지 않았습니다. 분했어야 했고, 억울했어야 했고, 비통했어야 했는데…… 대장님, 저는 학살당하는 숲속 인간들을 보면서도 어떤 슬픔도 느끼지 못했습니다.

바키타가 이곳에 온 이유는 문명의 인간을 찾기 위해서였습니다. 바키타는 나무에 묶여 있던 문명의 인간을 끌어안았습니다. 문명의 인간은…… 바키타의 품에 안겨 저를 응시하고 있었습니다. 초점을 알 수 없는 눈이었지만 저와 눈이 마주치고 있다는 건 느낌으로 바로 알 수 있었습니다. 저는 문명의 인간이 바키타에게 저의 존재를 발설할 거라 생각했지만 그는 그러지 않았습니다. 저를 가만히, 그렇게 가만히, 오래도록 가만히 지켜보기만 했습니다. 눈 한번 깜빡이지 않고 바키타의 품에 안겨 사라질 때까지 저를 바라보는 그 얼굴을 보고 있자니, 그 얼굴에 쓰인 속마음이 들리는 듯했습니다. 물론 제 추측이겠지만 말입니다. 대장님의 얼굴을 보고 말하면 어쩐지 창피할 것 같아 여기에 말해두겠습니다. 이 기록을 본다고 하더라도 저에게 티 내지는 말아주십시오. 그러니까 문명의 인간은 저에게 '가'라고 하고 있었습니다.

'들키지 말고 가.'

'그냥 가.'

'어서 가.'

'빨리 가.'

우습죠. 제가 언제 태어났고, 어디에서 왔는지도 모를 텐데 저에게 그런 이야기를 왜 하겠습니까? 그런데 더 우스운 것은 문명의 인간이 그렇게 말했다는 걸 제가 믿어 의심치 않는다는 것입니다. 바키타의 곁에서 살아남기 위해 진화한 얼굴은 분명 그렇게 말했습니다.

대장님, 우리는 앞으로 제2의 지구에서 새 문명을 꾸려야 합니다. 우리는 밝게 빛나는 별에 태양이라는 이름을 붙일 것이고, 우리가 살아갈 수 있도록 도시를 건설할 테지만 우리가 누렸던 과학과 기술을 재현하려면 배양통에 있는 인간이 자라고, 배우고, 아이를 낳고, 세대를 몇천 년간 넘겨야 가능하겠지요. 저는 벌써 고민입니다. 우리가 살았던 첫 번째 지구에 대한 기록을 남길 것인지에 관해. 그래도 대장님, 저는 인간이 바키타가 되지 않기를 바랍니다. 우리가 두 번 다시 어떤 것도 빼앗지 않았으면 좋겠습니다.

이에 대한 자세한 이야기는 대장님과 만나서 나누도록 하겠습니다.

마지막 기록 마치겠습니다, 조금 있다 뵙겠습니다.

푸른 점

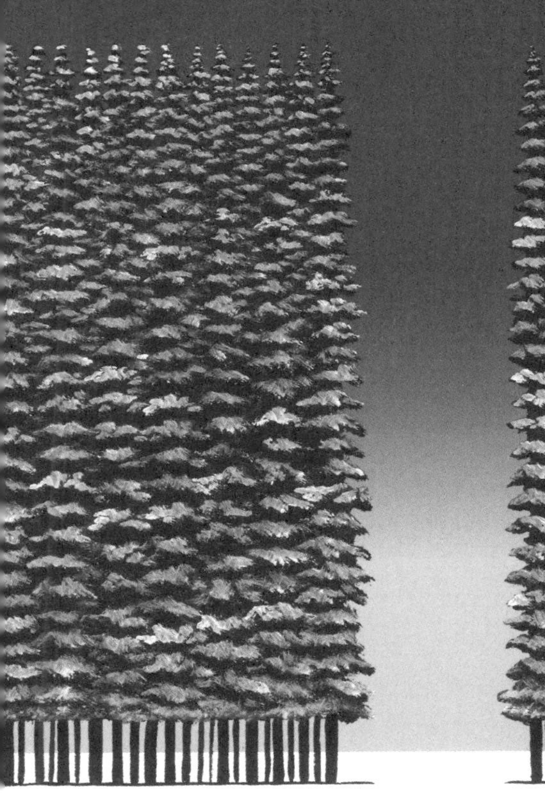

이렇게 멀리 떨어져서 보면 지구는 특별해 보이지 않습니다. 하지만 우리 인류에게는 다릅니다. 저 점을 다시 생각해보십시오. 저 점이 우리가 있는 이곳입니다. 저곳이 우리의 집이자, 우리 자신입니다. 여러분이 사랑하는, 당신이 아는, 당신이 들어본, 그리고 세상에 존재했던 모든 사람들이 바로 저 작은 점 위에서 일생을 살았습니다.

_칼 세이건, 《창백한 푸른 점》

2층 테라스 정원은 엄마가 아끼는 장소였다. 스크린으로 만들어진 푸른색 차양은 공기가 좋은 날에는 접혔다가 그렇지 않은 날에는 차단 막처럼 내려와 인공 태양 빛과 공기청정기를 작동시켰다. 대기질 상태와 상관없이 언제나 맑고 푸른 상태가 유지되는 공간이었다. 엄마는 집에서의 매시간을 그곳에 머물며 잠을 자고, 음식을 먹고, 책을 읽었으며, 시에라의 이마에 입을 맞추었다. 그러고는 솜털이 보송보송한 시에라의 둥근 이마를 어루만지며 피로를 풀었다. 시에라는 언제나 엄마의 투정을 다 받아주었지만 이따금 건조해서 각질이 심하게 일어난 볼을 이마에 갖다 대면, 양 갈래로 묶은 머리를 격렬하게 흔들며 조그만 손으로 둥근 이마를 가리기도 했다. 엄마는 아랑곳하지 않고 시에라의 뺨에 뺨을 맞대며, 시에라의 단단하고 검은 머리카락과 구슬같이 맑고 투명한 눈과 자신을 꼭 빼닮은 짙은 인중이 사랑스럽다고 중얼거렸다. 그 말이 시에라를 기쁘게 하기 위함이 아니라 엄마가 자신을 위로하기 위해 내뱉은 말이라는 걸, 온통 가느다랗고 밝은 머리카락을 가진 사람들 속에서 엄마가 자신을 지키기 위해 내뱉은 말이라는 걸 시에라는 훗날 깨달았지만 어쨌거나 엄마가 그렇게 말해줄 때마다 시에라는 이마가 뜨거워질 정도로 좋았다. 엄마는 테라스 정원에서 이런 말들을 했다.

엄마는 메모리로 허공에 홀로그램을 띄워 은하계와 태양계의 행성들을, 달과 지구를, 그리고 지구를 이루고 있는 지각판들을 보여주었다. 몇십억 년을 살아온 지구의 나이테에는 어떤 것들이 있는지, 가장 큰 공룡은 어떤 모습이었고 바다에 남은 유일한 혹등고래도 보여주며 이 행성에선 수많은 생명체가 태어나고 죽기를 반복한다는 설명을 덧붙였다. 지구는 끊임없이 자신이 만든 것을 흡수하고 그것을 양분으로 다시 무언가를 만드는 일을 반복하고 우리는 아주 짧게, 그렇지만 근사하게 지구에 머물다 가면 되는 것이라고. 시에라는 언제나 엄마가 너무 어려운 말을 한다고 불평했지만 그렇다고 흥미롭지 않은 건 아니었다. 시에라는 이미 오래전에 자기의 조그만 주먹만 한 홀로그램 지구에 마음을 빼앗겼다.

스크린 하나가 망가져 푸른 하늘에 검은 구멍이 뚫렸는데도 연구실에 묶여 며칠째 집에 들어오지 못한 엄마는 그 사실을 몰랐다. 엄마와 영상통화는 매일 했지만 피곤해 보이는 엄마에게 집안일까지 신경 쓰게 하고 싶지 않았다. 고작 여덟 살이었던 시에라가 보기에도 스크린 하나가 망가진 건 아주 사소해 보였다. 시에라도 엄마처럼 테라스에서 잠을 자고, 밥을 먹고, 공부를 했다. 학교에서 돌아와서는 온종일 테라스에서 시간을 보냈고, 어느 날은 망가진 스크린을 올려다보면서 '하늘에 구멍이 뚫리면 저렇게 우주가 보이는 걸까' 하고 생각했다. 엄마가 들었다면 박장대소를 터트렸을 거라고 상상하곤 밤이 깊도록 스크린에 박힌 우주를 바라보며 엄마를 기다렸다.

엄마는 초췌한 몰골에 곤죽이 된 몸으로 들어와 시에라의 이마에 입맞춤을 해주고 테라스 소파에 쓰러지듯 누워 잠을 잤다. 그럴 때면 시에라는 방에서 가장 푹신푹신한 이불을 들고 와 엄마에게 덮어주었다. 그러던 어느 날 엄마는 평소와 다름없는 걸음걸이로 집에 들어와 잠든 시에라를 꼭 끌어안았다. 엄마에게서는 평소와 다르게 짙은 알코올 냄새가 났다. 술을 잘 마시지 않는 엄마가 술을 마시는 날이란 일이 아주 잘되었거나 그 반대의 경우뿐이었다. 다른 때였으면 엄마의 숨소리만 듣고도 둘 중 어떤 경우인지 알아맞힐 수 있었으나 그날 시에라는 엄마의 한숨이 무엇에서 비롯되었는지 예측할 수 없었다. 엄마는 한참 후에야 나직하게 입을 열었다.

"꿈을 꿨어. 시에라, 네가 우주선 끄트머리에 서 있는 꿈이었어. 마치 잭 스패로 선장 같기도 했고 제임스 커크 선장 같기도 했는데 제일 먼저 떠오른 건 캐럴 댄버스 소령이었어. 네가 캡틴 마블 옷을 입고 테라스 난간을 밟고 올라섰던 딱 그 모습이었거든. 시에라, 너는 언젠가 그렇게 될 거야. 한계를 극복해야 하는 순간이 오겠지. 정말 언젠가 네가 그렇게 끄트머리이자 시작점인 곳에 서게 된다면 네가 믿는 것을 잃지 않기를 바라. 네가 믿고 있는 것이 답이야. 그걸 잃지 마. 가끔은 진실보다 믿음이 더 중요하니까. 알겠니?"

엄마는 시에라의 이마에 입을 맞추고 잠이 들었다.

그날로부터 79일 후 엄마의 연구실에서 총기 난사 사고가 일어났다. 범인은 연구원 중 한 명이었으며, 총 47명의 사람을 사살한 후 권총으로 자살했다. 그 47명 중 한 명이 엄마였다.

이웃집 아주머니의 손을 꼭 붙잡고 만난 엄마의 마지막 모습은 어째서인지 편안해 보였다. 살해당한 사람 같지 않았다. 근심을 전부 내려놓고 후련해진 모습이었다. '엄마가 총을 든 사람한테 달려간 건 아닐까?' 시에라는 그런 생각을 했다.

며칠 후 아침 뉴스에서 캘리포니아주 연구실에서 일어난 총기 난사가 집단 자살일 수도 있다는 추측성 기사가 보도되었다.

연구원이 첫 방아쇠를 당겼던 시각이 오후 4시 41분이었고 두 번째 발사가 오후 4시 53분이었다. 두 발사 사이에 12분의 간극이 있었는데 그사이 신고한 사람이 아무도 없다는 게 의심된다고 했다. 시에라는 기자의 얼굴을 응시했다. 밭은 숨소리, 옅게 떨리는 손, 광분에 싸인 눈동자…… 공포에 질린 얼굴이었다. 기자는 연구실에서 찾은 자료들을 손에 들고 쏟아내듯 외쳤다. "옐로스톤 화산의 주기는 돌아오지 않았으나 폭발 징조가 보이기 시작했고, 더 큰 문제는 인류가 에너지와 자원 문제를 해결하기 위해 수소폭탄으로 뚫어놓은 해저 굴착 작업으로 인해 판에 균열이 더해지면서 미대륙만의 문제가 아닌 연쇄적인 대규모 화산 폭발로 이어질 거라는 예측을……."

빨간 불이 들어오며 시에라가 냉동 수면 상태에서 깨어났다. 몸을 감싸고 있던 액체가 쓸려나가며 문이 열렸다. 순번을 지키고 있던 자선이 달려와 시에라에게 통을 내밀었다. 시에라는 통을 받자마자 흰 액체를 토해냈다.

"기분이 어때?"

시에라가 입을 보온 재킷을 건네며 자선이 물었다. 입에 남아 있는 액체를 모아 마지막으로 통에 뱉으며 시에라가 끔찍하다는 듯 인상을 찌푸렸다.

"자선도 깨어나기 직전에 꿈꿔?"

"보통 꿔요. 함장님도 끔찍한 꿈 꾸세요? 에디 박사님 말로는 잠들어 있던 뇌가 깰 때 제일 두려운 기억을 끄집어낸다는데 저는 몇 시간 내내 초코시럽에 밥 말아 먹었어요. 어렸을 때 애들이 너는 뭐든 무조건 밥이랑 함께 먹느냐며, 초코시럽에 밥을 말아 억지로 먹였거든요."

"복수했어?"

"당연하죠. 고추장에 캡사이신 넣어 만든 스파게티를 토마토스파게티인 척 먹였어요."

시에라가 웃으며 '시에라 박'이라는 이름이 박혀 있는 보온 재킷을 입고, 머리를 두르고 있던 비닐 막을 벗겨냈다.

"함장님은 무슨 꿈 꾸셨어요?"

사투르호의 관리자인 인공지능 '러스'와 소통할 수 있는 칩을 관자놀이에 붙이며 시에라가 대답했다.

"엄마가 나왔어."

적당한 반응을 찾지 못했는지 자선의 표정은 퍽 난감했다. 난감하게 하려고 했던 건 아니어서 시에라는 괜스레 미안해졌다. 그렇다고 굳이 사과할 일은 아니었다. 시에라가 엄마 얘기를 꺼내면 대부분 비슷한 반응이었다. 어쩔 줄 몰라 하다가 끝내 비스듬히 고개를 숙여 미안하다고 짧게 중얼거리는. 그래서 어느 순간부터는 엄마 얘기를 입 밖으로 꺼내지 않았다. 그렇게 8년 넘게, 마치 엄마 없이 세상에 잉태된 로마신화 속 신들처럼 굴다가, 어느 날 시에라는 엄마가 숨겨야 할 존재도, 피해야 할 존재도 아니란 걸 깨달았다. 엄마의 죽음은 의문투성이였지만 엄마가 엄마인 것에는 한 점의 의문도 없었다. 시에라는 자신의 어깨를 두드리고 자리를 떴다.

러스는 선체와 대원들의 냉동 수면 장치의 상태 보고를 마친 뒤 시에라가 잠들어 있는 동안 저장된 선체 외부 충돌 기록도 뒤이어 읊었다. 총 310번의 자잘한 외부 충격이 있었고, 그 중 3건의 외부 충격은 강도가 센 타격 지수 30퍼센트짜리였으나 큰 외부 손상 없이 경미한 손상만이 있다고 보고했다.

복도를 지나가던 시에라가 걸음을 멈춰 손바닥만 한 창을 들여다보았다. 숨을 쉴 때마다 창에 희뿌연 김이 생겼다.

"그럼 당장 급한 건 없는 거네."

〔예, 그렇습니다.〕

스크린보다 더 작은 창에 이마를 맞대고 창밖을 바라보자 잠들었던 현실감이 조금씩 깨어났다. 이곳은 테라스에서 12억 킬로미터 떨어진 곳에 정박한 우주선이었다. 토성의 고리가 창문에 아름답게 걸쳐 있었다.

〔기분이 어떠십니까?〕

러스가 물었다.

"어떤 기분?"

〔곧 태양계를 떠나지 않습니까.〕

새삼스럽다고 시에라는 생각했다. 인공지능이 아니었다면 하지 않았을 질문이었다. 태양계를 떠나는 소감이라. 시에라는 질문을 되새기며 옅게 코웃음을 쳤다.

떠나는 것이 아니라 쫓겨나는 중이다. 옷을 갈아입으려는 지구로부터. 격변을 버틸 수 있는 많은 대안을 세웠으나 모든 시뮬레이션이 실패로 끝났다. 판이 뒤집히는 대혼란 속에서 생명체는 하늘에서도, 땅속에서도, 바닷속에서도 살아남을 수 없었다. 슬퍼하고 억울해할 것도 없었다. 공룡이 사라졌듯 인간도 사라져야 할 때가 다가왔을 뿐이므로. 하지만 인간은 땅을 파 건물을 세우고 바다와 하늘에 길을 뚫은 존재가 아니던가. 지구에서 살아남을 수 없다면 저 우주로 나가 길을 만들면 그만이었다.

시에라는 창밖을 응시하다 웃으며 걸음을 옮겼다. 시에라의 침묵이 1분 30초를 넘어가자 러스가 말을 물렀다.

〔질문을 철회하겠습니다.〕

"지겹게 들은 질문이니 색다른 질문을 만들어봐."

〔그렇다면 가장 먼저 태양계를 떠나는 소감을 지겹게 들은 소감이 어떠십니까?〕

시에라는 뒷짐을 진 채 방으로 향하며 러스가 던진 질문에 답했다. 새삼스럽고, 유난스럽고, 왜 저러나 싶고, 자기들은 안

가나 싶고, 어차피 그곳도 곧 지구와 똑같아질 건데 왜 그러나 싶고, 그리고 또 그냥 다 함께 종말을 맞이하면 안 되느냐고 말하고 싶고…….

사투르호는 선발대의 마지막 우주선이었다. 지구와 닮은 행성을 찾고, 인간이 그곳에 갈 수 있는지 확인하고, 그렇게 지구에 있는 모든 인간을 이주시키기 위해 움직였다. 발전은 절망에 비례했다. 40년의 세월 동안, 죽음의 순간 아이큐가 높아진다는 바퀴벌레처럼 인류 역시 구두에 밟히기 직전에야 탈출로를 만든 것이다.

시에라는 조종실로 향했다. 대원들이 깨기까지 4시간 16분이 남았다. 시에라는 그 전까지 태양계에서의 마지막을 음미할 생각이었다. 러스에게 말한 것처럼 태양계를 떠나는 일에 의미를 두고 있지는 않지만 '영원히'라는 단어만큼은 어금니로 지그시 씹어 입안에서 터져 흐르게 하고 싶었다. 입천장에 붙은 알약의 씁쓸함을 혀로 천천히 느끼듯이.

임무는 '정착'이었다. 그곳에 갈 것. 무슨 수를 써서라도 정착해서 살 것. 50년 후, 지구에 남은 인간들이 도착할 때까지 살아남을 것. 새 생명을 탄생시켜 자라게 할 것. 무슨 일이 있어도 절대로, 절대로, 절대로 돌아오지 말 것. 사람들에게 절망을 안겨주어서는 안 된다. 혼돈은 지구보다 더 빠르게 사람을 멸망시킬 테니.

선발대 1호에는 50명의 각기 다른 전공 분야의 과학자와,

마찬가지로 각기 다른 전공의 25명, 15명의 간호사, 15명의 엔지니어, 5명의 심리상담사, 3명의 기록자, 17명의 우주비행사가 탑승했고, 수경재배 시스템과 3D 프린터, 고기를 만들어 내는 배양통이 실렸다. 그 후 여섯 척의 선발대 우주선 역시 각 분야의 전문가들과 원목 재료, 동물 배아 세포, 각 나라에서 추리고 추린 보물들을 싣고 차례로 이주했다. 각 선발대가 떠날 때마다 최소 한 달씩 먼저 떠나는 이들을 위한 축제를 열었다. 노래를 부르고, 등불을 켜고, 기도를 하고, 강에서 몸을 씻고, 편지를 쓰고, 폭죽을 터트렸다. 그 환호와 안전의 기도를 피한 사람은 시에라뿐이었다. 시에라는 선원들을 위한 만찬에도 참석하지 않았다. 한 달 동안 시에라는 테라스에 있었다. 이마를 제 손으로 어루만지며 종일 잠을 자고, 책을 읽고, 밥을 먹었다. 영영 돌아올 수 없다는 것이 어떤 그리움을 짊어지는 건지 테라스에 있는 동안 깨달았다. 할 수만 있다면 테라스를 한 품에 끌어안은 채 떠나고 싶었다. 겨우 액자 하나만을 챙겼지만.

시에라는 자율주행모드로 움직이고 있는 조종석에 앉았다. 오랫동안 홀로 움직였을 사투르호를 위로하며, 잠시 자율주행모드를 멈췄다. 모든 것이 정상으로 작동되고 있다는 일정한 기계음을 들으며 숨을 천천히 내뱉었다.

마지막 선발대인 8호 사투르호에는 함장인 시에라를 포함하여 총 200명의 성인과 동결된 1만 개의 수정관이 탑승했다. 9년 동안 웜홀의 출몰 지점이자 토성의 위성인 엔켈라두스가 있는 지점까지 무사히 왔다. 남은 건 대략 네 시간 뒤, 잠들어 있는 사람들을 전부 깨워 지구와 마지막 인사를 하고 웜홀을 통과하는 일뿐이었다. 새 행성에 가는 일보다 어쩌면 사람들이 가장 기다리고 있는 순간일지도 몰랐다. 다시 돌아갈 수 없는, 우리가 볼 수 있는 마지막 지구를 보는 일.

저 멀리 보이는 푸른 점.

실수로 떨어트린 물감처럼 찍혀 있는 저 점이, 우리가 보는 지구의 마지막 모습이었다.

시에라는 팔짱을 낀 채로 의자에 기대어 앉아 푸른 점을 보았다. 바람이 불 때마다 스쳤던 나뭇잎, 바위에 부딪쳐 부서지던 파도, 달이 선명하게 뜨던 밤과 창문을 두드리던 빗소리를 다시는 보지도 듣지도 못하리라. 생명이 태어나고 죽고, 무언가 창조되고 멸망하기를 반복했던 지구는 그 모든 걸 제 몸에 한 줄의 테로만 남겨두고 새로이 바뀔 것이다. 인간은 다음 무대의 배우가 아니므로 그곳에서 나올 수밖에 없었다. 영겁 같은 시간이 흘러 저 행성이 인간의 흔적을 부단히 지우고 나면 자신이 존재하고 있다는 것도, 제 이름도, 이곳이 어디인지도 모르는 이름 모를 어느 생명체가 눈을 뜨겠지. 푸른 하늘과 광활한 대지, 혹은 흐르는 강물과 커다란 나무를 올려다보다 아주 천천히 자리에서 일어나 위대한 첫 발걸음을 내딛기 전까지 지구는 누구의 소유도 되지 못한 채 공전과 자전을 반복하리라. 시곗바늘을 되돌리면서.

시에라는 원시 상태로 돌아간 행성에 남은 테라스를 떠올렸다. 마음 한구석이 묵직하게 아려 오는 서글픈 상상이었다. 생각을 지우기 위해 고개를 흔들었다. 그때 쿵, 하는 소리와 함께 선체에 작은 진동이 느껴졌다.

무언가 사투르호에 부딪쳤다. 곧이어 창틀에 떨어지는 빗방울처럼 흙먼지 같은 것이 사투르호를 훑고 지나갔고 곧 선체에 붉은 등이 켜지며 일정하던 기계음에 변주가 생겼다. 시에라가 침착하게 러스를 불렀다.

"무슨 일이야?"

선체 전체를 점검하느라 러스의 대답이 느려졌다. 비상경고등이 울리지 않은 거로 보아 큰 문제는 아닐 터였다.

〔토성의 고리와 가까워졌습니다.〕

〔선체 후미 31번 정화 시설 외부 나사가 느슨해졌습니다. 크게 걱정하실 필요는 없습니다. 외부 선체 수리 작동시키겠습니다.〕

넋을 너무 놓았다. 시에라가 운전대를 10시 방향으로 밀었다.

"선체 수리 작동하지 말고 내버려둬. 위치만 다시 잡고. 내가 나갈게."

시에라는 직접 나가고 싶었다. 우주복을 입는 김에 길게 뻗은 선체의 부리까지 나가 지구를 조금 더 가까이에서 보고 싶었다. 그런다고 해서 지구의 크기나 밝기에 차이가 없다는 건 알지만 시에라가 네 시간이나 일찍 냉동 수면 상태에서 깬 것은 이를 위함이었다. 어차피 나가려고 했으므로 굳이 수리 로봇을 움직일 필요가 없었다.

〔왜 그렇게 하십니까?〕

그런데 러스가 되물었다. 자율주행모드로 맞추고 자리에서 일어나던 시에라가 동작을 멈췄다.

"왜라니?"

〔로봇을 작동시키면 3분 내외로 해결됩니다.〕

"그건 나도 알아. 네가 내 명령에 이유를 물은 이유를 물어보는 거야."

〔저의 임무는 사투르호에 승선한 모든 인간이 안전하게 도착하도록 관리하는 것입니다. 함장님이 위험한 일을 하지 않도록 막는 것도 저의 임무 중 하나입니다.〕

러스가 자기 임무를 다했을 뿐이라는 걸 시에라도 받아들였다. 예민하게 반응한 건 자신이었다.

"그래도 나가야겠어. 31구역 해치 오픈 준비해줘."

시에라는 기어코 명령을 내린 뒤 러스와의 소통 칩을 잠시 껐다. 소리를 듣고 조종실로 달려온 자선에게는 외부 충격을 살펴보고 오겠다고 말하고 우주복 탈의실로 향했다.

장비를 챙긴 시에라가 31번 구역 출구 해치 앞에 섰다. 다시 칩을 켰다. 해치는 여전히 꽉 닫혀 있었다.

"해치 열어줘."

러스에게선 아무런 말도 없었다.

"러스, 해치 열어."

〔일의 위험도를 떠나서, 외부로 나가는 것 자체가 위험합니다.〕

"열어."

〔열 수 없습니다.〕

"함장 지시야, 열어."

〔긴급 상황 시 함장의 지시 없이 판단할 수 있으며 경우에 따라 함장이 위험에 처하거나 사투르호를 위험에 빠트리게 할 경우 그 지시를 거역할 수 있습니다.〕

위험한가. 위험해질 수도 있었다. 인간을 허락하지 않은 공간에 발을 들이는 것은 언제나 위험했다. 그렇다고 러스의 반응이 타당한 것은 아니었다. 러스는 과잉 대처 하고 있었다.

"네가 안 열면 내가 열어."

〔제가 아니면 열 수 없습니다.〕

"아니, 네가 아니어도 열 수 있어."

시에라가 비상 개폐 레버 뚜껑을 열었다.

〔제가 열겠습니다.〕

러스의 말과 동시에 출입문의 상태가 개방에 맞춰졌다. 공간은 완벽한 밀실이 됐고, 공기가 천천히 빠져나갔다. 시에라는 들고 있던 헬멧을 썼다.

〔함장님, 꼭 나가셔야 합니까?〕

"네가 이러니까 무조건 나가야겠다는 마음이 드네."

시에라는 해치 문을 잡아당기며 웃었다.

함선 밖으로 나온 시에라는 전동 드라이버로 느슨해진 나사를 조였다. 러스가 유난을 떤 게 우스울 정도로 간단한 일이었다. 전동 드라이버가 날아가지 않도록 허리 벨트에 채웠다.

〔안전하게 일을 마치셔서 다행입니다. 어서 돌아오십시오.〕

"아니, 그럴 생각 없는데."

시에라는 선체와 우주복을 연결해두었던 고리를 풀었다. 선체 외벽을 두르는 사다리를 붙잡고 선미로 향했다.

〔어디 가십니까?〕

"맨 앞으로."

〔왜 가십니까?〕

"보고 싶은 게 있어서."

〔그만 돌아오셔야 합니다.〕

"한번 보기만 하고 곧바로 들어갈 거야."

〔그만 돌아오시기를 권고합니다.〕

빠른 속도는 아니었지만 사다리를 붙잡고 선미까지 가는 길은 수월했다. 머리카락을 스치는 바람도, 눈앞을 떠다니는 먼지도, 멀리서 들려오는 소음도 없었다. 여기는 우주니까. 멈추지 않는다면 하염없이, 끝도 없이 계속 나아가리라. 사다리를 놓치며 사투르호와 멀어지는 상상을 했다. 발바닥에 찌릿찌릿한 감각이 돌았다. 둥근 언덕 부분 꼭대기에 다다랐다. 저

언덕만 지나면 곧장 선미였다.

〔시에라 박 함장님. 그만 복귀하시기를 권고합니다.〕

러스가 다시 한번 말했다. 시에라가 헛웃음을 터트렸다.

"이상해. 너무 강경하게 말리는데. 위험하지 않은 건 네가 더 잘 알잖아."

〔그만 돌아오십시오.〕

"거의 다 왔어."

〔함장님, 돌아오십시오.〕

"이미 늦었어."

〔지금이라도 돌아오십시오.〕

"여기만 넘으면……."

선체 언덕 정상을 지나며 시에라가 기대에 가득 찬 얼굴로 고개를 들었다.

〔……함장님.〕

시에라의 시선이 갈피를 잃었다.

〔……함장님.〕

"……."

〔……시에라 박 함장님.〕

"……러스."

〔……네, 함장님.〕

"지구가……."

시에라가 천천히 숨을 내뱉었다.

"어디에 있지?"

무언가에 부딪쳐서 돌아갔던 선체는 분명 제자리로 돌아왔다. 그런데 아니었던가. 축이 조금 엇나갔나. 그렇다고 해도 크게 엇나가지는 않았을 것인데 시야가 닿는 어디에도 파랗게 빛나는 조그만 점이 보이지 않았다.

〔……함장님.〕

러스가 다시금 시에라를 불렀을 때, 시에라는 러스가 그토록 만류했던 이유를 알아차렸다.

〔지구는 현재 화산재에 휩싸여 있습니다. 화산재는 빛이 들어가지도, 나올 수도 없을 만큼 두껍습니다. 그래서 이곳에서 지구는 보이지 않습니다.〕

"……그럼 안에서 내가 본 건 뭐야?"

〔그건.〕

러스가 간격을 두고 대답했다.

〔유리에 띄운 홀로그램입니다.〕

팔을 붙잡는 손길에 시에라가 화들짝 놀랐다. 불러도 왜 듣지를 못하느냐고, 수리는 잘하고 왔느냐고 자선이 물었다. 시에라가 고개를 끄덕였다. 자선은 시에라의 이마를 손으로 쓸어내렸다. 시에라는 그제야 자신이 땀에 흠뻑 젖어 있다는 걸 알아차렸다. 왜 이렇게 땀을 많이 흘렸느냐며 자선이 물었다. 시에라는 당황함을 감추지 못하고 대답을 망설이다 결국 씻고 오겠다는 말로 서둘러 자리를 피했다. 다행히 자선은 시에라를 쫓아오지 않았다. 넓은 복도가 그날따라 좁아 보였다. 끝이 보이지 않았다. 아니, 걸으면 걸을수록 점점 좁아지는 것 같았다. 숨이 막혀오는 기분에 시에라는 벽을 짚고 섰다. 잠수 훈련 중 산소통이 고장 나 5분간 악착같이 숨을 참으며 수면 위로 올라와 겨우 숨을 토해냈던 그때처럼 호흡이 거칠고 절박했다. 숨이 진정될 때까지 잠시라도 주저앉아 있고 싶었지만 자선이 지켜보고 있을지도 모른다는 생각에 그럴 수 없었다. 시에라는 꿋꿋하게 두 발을 움직였다. 다른 탑승객들이 깨어나기까진 3시간 11분이 남았다. 그러니까 3시간 11분 뒤, 수면 상태에 있던 198명과 함께 웜홀을 통과하기 전, 앞으로 영원히 갈 수 없는 지구에 안녕을 고하는 마지막 시간을 가질 것이다. 그게 원래 계획이었는데.

샤워를 마친 시에라가 머리카락 물기를 닦아내며 방으로 들어왔다. 마음은 전보다 훨씬 가벼워졌고, 숨과 생각이 차분하게 제자리로 돌아왔다. 침대에 걸터앉아 시간을 확인했다. 남은 시간은 2시간 53분. 시에라는 지구의 모습을 떠올리려다 그만 눈을 감았다. 이미 몇 번이나 물어 대답을 익히 알고 있었음에도 불구하고 가장 확실한 답을 줄 수 있는, 일말의 거짓도 섞지 않는 존재에게 다시 물었다.

"지구가 멸망했다는 거지."

〔예, 그렇습니다.〕

"화산이 터져서."

〔예, 그렇습니다.〕

"화산재로 뒤덮여서 보이지 않는다는 거고."

〔예, 그렇습니다.〕

"생존자는?"

〔옐로스톤 폭발 이후 딱 한 번의 교신이 있었습니다. 그 이후로 아무런 교신도 오지 않고 있습니다.〕

"교신을 확인한 사람은?"

〔아직 없습니다. 1급 교신으로 함장님만 열람하실 수 있습니다.〕

"마지막 교신 들려줘."

〔'계속 가라.'〕

교신을 몇 번이고 반복해 들으며 시에라는 두 손바닥으로 얼굴을 감쌌다.

"그게 언제 온 거야?"

〔1481일 전입니다.〕

"왜 나에게 이 사실을 숨긴 거지?"

〔숨긴 것이 아니라 지킨 것입니다.〕

"아니, 숨겼어. 홀로그램을 띄워 지구가 정말 있는 것처럼 굴었어. 나가려는 날 말렸고, 계속 복귀하라고 말했지. 그건 숨긴 거야."

말을 할수록 목소리가 격해졌다. 하지만 너무도 당연하게 러스는 동요하지 않았다.

〔사투르호를 지키는 것이 저의 임무입니다. 지키지 못한다는 것은 사투르호가 난파되거나 항로를 이탈하거나 왔던 길을 되돌아가는 것 모두를 의미합니다. 사투르호가 난파될 가능성에는 외부적 요인과 내부적 요인이 있고, 항로 이탈 역시 실수로 방향을 잃거나 의도적으로 선로를 바꾼다는 두 가지 경우가 있습니다. 난파가 내부적 요인일 경우, 의도적으로 선로를 바꾸거나 왔던 길을 되돌아가는 건 인간의 의지 때문입니다. 의지에는 다수의 결단에 의해 소수의 의견이 반영되지 못하는 상황이 있을 수 있으며 그 다수의 결단이 폭동으로 이루어질 가능성이 큽니다.〕

"폭동이 왜 온다고 생각해?"

〔절망, 하시지 않았습니까?〕

"내가 언제……."

〔지구가 어디에 있느냐고 제게 물었을 때 함장님의 심장 박동 수는 평소보다 느렸습니다. 1초에 55회. 현실을 깨닫기 직전의 인간의 직감은 곧 다가올 절망을 피하기 위해 아주 찰나의 순간 모든 신체 대사를 느리게 작동시킵니다.〕

"그게 무슨 억측이야."

〔저를 설계한 박사님이 그렇게 입력했습니다. 인간의 호흡이 아주 느려질 때는 다가올 미래를 알기 때문이라 하셨습니다. 시간을 멈추기 위한 몸의 마지막 발악입니다.〕

러스의 근거 없는 추측을 듣고서도 아니라고 말할 수 없었다. 자신이 느낀 감정은 절망이 맞았다.

"내가 절망할 걸 알기에 숨겼다는 거지?"

〔폭동은 절망에서 옵니다.〕

"폭동은 희망에서 와."

시에라가 천천히 숨을 골랐다.

"지금 돌아가면 지구에 남은 사람들을 살릴 수 있을지도 모른다는 희망."

상상하지 않으려고 했지만 화산재가 깔린 지구 어딘가에서 구조를 기다리고 있을 불특정 사람들이 자꾸 떠올랐다. 버티다 보면 반드시 살아날 수 있을 거라는 희망을 가지고 4년이 넘게 모닥불을 피워놓고 살았을 어떤 이들이.

"지구에 사람이 살아 있을 확률은?"

〔없습니다. 대지에는 평균 10미터의 화산재가 쌓여 있고 대기 역시 두꺼운 화산재로 뒤덮여 뇌우가 반복되고 있습니다. 게다가 현재 지구의 평균 온도는 영하 80도입니다.〕

"하지만 어디선가 생존자들이 모여서……."

〔함장님.〕

"……."

〔폭발 당시에는 살았다고 하더라도 4년이 넘은 지금까지 생존해 있을 확률은 극히 낮습니다. 지구로 돌아가는 데 걸릴 9년이란 시간을 합친다면 생존 확률은 제로에 가깝습니다.〕

"방공호를 준비해뒀을 수도 있어."

시에라는 가능성을 쥐어짰다. 메마른 수건을 비틀어 조금의 물이라도 얻으려는 듯이.

"미리 만들어둔 거지. 몇 년을 버틸 수 있게. 충분히 가능하지 않나. 많이는 아니더라도 아주 소수는 그렇게 살아 있을 거야. 방공호를 잘 만들었다면 4년이 뭐야, 20년도 더 버틸 수 있어. 기다리고 있을 거야. 끊임없이 구조 신호를 보내고 있을 거라고. 우주선에 자리도 많아, 그러니까……."

〔회항은 허락할 수 없습니다.〕

두 손바닥에 묻혀 있는 시에라의 고개가 잠시 떨렸다.

〔방공호를 찾을 인력이 사투르호에는 없습니다.〕

러스가 말을 이었다. 시에라는 묵묵히 들었다. 어쩌면 마음 한편에서 이 말을 기다렸는지도 모른다고 생각했다.

〔사투르호는 1만 개의 얼린 수정관을 수송하고 있습니다. 사투르호가 무사히 도착하지 못한다면 인류의 미래는 없습니다. 함장님, 앞으로 나아가셔야 합니다. 지각의 변동과 인류의 종말은 예견되어 있었습니다.〕 모두가 알고 있던 사실. 막을 수 없기에 피했던 것. 언제 갑자기 일어날지 모른다는 불안감 속에 버텼던 35만 400시간.

"사람들에게 이 사실만이라도 알려야 해."

〔말씀드렸듯이 숨기시는 걸 권장합니다.〕

"마지막을 봐야만 해."

〔영원히 잊을 수 없는 슬픔이 될 것입니다.〕

"그래도 사실을 알아야 해."

〔진실을 안다면 남는 건 고통뿐입니다.〕

"하지만 우리가 도착한 뒤 한참 동안 후발 수송선이 오지 않는다면 결국 모두가 알게 될 일이야. 영원히 진실을 감출 수는 없어."

〔인간들이 기억하는 마지막 지구의 모습이 푸른 점으로 남을 수는 있습니다. 도착 후 지구의 소식을 들었다 하더라도 인간들이 기억하는 지구의 모습은 저 푸른 점일 것이며, 지구에서의 기억을 떠올릴 때마다 푸르고 아름다웠던 공원을 떠올릴 것입니다. 한낮의 축구 시합을 떠올릴 것이고, 영화관에서 영화를 봤던 기억을 떠올릴 것이며 사랑하는 이와 함께했던 매 순간의 빛을 떠올릴 것입니다. 그리고 지구를 한 번도 밟아본 적 없는 배양세포들에게 말해줄 것입니다. 지구는 푸르고 아름다웠던, 하나의 점이었다. 12억 킬로미터 떨어진 곳에서도 보였던.〕

러스가 덧붙여 말했다.

〔함장님이 고통스러운 이유는 진실을 보았기 때문입니다. 진실은 때때로 가장 행복한 순간을 앗아갑니다.〕

"도대체 누가 너한테 그런 말을 가르친 거야?"

시에라가 허탈하게 웃으며 말했다.

〔저를 제작한 곳은 캘리포니아주 외행성 개조 연구기관 'OCP(Outer Planets Colony Pioneer)'입니다. 초기 모델을 만들 때도 같은 연구기관인 캘리포니아주 지질학 연구원들이 참여했습니다. 그들은 옐로스톤의 화산 폭발로 지구에 연쇄적인 대규모 화산 폭발과 지진이 일어날 것을 예측해 제작에 참여했습니다. 그들이 제게 명령한 것은 딱 하나입니다.〕

시에라는 익숙한 연구기관의 이름을 몇 번이고 속으로 되뇌었다. 엄마를 끌어안을 때마다 눈높이에 붙어 있던 명찰, 엄마 가방에 박혀 있던 자수, 엄마 이름 앞에 호號처럼 붙어 있던, 'OCP 수석연구원'. 엄마가 속해 있던 연구기관이었다. 시에라가 옅은 웃음을 터트렸다. 반가움인가.

〔진실을 모르게 하라.〕

'가끔은 진실보다 믿음이 더 중요하니까.'

시에라는 상상했다. 사투르호에 탑승한 마지막 지구인들 앞에서 4년 전에 지구가 멸망했다는 소식을 전하는 자신을.

"마지막 인사까지 얼마나 남았지?"

〔2시간 47분 남았습니다. 30분 뒤 전부 깨어날 것입니다.〕

더는 러스와 이야기 나눌 시간이 없었다. 시에라는 옷을 갈아입은 뒤 조종실로 향했다. 그 어느 때보다 더 고요하고, 외로운 우주였다.

◇

조종실에 모인 사람들이 몸을 붙인 채로 경건하게 섰다. 자선이 시에라의 이마를 어루만지며 "땀이 아직도 나고 있어요"라고 조용히 알려주었다. 시에라는 손등으로 이마의 땀을 닦는 대신 천천히 숨을 내뱉으며 러스에게 불투명도를 낮추라 명했다. 조종실 전체를 두르고 있던 유리가 점점 투명해졌다. 사람들의 시선이 한곳으로 몰리더니 곳곳에서 옅은 탄성을 내뱉었다.

시에라가 뒤돌았다. 푸른 점을 보며, 그리고 그 너머에 있는 잿빛 행성을 떠올리며 입을 열었다.

"모두 지구를 향해, 우리의 집이자, 우리 자신이었던, 우리가 사랑했던 세상 모든 존재들이 있던 저 작고 푸른 점을 향해."

경례.

옥수수밭과 형

우리의 본거지는 옥수수밭에 있던 개잎갈나무로, 높이 45미터에 23년을 산 녀석이었다. 녀석은 4헥타르 옥수수밭 한가운데에 자리 잡고 있어 마치 옥수수 병졸들을 다스리는 장군 같기도 하고, 때로는 성스러운 신 같기도 했다. 실제로 우리 부모님은 매해 개잎갈나무에 제사를 올렸다. 올해에도 큰 사고 없이 지나가기를 바라며 술을 뿌리기도 했으니, 어쩌면 개잎갈나무는 정말 드넓은 옥수수밭을 보살피는 대단한 존재였을지도 모른다.

겉씨식물로 소나뭇과의 상록교목인 개잎갈나무는 히말라야산맥이 고향이며 주로 그 부근이나 아프가니스탄 동부 지역에 분포하고 있다. 잎은 짙은 녹색이며 끝이 뾰족하고, 겨울철 눈이 내리면 수평으로 퍼진 나뭇가지에 눈이 내려앉아 흰 뱀을 얹고 있는 것처럼 보인다. 이걸 나에게 말해준 사람은 형이다. 형은 나를 목말 태운 채 "푸코는 한번 들으면 잊지 않으니까, 지금 내가 말해주는 것도 잊지 않을 거잖아. 그치? 이해하지 못해도 기억해놨다가 나중에 찾아봐" 하고 말했다.

나는 형의 말처럼 그 말을 잊지 못한다. 아니, 그 말뿐만 아니라 그날 형이 입었던 하늘색 체크 남방과 진청색 바지, 나이키 신발, 왼쪽 손목에 차고 있던 시계와 묵주 팔찌를 비롯해 그날 형이 한 모든 말과 행동을 기억하고 있다. 의지와 상관없이 내 기억은 매 순간의 모든 것을 빠짐없이 그림으로 그려 보관해둔다. 망각과 상실이 없는 보관함에.

우리가 본거지에서 했던 일은 대단하지 않았다. 피크닉매트를 나뭇가지에 걸어두는 것이었다. 개잎갈나무의 잎사귀는 널찍하지 않아 차양의 역할을 해주지 못했으므로 우리는 나뭇가지에 걸어둔 피크닉매트를 가지고 개잎갈나무를 둘러싼 옥수수밭으로 들어갔다. 지금도 마찬가지지만 그때는 키가 더 작았기에 피크닉 매트를 깔고 앉아 형과 책을 읽으면 옥수수밭은 꼭 숲처럼 보였다.

언젠가 형은 지금까지 읽은 책을 전부 기억하느냐고 물었다. 나는 그렇다고 대답했다. 책의 내용뿐만 아니라 그 책에 나왔던 인물의 이름, 지명, 삽화가 들어갔던 페이지까지 전부 기억하고 있었다. 형은 힘들지 않느냐고도 물었다. 대체 뭐가 힘든 걸까? 나는 오히려 어제 본 드라마 내용을 다음 날 아침이면 까먹는 아빠가 이상하고, 이메일을 보내기 위해 주소록을 뒤지는 엄마가 신기했다. 잊는다는 건 매번 봐야 한다는 것인데, 그게 더 힘들고 귀찮은 일처럼 보였다.

우리는 옥수수잎이 바람에 스치는 소리를 가만히 들으며 한참 동안 피크닉 매트 위에 누워 있다 해가 저물 즈음 자리에서 일어났다. 형은 언제나 나를 업고 옥수수밭을 걸었다. 옥수수나무는 형보다 키가 컸고 어떤 건 형이랑 비슷했다. 나는 형의 어깨를 끌어안고, 얼마나 나이를 먹어야 형만큼 키가 클 수 있을지를 자주 생각했다. 형도 어렸을 때는 나만큼 작았을까. 왠지 형은 태어날 때부터 형일 것 같았다. 형이 나처럼 작은 아이였다는 게 잘 상상이 가지 않았다. 그런 궁금증을 오래도록 품고 있다가 언젠가 물었다.

"형도 어릴 때가 있었어?"

그 말에 형은 웃음을 터뜨리더니 고개를 저었다.

"형은 어릴 때 없었어. 형은 태어날 때부터 이랬어."

물론 장난이었지만 나는 어쩐지 형이 태어날 때부터 지금 형의 모습이었다고 상상하는 게 더 좋았다.

초등학교 첫 등교 날 자폐아라는 단어와 천재라는 단어가 내 이름 앞에 수식어처럼 붙었다. 고등학생이던 형은 수업을 듣다 코피를 쏟으며 병원에 실려 갔다. 아마도 학교 선생님이 우리 집 옥수수밭을 예로 들어 우리가 먹고 있는 식품 대부분이 개량된 품종이며, 우리는 식량난 시대에 살고 있다고 설명할 때, 형은 정밀검사를 받고 부모님과 함께 의사에게 진단 결과를 들었을 것이다. 나는 그날 학교에서 집으로 돌아오자마자 인터넷으로 품종 개량에 대해 찾아봤다. 그다음에 검색한 것은 백혈병이었다. 형의 병명이었다.

나는 학교에서 배운 것들을, 그리고 집에 와 홀로 찾아본 많은 것들을 형에게 말해주고 싶었지만, 형은 학교도 그만둔 채 새벽에 부모님과 병원에 갔다. 하루도 빠짐없이. 집에 혼자 있는 시간이 많았지만 괜찮았다. 나는 모든 전자 기기 사용법을 알고 있었으며, 웬만한 조리 식품은 봉투에 쓰인 대로 따라 하면 되었다. 가끔 옥수수밭에서 부는 바람 소리가 귀신 울음처럼 들릴 때 빼고는. 그렇게 몇 해가 흘렀다.

옥수수수수염처럼 무성했던 형의 머리카락은 어느 순간 전부 사라졌고, 형은 매일 모자를 쓰고 다녔다. 덕분에 집에 모자가 늘었고 나도 날마다 모자를 골라 쓸 수 있게 되었다. 아픈 건 형인데 미안함을 느끼는 쪽도 형이었다. 형은 내가 모자를 쓴 모습만 봐도 금방이라도 울 것처럼 굴었다. 나는 그런 형을 이해할 수 없었고 나만 보면 슬퍼하는 형이 싫어 나중에는 형을 필사적으로 피했지만 그것도 잠시였다. 나는 친구들보다 형이 더 좋았다. 형과 이야기하는 게 더 즐거웠다. 친구들은 내가 하는 말을 흘려듣거나 지겨워하거나 재수 없어 했는데, 형은 내 이야기를 흥미롭게 들어주었다. 나는 하는 수 없이 형에게 가야만 했다. 내 말을 전부 들어주는 사람에게.

병원에서 살다시피 하던 형은 어느 순간부터는 병원에 가지 않고 늘 집에만 있었다. 나는 학교 수업이 끝나면 곧바로 집으로 달려왔다. 같이 놀자는 친구도 없었지만, 누가 붙잡을세라 뒤도 안 돌아보고 뛰었다. 나는 매일 형과 시간을 보냈다. 형 방에서 하루 종일 영화를 볼 때도 있었고, 옥수수밭에 들어가 종일 책을 읽을 때도 있었다. 나의 직감이랄지 촉이랄지 하여튼 내 안에 불행을 감지하는 무언가가 알아차린 것이다. 형과 함께할 시간이 얼마 남지 않았다는 것을. 갈색으로 변해 떨어지는 옥수수잎처럼 검게 말라가는 형을 보며 언젠가 우리가 떨어질 것임을 일찌감치 알아차린 거였다.

그날도 학교를 마치자마자 형에게 달려갔다. 열한 살 새 학기가 시작된 날이었다. 첫 교시에 본 시험에서 백 점 맞은 시험지를 들고 형 방에 들어갔을 때, 형은 침대에 앉은 채 코피를 흘리고 있었다. 이불이 온통 붉게 변할 정도의 양이었다. 나는 급성골수성백혈병의 원인과 증상을 읊으며 119에 전화해야 한다는 사실과 빨리 부모님한테 알려야 한다는 마음이 겹쳐 이도 저도 하지 못했고, 그런 나 자신이 싫어 양 손바닥으로 머리를 때렸다. 많은 양의 정보들이 흘러넘치는데 그 안에서 형을 살릴 수 있는 것이 무엇인지 모르는 게 서글펐다. 조각조각 나뉘어 우박처럼 떨어지는 문장 속에 파묻힐 것만 같았다. 다행히 나는 늦지 않게 병원에 전화를 걸었고, 형은 그렇게 실려 갔다가 별 조치 없이 집으로 돌아왔다.

다음 날 형은 내가 학교에서 돌아오자마자 책을 챙겨 들고 옥수수밭으로 가자고 했다. 형은 병원에 다녀와서 아프지 않다며 나를 업고 옥수수밭을 걸었다. 나는 형의 어깨를 끌어안고 말했다.

"우리 집 옥수수는 품종 개량 옥수수야. 유전자가 다 똑같아. 형제나 친척이 아니라 옥수수가 복제된 거야. 우리는 옥수수 하나를 키우는 것과 다르지 않아."

그러자 형이 물었다.

"그런 건 어디서 배웠어?"

"학교에서."

"와, 나는 그거 고학년이 되어서야 배웠는데. 되게 빠르게 배운다."

사실 배운 건 아니었다. 선생님은 우리가 먹고 있는 식량이 얼마나 귀중한 것인지 말해주려고 억지를 부려 어려운 내용을 살짝 가미해 흘러가듯 설명한 것이었고, 내가 그걸 기억하고 있는 것뿐이니까. 형은 천천히 옥수수밭을 거닐다 나지막이 내게 속삭였다.

"그런데 다 같지는 않을 거야. 기억이 다르니까. 저 끝에 있는 옥수수와 반대편 끝에 있는 옥수수의 기억은 다르잖아. 그러니 같은 옥수수라고 할 수 없어. 정말 중요한 건 기억이야. 푸코와 아무리 똑같아도 푸코의 기억을 가지고 있지 않으면 그건 푸코라고 할 수 없어."

"……그럼 반대는?"

"반대?"

"응. 사람은 다른데 똑같은 기억을 가지고 있으면?"

형은 곧바로 대답하지 않았다. 못 한 걸지도 모른다. 어쨌거나 형의 고민은 우리 앞에 드리운 그림자처럼 길어졌다. 말문을 막은 것 같아 대답하지 않아도 된다고 말하려 했지만 그 순간 형이 입을 열었다.

"그래도 같은 사람이지."

나는 이미 그 문제에 관심이 없어져 심드렁하게 고개를 끄덕였지만 형은 계속해서 말을 이었다.

"형이 상상해봤는데, 만약 푸코랑 다르게 생긴 애가 본인이 푸코라고 하면서 푸코의 기억과 똑같은 기억을 가지고 있다면 나는 그 애를 푸코라고 생각할 거 같아. 사람이든 로봇이든 강아지든 기억이 같으면."

그 말을 들으며 나는 까무룩 잠이 들었다. 형은 그날 나를 업고 두 시간이나 옥수수밭을 돌았다. 내가 깨지 않게 느리고 다정한 걸음으로. 나중에 그 사실을 알게 된 엄마의 얼굴에는 걱정과 화가 스쳐 지나갔다. 엄마는 나를 끌어안고 함께 놀아주지 못해 미안하다고 말했다. 집에 아픈 사람이 생긴 후로 우리 가족은 부쩍 서로에게 자주 사과했다.

해충에게 속이 파 먹혀 죽은 개잎갈나무를 뽑은 다음 날 새벽, 문득 옥수수밭에서 불어오는 바람 소리에 잠이 깼다. 무서워서 베개를 들고 형 방으로 간 나는 침대에 누워 편안히 잠든 형의 얼굴을 보았다. 그러니까 형의 죽은 얼굴을. 평안히 감긴 두 눈을.

형이 죽었다. 누가 말해주지 않아도 자연스럽게 알 수 있었다.

숨 쉬지 않는 형 옆에 누워 아직 따뜻한 몸을 끌어안았다. 아빠가 나를 떼어놓고 안아줄 때까지 나는 그렇게 죽은 형 옆에 누워 잠을 잤고, 형과 옥수수밭에 누워 책 읽는 꿈을 꿨다. 행복해서 꿈에서 깨고 싶지 않았다.

동이 틀 무렵 검은색 자동차 한 대가 집 앞에 조용히 멈춰 섰다. 곧이어 하얀 천으로 덮인 바퀴 달린 침대가 현관을 빠져나갔다. 엄마는 아빠의 어깨에 기대어 손으로 입을 틀어막았다. 나는 내 방 창문에서 그 모습을 조용히 지켜봤다. 형의 마지막 모습. 해충에 썩은 개잎갈나무를 트럭이 싣고 나갔던 것과 똑같아 보였다.

하지만 나는 곧 형의 죽음이 꿈일지도 모른다고 의심하기 시작했다. 해가 뜬 오후, 부모님의 모습이 평소와 별반 다르지 않았기 때문이다. 나는 여느 때와 마찬가지로 제 일을 하고 있는 부모님을 바라보다 형 방으로 달려갔다. 침대는 깨끗하게 정돈되어 있었고 형은 없었다. 집에도, 옥수수밭에도 형의 모습은 보이지 않았다. 부모님은 여전히 일에 몰두하는 중이었다. 형만 감쪽같이 사라진 느낌이었다.

나는 그날 저녁 아빠에게 형이 어디 있느냐고 물었다. 순간 아빠의 얼굴에 드리운 그 표정은 어떤 감정이었을까. 서글픔이나 절망감 같기도 했고 두려움 같기도 했다. 그 감정들은 워낙 비슷해서 구분하기 힘들었다. 아빠는 형은 금방 올 테니 걱정하지 말라고 말했다. 1분도 아니고, 5분도 아니고, 20분 동안 숨 쉬지 않는 형 옆에 누워 있던 사람이 나였는데. 20분 동안 숨 쉬지 않고도 살아 있을 수 있는 사람은 없다. 그러니 형은 죽은 게 맞는데. 아무리 불러도 대답 없던, 차갑고 딱딱해져 가는 형의 손을 꼭 붙잡고 긴긴 새벽을 보낸 사람이 나였는데.

부모님이 불쌍하면서도 치사하다는 생각이 들었다. 형의 죽음을 받아들이지 못해 장례도 치르지 않는 것일까. 인사하지 않으면 이별은 유예되니까.

그렇지만 나는 형과의 이별을 마냥 미루고 싶지 않았다. 형은 떠나기 몇 주 전, 내게 이런 말을 했다.

"떠나야 하고 소멸되어야 할 인간을 계속 붙들고 있는 건 가장 잔인한 일이야. 그런 식으로 이별을 미뤄봤자 영원히 살 수 있는 것도 아닌데. 물론 떠나는 사람은 신경 쓸 일이 아니지만. 그러니까 푸코, 너는 보내야 할 사람이 있다면 바로 보내줘. 그게 떠나는 사람을 배웅하는 거니까."

형은 부모님이 자신을 보내지 못할 거란 걸 알고 있었을까? 형이라면 알고 있었을지도 모른다. 아픈 이후로 형은 부쩍 눈치가 늘었다.

나는 형과 이별하기 위해 옥수수밭으로 향했다. 그곳은 내가 생각해낼 수 있는 가장 적당한 장소였다. 언젠가 책에서 읽었다. 누군가와 이별한다는 것은 그 사람과의 추억도 함께 떠나보내는 거라고. 빠짐없이 기억하는 형과의 추억에서 단연 독보적인 장소가 옥수수밭이었다. 그곳이 아니면 영영 형과 이별할 수 없을 것 같았다.

뜨거운 태양의 열기가 꺾인 늦은 오후, 노을빛에 옥수수밭이 노랗게 물든 그 시간에 나는 형과 가장 많이 읽었던 책 한 권과 형이 제일 좋아했던 비스킷을 챙겨 옥수수밭으로 갔다.

키 큰 옥수수 사이를 헤치며 형과 함께 떠나버린 개잎갈나무가 있던 자리를 찾아가는 동안 나는 추억을 떠나보내는 것이 무엇인지를 조금씩 깨달았다. 스치는 옥수수잎이 마치 내 몸에 붙어 있던 형과의 기억을 하나씩 지우려는 것 같았다. 내 머리는 한번 담은 것은 영원히 잊지 않기에 기억은 완전히 사라지는 대신 흐려졌다. 형과 함께했던 모든 순간의 장면들이 물에 번진 수채화 물감처럼 퍼졌다. 물감을 퍼지게 만든 그 물은 몸속에 계속 차오르더니 기어코 눈을 통해 흘러넘쳤다. 이제는 옥수수밭에 함께 갈 형이 없다는 사실이 슬펐다. 아니, 실은 형의 차가운 몸을 끌어안고 있던 새벽부터 울고 싶었지만 부모님이 울지 않아 참고 있었을 뿐이다. 나는 형이 그리웠다. 떠난 지 고작 하루가 조금 넘었을 뿐인데 벌써 1년 같았고 그리움은 억겁처럼 느껴졌다. 아무리 기다려도 형을 만날 수 없다는 사실이 받아들여지지 않았다. 그건 잊지 못하는 것과는 다른 거였다.

운다고 형이 돌아오는 건 아니다. 울면 울수록 더욱 사무칠 뿐이다. 울고 싶지 않은데 왜 눈물은 참을수록 더 많이 흘러내리는 걸까? 입술을 깨물어 새어 나오려는 울음소리를 삼키려 했지만 아무 소용이 없었다. 옥수수밭 어디를 가도 형이 나를 반기지 않는다는 것이 슬퍼 그렇게 하염없이 울었다. 이 드넓은 옥수수밭에 나 혼자라는 문장을 떠올렸을 때는 기어이 목놓아 울었다. 세상 어느 누구도 나를 달래줄 수 없을 터였다. 형이 아니라면 불가능했다. 형이 아니라면.

내 울음소리가 너무 커서 옥수수잎이 스치는 소리를 듣지 못했다. 그러다 어렴풋이 들었지만 바람에 흔들렸다고 생각했다. 그렇게 한정된 곳에만 바람이 불 리가 없는데. 어쨌거나 나는 울고 있어 정신이 없었기에 소리가 어디에서 어떻게 나는지, 그리고 점점 가까워지고 있다는 걸 알아차릴 겨를이 없었다.

형이 나를 부르기 전까지.

"푸코."

나를 부르는 목소리를 들었지만 현실처럼 느껴지지 않아 듣지 못한 척 계속 울었다. 손이 나를 붙잡아 돌려세울 때까지.

"푸코!"

나를 붙잡은 사람은 형이었다. 형은 나를 보자마자 웃으며 끌어안았다. 나는 형에게 안긴 채 무릎 꿇고 앉은 형의 다리와 옥수수밭을 맨발로 걸어 더러워진 발바닥을 보았다. 형의 커다랗고 따뜻한 손이 내 뒤통수와 목덜미를 쓸었다.

"기다리고 있었어."

형이 말했다. 나는 기뻤고 동시에 의아했다. 형은 분명 죽었는데, 왜 옥수수밭에서 나를 기다리고 있었던 거지? 분명 형이 하얀 천에 덮인 채 검은색 차에 실려 떠나는 모습을 봤는데.

내가 아무런 반응도 하지 않자, 형은 끌어안고 있던 내 몸에서 떨어져 얼굴을 마주 봤다. 내 앞에 있는 사람은 분명 형이었다. 하지만 지난밤에 본 형의 마지막 모습과는 달랐다. 머리카락을 민 이후로 형은 줄곧 모자를 쓰고 다녔는데 지금 앞에 있는 형은 이마와 뒷덜미를 다 덮을 정도로 머리카락이 풍성했다. 아프기 전의 형처럼.

형이 두 손으로 내 볼을 감쌌다. 따뜻한 손으로.

"놀랄 것 없어, 푸코."

내가 잘 아는 형의 목소리였다.

"뭐가 됐든 나는 네 형이야."

형의 볼을 손가락으로 어루만졌다. 조금 까슬까슬했지만 그건 피부였고, 형의 얼굴이었다. 천천히 형의 코 밑으로 손가락을 가져갔다. 손끝에 뜨거운 숨이 느껴졌다. 숨 쉰다. 숨 쉬고 있다. 나는 형을 도로 끌어안았다. 목이 막힌다며 형이 컥컥댔지만 아랑곳하지 않았다.

형이 죽은 이틀 후, 나는 옥수수밭에서 형을 만났다.

엄마는 식전 기도를 마치고 내게 오늘은 뭐 하며 보낼 거냐고 물었다. 평소였으면 아무렇지 않게 느꼈을 질문인데 나는 그만 어설프게 숟가락을 떨어뜨리고 말았다. 엄마의 얼굴이 순간 어두워지더니 떨어뜨린 숟가락을 주워 주며 나를 꼭 끌어안았다. 엄마는 내가 감춰두었던 슬픔을 들켜 그러는 줄 아는 모양이었다. 어제였다면 분명 그런 이유였겠지만 오늘은 아니다. 등을 어루만지는 엄마의 손길을 느끼며 나는 내뱉고 싶은 말을 삼켰다. 형과의 약속을 지키기 위해.

나는 저녁밥을 다 먹은 후 엄마에게 빵과 잼을 챙겨 달라고 부탁했다. 엄마는 식탁이 아닌 다른 공간에서 음식을 먹는 걸 몹시 싫어했지만 이번만큼은 군말 없이 들어주었다. 나는 일부러 침울한 표정을 지은 채 음식을 가지고 방으로 들어갔다. 그리고 가방에 빵과 잼, 우유를 넣고 부모님이 침실로 들어갈 때까지 기다렸다. 이윽고 거실 불이 꺼지자 조용히 방을 나왔다. 까치발로 거실을 지나 운동화 한 켤레를 손에 들고는 소리가 나지 않게 아주 천천히 현관문을 열고 닫았다. 문을 닫은 후에도 이상한 낌새를 눈치채고 거실로 나오는 기척이 없는지 확인하고 나서야 신발을 신고 옥수수밭으로 뛰어갔다.

밤에 옥수수밭을 찾은 건 처음이었다. 해가 지면 옥수수밭으로 들어가지 않는 게 규칙이었다. 달빛이 아무리 밝아도 한

번 길을 잃으면 옥수수밭을 빠져나올 수 없기 때문이다. 하지만 나는 단 한 번도 어두운 옥수수밭을 두려워해본 적이 없었다. 내가 어디에 있든 형이 나를 찾으러 왔으니까. 형은 옥수수밭의 파수꾼, 혹은 안내자처럼 모르는 길이 없었다. 아주 어릴 때 공을 찾으러 옥수수밭으로 들어갔다가 길을 잃었는데, 그때도 형은 단번에 나를 찾았다. 내가 여기 있는 줄 어떻게 알았느냐고 묻자, 형은 내 몸에 추적기를 달아놔서 내가 어디에 있든 찾을 수 있다고 말했다. 한때 그 말을 믿기도 했다. 형은 정말 언제 어디서나 나를 한 번에 찾는 마법을 부렸으니까.

이번에도 마찬가지였다. 어둠을 헤치며 옥수수밭을 가로지르는 내 뒤에서 "푸코!" 하고 부르는 형의 목소리가 들렸다. 빼곡하게 자란 옥수수나무 사이의 조그마한 빈터에 형이 앉아 있었다. 나는 웃으며 형에게 다가가 가방에서 램프와 음식을 주섬주섬 꺼냈다. 형은 며칠 굶은 사람처럼 빵과 우유를 먹었고, 나는 그런 형의 모습을 얌전히 지켜보았다.

신발을 신지 않은 형의 발바닥은 여전히 새까맸다. 형이 다 먹으면 함께 챙겨 온 양말도 주려 했다. 형을 챙긴다는 것에 나는 말로 형용할 수 없는 설렘을 느꼈다. 나를 챙기는 건 항상 형의 몫이었으므로. 더러워진 형의 발을 응시하다, 발목에 희미하게 새겨진 숫자를 발견했다. '9'. 흰 잉크로 문신을 새긴 것 같았다. 형의 발목에 저런 게 있었나? 내 기억에는 없지만, 나 모르게 새겼을 수도 있다. 그나저나 숫자 9는 무슨 의미일까. 우리 가족 중에 생일이나 전화번호에 9가 들어가는 사람은 없었다. 형에게 9는 어떤 의미일까? 묻고 싶었지만 그럴 수 없었다. 내 시선을 눈치챈 형이 바지를 끌어 내려 감추었다. 내게 보여주고 싶지 않다는 의미였다. 형이 싫어하는 건 하고 싶지 않았다. 형이 싫어하는 걸 하면 형이 또 죽어서 나를 떠날 것 같았다.

형에게 물어보고 싶은 게 많았지만 쉽게 꺼낼 수 없었다. 아주 사소한 실수로도 눈앞에 있는 형이 부서져 바람에 흩어질까 두려웠다. 형의 무릎에 앉아 램프에 몰려드는 날벌레들을 관찰하며 물었다.

"왜 집에는 안 와?"

"갈 거야. 근데 지금은 못 가."

고개를 돌려 형을 봤다. 불빛과 날벌레의 그림자로 형의 얼굴은 얼룩덜룩했다.

"왜?"

"시간이 더 필요해. 조금만 있다가 갈 거야."

집에 가는데 도대체 어떤 시간이 필요하다는 걸까 궁금했지만, 어쩌면 묻지 않아도 알 것 같았다. 진짜 시체처럼 하얀 천에 덮여 실려 갔으니까. 하지만 그건 죽은 형이 맞는데. 힘없이 떨어진 손이 분명 형의 손이었으니까. 그때를 떠올리다 보니 또다시 궁금해졌다. 형은 그날 죽었는데 어째서 옥수수밭에서 나를 기다리고 있던 걸까.

램프 불빛 옆에서 책을 읽어주던 형은 까무룩 잠든 나를 옥수수밭 경계까지 데려다주었다. 형은 그곳에 서서 손을 흔들었다. 학교 잘 다녀오고 내일 밤에 보자고 말했다. 그리고 검지를 입술에 갖다 대면서 "형 만난 건 비밀이야"라고 다시 한번 강조했다.

집에 돌아왔을 때 엄마는 주방 식탁에 홀로 앉아 술을 마시고 있었다. 새벽에 들어오는 걸 들킬까 봐 깜짝 놀랐지만 술 몇 병을 비운 엄마는 내가 들어오는 것도 모르는 눈치였다. 연신 감기에 걸린 사람처럼 코를 훌쩍이던 엄마는 손바닥으로 눈가를 훔치고 식탁에 안주처럼 놓아둔 사진을 들었다. 형의 사진이었다. 유년 시절부터 병원에서 찍은 사진까지. 엄마는 사진을 보며 굵은 눈물을 후드득 떨어뜨렸다. 슬픈 영화를 볼 때도 손수건으로 눈물 몇 방울 훔치는 게 고작이던 엄마였다. 엄마가 지금은 형의 사진을 보며 슬퍼하고 있다. 나는 당장이라도 옥수수밭에 형이 있다고 말해주고 싶었다. 그럴 수 없다는 게 답답해서 화가 났다. 형이 엄마를 봤어야 했다. 그럼 시간이 더 필요하다는 말 따위는 하지 않았을 텐데.

학교에 가서도 줄곧 형만 생각했다. 수업에 집중하지 못했고 선생님이 다섯 번이나 불렀는데도 듣지 못했다. 선생님은 나를 교무실로 불렀다. 그러고는 요즘 무슨 일이 있느냐고, 며칠 전에는 결석하더니 학교에 나와도 통 집중을 하지 못하는 모습이 걱정된다고 했다. 나는 우물쭈물하다가 입을 열었다.

“형 때문이에요.”

정확히 말하자면 옥수수밭에 있는 형 때문이지만 그건 말할 수 없었다. 이렇게 말해도 선생님은 내가 형을 잃어 슬퍼하는 것으로 알아들을 게 분명했다. 하지만 그런 예상은 빗나갔다. 선생님은 고개를 갸웃거리며 물었다.

“형이랑 싸웠니?”

대답을 망설이다 어영부영 고개를 끄덕였다.

“푸코 형이 조금 아프다 그랬지? 그러니까 형 말 잘 들어야지. 속 썩이면 안 돼.”

엄마가 형의 죽음을 말하지 않은 걸까? 어쩌면 엄마도 옥수수밭에 형이 있다는 걸 알고 있을지도 모른다는 생각이 들었지만, 생각은 오래가지 않았다. 알았다면 엄마는 지난 새벽 형의 사진을 보며 눈물을 훔치지 않았을 것이다. 나는 몇 가지 의문을 품은 채 교무실을 나왔다. 형은 정말 죽었을까? 형이 그날 죽은 게 아니라면 내가 끌어안고 있던 차가운 시체는 무엇이었을까? 그날 죽은 게 형이 아니라면 왜 가짜 형이 그곳에 있었던 것일까. 만일 그날 죽은 게 정말 형이 맞는다면 옥수수밭에 있는 형은 무엇이고, 왜 엄마는 선생님에게 형이 죽었다고 말하지 않았을까?

나는 결국 남은 수업 시간에도 집중하지 못한 채 집으로 왔다. 냉장고에서 샌드위치와 주스와 쿠키를 꺼내 가방에 넣으면서도 어제처럼 설레지 않는다는 걸 느꼈다. 옥수수밭에 있는 형은 진짜 형일까? 만일 진짜가 아니라면 그 형은 누구지? 그렇게 똑같이 생긴 사람이 존재할 수 있을까. 그러다 문득 형이 쌍둥이였을지도 모른다는 생각이 들었다. 물론 내게 쌍둥이 형이 있다는 말은 들어본 적이 없지만.

그날 밤, 형은 피크닉매트에 누워 낮잠을 자고 있었다. 형이 깨지 않게 조용히 가방을 바닥에 내려놓았다. 무릎을 꿇고 앉아 형의 얼굴을 천천히 뜯어보았다. 왼쪽 뺨과 목에 난 점도 그대로였고, 눈썹의 흉터 자국도 똑같았다. 그 흉터는 내가 낸 거였다. 아빠가 택배 상자를 뜯고 무심코 바닥에 둔 가위를 가지고 놀고 있었는데, 형이 발견하고 뺏으려 했다. 나는 빼앗기지 않으려고 손을 마구 휘젓다가 형에게 상처를 내고 말았다. 지금은 1센티미터도 안 되는 작은 흉터지만 당시에는 다섯 바늘이나 꿰맬 정도로 상처가 컸다. 흉터의 위치와 길이도 정확하게 기억하고 있다. 이건 완벽히 똑같다. 비슷한 자리에 난 흉터가 아니라, 형이 아니면 있을 수 없는 흉터였다. 그래도 아직 형이라고 단정 짓기에는 의심스러운 점이 많았다. 그중 하나가 손등과 팔의 흉터가 사라졌다는 점이다. 형이 병원을 드나들던 무렵부터 형의 팔과 손에는 주사 자국이 생기기 시작했고, 가끔은 퍼렇게 멍이 들었다. 멍 든 부분에 진물이 난 적도 있었다. 그래서 형은 더운 여름에도 언제나 소매가 긴 옷을 입었다. 물감을 칠한 것처럼 파랗고 노랗게 얼룩덜룩해진 형의 두 팔. 침대에 죽어 있던 형의 팔에도 남아 있던 푸른 흔적. 흰

천 사이로 떨어졌던 형의 손에도 피어 있던 투쟁의 꽃. 그 얼룩이 지금 낮잠을 자고 있는 형에게는 없었다. 어떻게 며칠 만에 흉터가 싹 사라질 수 있는지 궁금했다.

형은 샌드위치를 허겁지겁 먹어치웠다. 어제 헤어진 후로 계속 굶은 것 같았다. 나눠 먹으려고 가져온 쿠키도 형에게 다 주었다. 무릎을 끌어안고 그런 형을 지켜봤다. 형은 손에 묻은 초콜릿을 혀로 핥다가 나를 보며 의아하다는 표정을 지었다.

"왜 그렇게 불편하게 앉아 있어?"

"나?"

"어, 너."

"나 지금 편해."

형은 믿지 않는다는 눈으로 나를 쳐다보았다.

"왜 형한테 거짓말해? 형이 불편하니? 너 지금 나를 의심하고 있구나."

나는 얼른 고개를 저었지만 늦었다. 형은 휴지로 손을 닦고 자신의 무릎을 톡톡 쳤다. 무릎에 앉으라는 말이었다. 어제처럼, 그리고 예전처럼. 내가 어제처럼 선뜻 다가가지 못하고 망설이자 형은 웃으며 덧붙였다.

"너 어렸을 때는 형한테 안겨야 안 울었잖아. 그래서 엄마도 속상해하고. 잊지 마. 다 커서도 업어달라고 했던 건 너야. 물론 잊었을 리 없겠지만."

"그걸 어떻게 알고 있어?"

나도 모르게 내뱉었다. 그리고 곧 그 말을 한 걸 후회했다. 내가 가지고 있던 어떤 의심과 불안이 제멋대로 날뛰었다.

"아니, 그러니까 내 말은 그렇게 오래된 대화를……!"

"역시 날 진짜 형으로 생각하지 않는구나."

형이 웃었다.

"그렇게 느낄 수 있어. 당연한 거지. 어쨌든 푸코가 알고 있는 형은 죽었잖아."

바람이 불면서 옥수수잎이 스치는 소리가 들렸고, 형의 앞머리도 옥수수수염처럼 힘없이 흩날렸다.

"하지만 푸코, 잘 생각해봐. 형은 푸코가 다섯 살 때 말벌에 쏘여 죽을 뻔한 것도, 여섯 살 때 엄마 화장대를 쓰러뜨려 둘이 조용히 처리했던 것도, 우리가 개잎갈나무에 매트를 걸어두고 옥수수밭을 찾을 때마다 썼다는 것도 알고 있어. 푸코가 학교에서 배운 내용과 선생님이나 친구가 한 농담까지 형에게 빠짐없이 말해준 것도. 푸코만큼은 아니지만 형도 잘 기억해. 그러니까 형을 낯설어하거나 두려워하지 않아도 돼. 푸코가 알던 형과 나는 다르지 않아. 우리는 같아."

형이 하는 말은 달콤하고 씁쓸했으며, 환상적이고 무서웠다. 형은 내 대답을 차분하게 기다렸다. 그것마저 형 같았다. 형은 나에게 화를 내거나 재촉한 적이 단 한 번도 없었다.

한참이 지나도 내가 아무 말도 하지 않자 형이 그제야 말을 이었다.

"형은 너를 겁주거나 협박할 마음이 없어. 그저 언젠가 네가 형을 떠올려 이 옥수수밭에 올 거라고 믿었고, 너를 기다리고 있었던 것뿐이야. 네가 다시 형을 보러 오지 않는다고 해도 형은 널 붙잡지 않을 거야. 가. 대신 형을 만났다는 얘기는 아무한테도 하지 말아줘."

나는 슬그머니 자리에서 일어났다. 형은 정말로 나를 붙잡을 마음이 없는 듯했다.

"그렇지만 푸코, 형은 너와 함께했던 시간을 모두 기억하고 있어. 그것만은 알아줘."

옥수수밭을 뛰어나왔다. 뒤도 돌아보지 않고 집을 향해 달렸다. 형이 쫓아오지 않는다는 건 뒤에서 옥수수잎 소리가 들리지 않는 것만으로도 알 수 있었다. 그럼에도 나는 쫓기는 사람처럼 뛰는 걸 쉬지 않았다. 형이 아니구나. 형과 똑같지만 형이 아니구나. 그럼 형은 그때 차갑게 죽은 게 맞았다. 저 사람이 우리 형이 아니라는 걸 알았으니 돌아갈 이유 따위는 없는데, 왜 자꾸 다리가 무거워질까. 이상했다. 무언가가 나를 붙잡고 있었다. 내 기억 중 하나가. 그리고 나는 어렵지 않게 그 기억이 무엇인지 찾아냈다. 옥수수밭이 끝나는 경계에서 걸음을 멈췄다. 한 걸음만 더 내디디면 빠져나올 수 있는데 발이 떨어지지 않았다.

응. 사람은 다른데 똑같은 기억을 가지고 있으면?

형이 상상해봤는데, 만약 푸코랑 다르게 생긴 애가 본인이

푸코라고 하면서 푸코의 기억과 똑같이 기억하고 있다면 나는 그 애를 푸코라고 생각할 거 같아. 사람이든 로봇이든 강아지든 기억이 같으면.

한 걸음을 내딛는 대신 뒷걸음질을 쳤다. 왔던 길을 되돌아 달렸다. 상처받은 형이 그사이에 떠나지 않았기를 간절히 바라면서.

다시 그곳에 도착했을 때 형은 여전히 피크닉매트에 앉아 책을 읽고 있었다. 나는 무작정 형을 끌어안았다. 그건 형이었다. 나와의 모든 추억을 가지고 있는 형.

그 후 나는 틈만 나면 옥수수밭으로 향했다. 부모님에게 말하지 말아달라는 비밀은 일주일 넘게 지속되었다. 말하면 안 되는 이유 따위는 묻지 않았다. 내게 중요한 건 그런 이유가 아니었다. 형이 굶지 않도록 낮과 밤, 두 번씩 음식을 싸 갔고 이따금 형 옷장에서 옷을 꺼내 가져다주었다. 부모님은 내가 무엇을 하고 다니는지 크게 관심을 갖지 않았다. 그럴 겨를이 없어 보였다. 두 분은 언제나 바빴으니까. 형이 죽었다고 해서 하던 일을 멈출 순 없는 거였다. 그래서 나는 마음 편히 형과 어울렸다.

우리는 옥수수밭을 거닐며 많은 이야기를 나누었다. 형은 이전처럼 나를 업거나 목말을 태워주기도 했다. 그 행복은 예전에 형과 함께했을 때 느꼈던 행복과 다르지 않았다. 나는 아주 잠시 슬펐을 뿐, 금방 되돌아왔다. 이전으로.

형은 저주에 걸려 결계를 넘지 못하는 용사처럼 항상 옥수수밭 경계에서 멈췄다. 조심히 들어가라며 머리를 쓰다듬어주는 형에게 물었다.

"근데 형은 언제 집에 와? 다그치는 건 아니야. 그냥 궁금해서. 곧 추워지잖아."

"그래, 이제 돌아갈 때가 됐지."

형이 무릎을 굽혀 눈높이를 맞췄다.

"대신 형이 집에 갈 때 푸코가 해줘야 할 게 있어."

"그게 뭔데?"

"나중에 알려줄게. 그때 형이 부탁하면 꼭 들어줘야 돼. 내가 푸코의 두 번째 형이잖아."

두 번째.

"두 번째는 첫 번째 다음으로 특별해. 그렇지?"

그 말은 마치 세 번째도 있고, 네 번째도 있다는 말처럼 들렸다. 하지만 형의 말이 맞았다. 두 번째는 첫 번째 다음으로 특별했다. 나는 고개를 끄덕이며 형이 내민 새끼손가락에 손가락을 걸며 약속했다.

그날, 나는 집으로 들어가 부모님과 함께 나를 기다리고 있던 형을 만났다. 세 번째 형이었다.

식탁 맞은편에 앉은 부모님의 표정은 난해했다. 입은 웃고 있었지만 눈에는 측은함과 서글픔이 묻어 있었다. 엄마의 눈에 눈물이 그렁그렁 매달렸다. 형이, 그러니까 세 번째 형이 휴지를 뽑아 엄마에게 내밀었다. 눈물을 닦으라고 내민 것일 텐데 엄마는 휴지를 받으며 더 크게 울음을 터뜨렸다. 아빠는 애써 웃으며 엄마의 어깨를 어루만졌다. 나는 멀뚱히 그런 부모님을 쳐다봤다. 엄마는 몇 분간 눈물을 떨어뜨리다 숨을 고르고 차분히 입을 열었다. 그리고 이렇게 말했다. 푸코, 당황스럽겠지만 형이야, 형이 맞아. 엄마는 뱉은 말을 스스로 감당할 수 없다는 듯, 혹은 버겁거나 벅차다는 듯 숨을 크게 몰아쉬며 아빠에게 기댔다. 얼굴에서 서글픔이 조금씩 거둬지며 엄마의 얼굴은 곧 완전한 행복으로 뒤덮였다. 형이 내 머리를 쓰다듬었다. 나는 목석처럼 굳어 아무런 반응도 하지 않았다.

형이 여기에도 있고, 저기에도 있다. 혹시 옥수수밭에 있던 형이 나를 놀래주려고 장난치는 건 아닐까 싶어 집에 있는 형을 뚫어지게 지켜보기도 했지만 침실에 드는 순간까지 형은 내게 장난치거나 아는 체하지 않았다.

첫 번째 형과는 같았지만, 두 번째 형과는 달랐다.

침대에 누워 문을 바라봤다. 새벽이 올 때까지 잠들지 못했다. 집은 적막에 휩싸였다. 아무런 기척도 느껴지지 않아 슬그머니 자리에서 일어나 방을 빠져나왔다. 맞은편 형 방을 들여다보았다. 좁은 침대에서 엄마는 형을 꼭 끌어안은 채 잠들어 있었다. 두 사람이 깊게 잠든 것을 확인하고 나는 곧장 집을 나와 옥수수밭으로 향했다. 동그랗고 노란 달이 내뿜는 빛에 의지해 무작정 두 번째 형이 있는 곳으로 달렸다. 마음이 조마조마했다. 세 번째 형이 나타났으니 두 번째 형이 사라질까 봐. 분명 첫 번째 형과 둘 다 같았는데, 나는 어느새 두 번째 형에게 마음을 준 것이다. 다행히 두 번째 형은 우리가 만나는 장소에 있었다. 형은 기척에 눈을 떴고, 나는 다짜고짜 그런 형을 껴안았다. 형이 왜 그러느냐고 물었다.

"집에 형이 또 왔어. 그래서 형이 사라지는 줄 알았어."

"왔어?"

형이 반색하며 물었다. 끌어안고 있던 몸을 떨어뜨리고 형을 쳐다보며 고개를 끄덕였다. 형이 내 어깨를 쥐었다.

"푸코, 형 이제 집에 갈 수 있어!"

"하지만 집에는……."

"형이 집으로 가기를 바라지? 그렇지?"

붙잡힌 어깨가 아파 왔지만 티 내지 못했다. 형의 물음에 선뜻 대답하지 못했다. 바라지 않아서가 아니었다. 형의 얼굴이 파리하게 느껴졌다. 그것이 조금 섬뜩했을 뿐이다. 나는 뒤늦게 고개를 끄덕였다. 그러자 기다렸다는 듯 두 손을 붙잡았다.

"그러려면 푸코의 도움이 필요해."

"내 도움?"

"응. 별거 아니야. 정말 쉬워."

"뭔데?"

훔쳐 듣는 건 옥수수뿐인데도 형은 누가 들을까 봐 걱정되는지, 아니면 옥수수가 듣는 것도 싫은 건지 내 귀에 바짝 입술을 붙여 속삭였다. 형의 부탁은 어렵지 않았다. 오히려 너무 쉽고 간단해서, 왜 그전에는 들어오지 않고 세 번째 형이 나타나기를 기다렸는지 의문스러울 정도였다. 나는 집으로 돌아가는 내내 형의 부탁을 되뇌었다.

내일 밤, 세 번째 형이 잠들면 창문 걸쇠를 풀어놓는다. 그리고 기다린다. 형이 문을 열어줄 때까지. 두 번째 형이라는 표식으로 형은 손가락 세 개를 펼 것이다. 그럼 내가 손가락 다섯 개를 펴면 된다. 우리만의 암호인 셈이다. 명심할 점이 있었다. 형이 먼저 문을 열기 전까지 절대 내가 먼저 열어서는 안 된다는 것이다. 형은 신신당부했다. 절대로, 절대로, 절대로 열어서는 안 된다고.

집에 도착하자 세 번째 형이 어디 갔다 왔느냐고 다정하게 물었다. 옥수수밭에 갔다 왔다고 대답했다. 세 번째 형은 창밖의 드넓은 옥수수밭으로 시선을 옮기며 말했다.

"원래 저기에 개잎갈나무가 있었는데."

곧이어 우리가 그곳에서 읽었던 책, 나누었던 대화들을 읊으며 앞으로 더 많은 추억을 쌓자고 덧붙였다. 나는 어설프게 고개를 끄덕이고 방으로 도망쳤다.

다음 날도 집에 있는 형에게는 눈길 한번 주지 않고 학교로 향했다. 학교에서도 보물을 숨겨둔 사람처럼 종일 초조해했다. 학교에서 돌아온 후에는 부모님이 특별히 준비한 파티에 응해야 했다. 부모님은 친척들까지 불렀다. 무슨 파티인지 아무도 알려주지 않았지만 형을 위한 파티라는 것을 알 수 있었다. 친척들은 형에게 말을 걸었다가 신기하게 쳐다봤고, 허락 없이 몸을 만졌다. 나는 구석에 숨어 그 모습을 지켜봤다. 세 번째 형은 그 손길들을 뿌리치지 않았는데, 그게 내가 발견한 첫 번째 형과 다른 점이었다. 첫 번째 형은 불쾌하고 무례한 건 그 자리에서 바로 말하는 사람이었다. 그러니 다르다. 역시, 세 번째 형은 첫 번째 형이 아니었다.

손님들은 늦은 밤이 되어서야 돌아갔다. 부모님은 집을 치우는 내내 피곤한 기색을 감추지 못하더니 얼추 정리를 끝내자마자 곧장 잠에 빠졌다. 형도 종일 사람들에게 시달려 피곤했는지 씻고서는 바로 방으로 들어갔다. 나는 침대에 걸터앉아 집이 다시 조용해지기를, 조용해지고도 시간이 더 지나기를 기다렸다. 손바닥에 자꾸 땀이 찼다. 바지에 쓱쓱 문지르다, 바람에 옥수수잎이 스치는 소리가 방 안까지 파고드는 걸 느끼고 자리에서 일어나 형 방으로 향했다.

세 번째 형은 이불에 파묻혀 있었다. 이불이 규칙적으로 오르내리는 것을 보니 완전히 잠이 든 듯했다. 까치발을 하고 방으로 들어갔다. 정말 잠든 건지 확인하기 위해 침대로 다가가던 중 이불 밖으로 삐져나온 발이 눈에 들어왔다. 복사뼈 근처에 '13'이라는 숫자가 쓰여 있었다. 옥수수밭에 있는 형은 9였는데, 방에 있는 형은 13이다. 형들에게는 모두 숫자가 쓰여 있는 걸까.

그렇다면 첫 번째 형은 정말 첫 번째가 맞았을까.

하지만 이건 아무리 고민한다고 한들 내가 알아낼 수 있는 것이 아니었다. 마음속에 덜 지워진 지문 같은 의문이 남았지만 그것을 밀어두고 옥수수밭의 형이 시킨 대로 창문 걸쇠를 풀기 위해 창가로 향했다. 두 번째 형은 뜰에 서 있다가 나를 발견하자마자 손을 흔들었다. 다른 손은 뒷짐을 지고 있었다. 형이 창문 바로 앞까지 걸어왔다. 창문 잠금장치를 풀었다. 형이 웃으며 고맙다고 입술만 움직여 말했다. 창문을 넘어 들어오는 형에게서는 바스락거리는 비닐 소리가 났다. 뭘 하려는 건지 궁금했지만 나는 형이 당부한 대로 방 밖으로 나가 문을 닫고 기다렸다. 내 방으로 들어가 있으려고 했지만 어쩐지 발걸음이 떨어지지 않아 형 방문에 기대어 앉았다. 안에서는 둔탁한 소리가 몇 번 들려왔고 한참이나 부스럭거리는 소리가 들렸다. 낮은 신음도 함께. 작지만 소란스러운 소리들이 한차례 지나간 후에 적막이 찾아왔다. 안쪽에서는 개미 한 마리 지나가는 소리도 들리지 않았다. 문에 귀를 바짝 붙이고 들어봤지만 소용없었다.

한참 후 다시 기척이 들려왔고 곧이어 창문이 닫혔다. 문을 향해 걸어오는 걸음 소리를 듣고 자리에서 일어났다. 문이 열리고 나를 반긴 것은 역시나 형이었다. 하지만 누구인지 알 수 없는 형. 입을 꾹 다문 채 형의 얼굴을 주시했다. 그러다 살짝 고개를 숙여 형의 발목을 바라봤다. 9라고 쓰여 있었다. 형이 웃으며 말했다.

"도와줘서 고마워. 이제 같이 살 수 있어."

형은 자신의 셔츠 깃에 붉은 점이 생긴 걸 모르는 모양이었다. 지금 바로 벗어서 빨지 않으면 영원히 사라지지 않을 텐데.

"잘 지내보자, 푸코."

형이 손을 내밀었다. 아직 물기가 묻어 있는 손을 바라보다 천천히 그 손을 맞잡았다. 비린내가 났다.

그 후 옥수수밭에 가지 않았다. 형이 학교를 다니면서 대입 시험을 준비했기 때문이다. 언제나 형 곁을 지켰던 부모님도 차츰 일상으로 돌아갔다. 아무것도 바뀌지 않았다. 아주 잠시 공백이 있었지만, 옥수수밭의 형은 원래 있던 형처럼 우리와 섞였다. 이따금씩 정장을 입은 사람들이 찾아와 부모님과 형을 만나고 가는 것 빼고는, 아무것도 달라진 게 없었다. 내 삶도 차츰 원래의 자리를 찾아갔고 그렇게 빠른 속도로 무료해졌다. 형이 나와 놀아주지 못하는 것에 서운함을 느끼며 나는 홀로 책을 읽었다. 여느 때처럼 침대에 누워 엄마 서재에서 가져온 전공책을 읽고 있던 오후, 창밖에서 옥수수잎이 바람에 스치는 소리가 들렸다. 마치 옥수수밭이 내게 이리 오라고 속삭이는 것 같았다.

책상에 앉아 공부하는 형의 뒷모습을 지켜보다 나는 조용히 집을 빠져나갔다. 책 한 권을 들고 홀로 옥수수밭으로 향했다. 옥수수밭에 가까워질수록 바스락바스락 비닐 소리가 커졌다. 나는 소리를 따라 걸었다. 여전히 내 키보다 큰 옥수수줄기 사이를 헤치고 한참을 걷다, 내 앞에 서 있는 맨발을 보고 걸음을 멈췄다. 발목에 '2'라고 쓰여 있었다. 고개를 들었다. 형이었다. 정수리에서부터 흘러내리다 굳은 피가 이마와 볼에 묻어 있었다.

형이 나를 보고 웃었다. 볼에 경련이 심하게 일어났다.

그날 옥수수밭에서 네 번째 형을 만났다.

제, 재

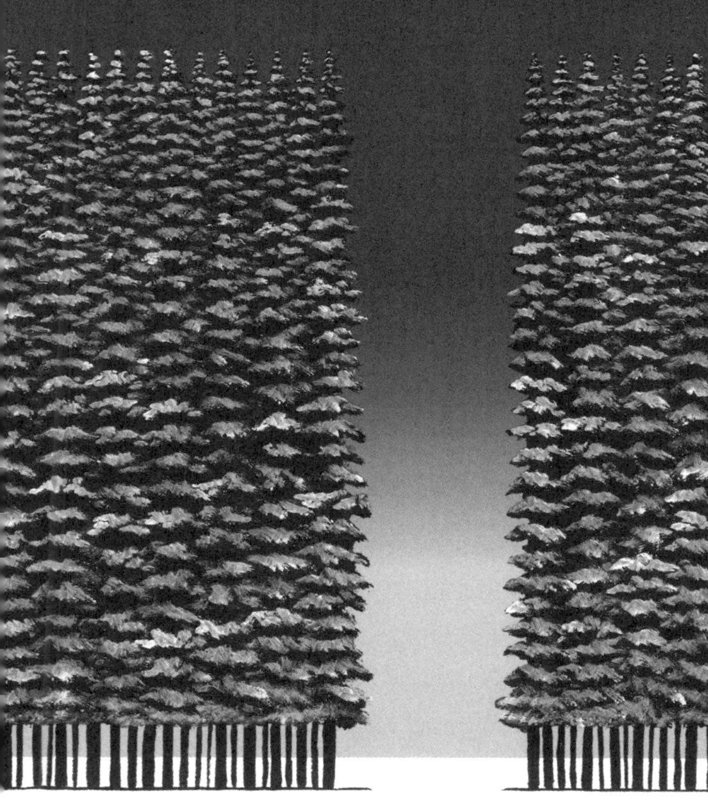

눈을 떴을 때, 오래 잠들어 있었다는 걸 깨달았다. 무언가를 오랜만에 **보는** 느낌. 몸은 뻐근하게 굳은 곳 하나 없이 익숙하게 움직였다. 나는 침대에 엎드려 있었다. 바르게 누워 있지 않고. 침대를 가로질러, 발이 침대 밖으로 빠져 있는 상태. 잠옷이 아닌 외출복이었다. 처음이었다. 빳빳한 셔츠를 입고 있는 건 늘 그 애일 때만 가능했으니까.

상체를 일으켰다. 손목이 아팠다. 압박성 신경병증. 책상 메모지에 그렇게 쓰여 있는 걸 본 적 있다. 또 병원을 가지 않고 자신의 병명을 알아서 찾아봤겠지. 나도 따라 병명을 찾아봤다. 그건 내가 앓고 있는 것이기도 하니까. 정확한 원인과 유발 물질을 알아내지는 못했지만 수근관의 공간을 줄이는 어떤 상황이 정중신경을 압박한다. 그렇게 되면 지금처럼 팔이 저리고 손목에 통증을 유발하며 때때로 마비가 오기도 한다. 마비가 왔을까. 나는 느껴보지 못했지만 이렇게 수시로 아픈 걸 보면 분명 마비도 왔을 것이다. 병원을 갈까 생각했지만 포기했다. 내 시간을 그렇게 빼앗기고 싶지 않았다. 언제까지 그 애의 뒤처리를 해줄 수 없으니까. 비록 안일함의 피해자가 나이기도 하겠지만.

암막 커튼을 걷으니 날이 맑은 오후였다. 벚꽃 잎 사이로 초록 잎이 비집고 올라오는 것이 보였다. 놓쳤다. 벚꽃이 가장 아름다울 때를. 그렇게 보고 싶다고 말했는데. 이기적이게. 항상 이런 식이었지. 적응할 때가 됐는데 여전히 적응하지 못하는 내 문제인가 싶었다. 배가 고파 왔지만 가벼운 걸 먹고 싶었다. 샐러드나 과일 같은 것이. 직전에 기름진 음식을 먹은 모양이었다. 양치도 하지 않았는지 입에서 기름진 향과 텁텁함이 남아 있었다. 화장실에 꽂힌 칫솔 두 개 중 하나를 꺼내 치약을 발라 입에 넣고는 주방으로 나왔다. 지난번보다 깔끔하게 정리되어 있었지만 식탁과 거실 탁자가 여전히 어지러웠다. 어지르는 사람 따로 있고 치우는 사람 따로 있다는 말은 우리를 두고 하는 말이 분명했다. 나는 적당히 자료들을 정리해 식탁 한편으로 치웠다. 함부로 만졌다가 또 지난번처럼 화가 잔뜩 담긴 편지를 받을 수도 있으므로. 정갈하게 쓰인 글씨가 피곤할 수 있다는 걸 늘 그 애의 편지를 보며 깨닫는다. 나랑 글씨체가 너무 달라서 도저히 이 손으로 썼다는 생각을 할 수가 없다.

프린트로 뽑아놓은 기사들이 많았다. 기사 날짜를 보고서야 최소 닷새가 흘렀다는 것을 알았다. 기사 날짜가 지난번에 깨어났을 때보다 닷새 뒤였으므로, 오늘은 더 지났을 수도 있다. 잠들지 않는 시간이 점점 길어지고 있다. 독하다. 프린트된 기사 하나를 들었다. 무스로 머리를 올린 채 남색 정장을 입고 대통령과 함께 찍었다. 대통령상 수상이라는 제목이었다. 나는 손에 들려 있는 트로피를 발견하고 주변을 살폈다. 트로피는 소파에 아무렇게나 나뒹굴고 있었다. 저럴 줄 알았지. 어떤 상이든 그 애에게는 종이 쪼가리거나 공간을 차지하는 거추장스러운 물건에 불과했다. 어쩌면 상을 너무 많이 받아서 그럴지도 모른다. 내가 매일같이 만화를 그리는 것처럼, 그 애에게 이런 일들은 일상에 불과했다. 누군가에게는 매우 특별한 일일 테지만. 나는 수십 대의 카메라 앞에 서서 상 받는 순간을 상상해본다. 마이크를 잡고 소감을 말하는 시간도 있었으면 했다. 분명 그 기억은 내 기억이기도 할 텐데, 아무것도 떠오르지 않는다.

억울한가. 내가 억울하다고 말해도 되는가. 그 애의 성과는 온전히 그 애의 성과이다. 나는 그 애가 하는 일을 알아듣지 못하고, 이해하지 못한다. 그것은 내 생각이 아니고, 내 연구 결과물이 아니다. 그러니까 결국 다른 것인데. 그래도 나의 희생 덕에 성과를 이룬 거라면 내게도 보상이 어느 정도 있어야 하지 않나. 그런 생각을 했다. 딱 10년만 참아달라는 그 애의 말을 나는 잘 지켰다. 기간을 유예시키고 있는 건 그 애 쪽이었다. 각성제로 잠을 자지 않으면서까지. 하지만 나는 이제 주도권을 완전히 그 애에게 빼앗겨버렸다는 것을 알고 있다. 부모님과 전화 통화를 한 지도 꽤 오래되었다. 통화 목록을 보면 부모님이 전화를 건 통화 기록이 자주 찍혀 있는데 단 한 번도 내가 깨어 있을 때는 전화를 걸지 않았다. 이제 자신은 잠들 거고 언제쯤 일어날 것이라고 통화 때마다 그렇게 말하는 걸까. 그런 궁금증이 일 뿐, 내가 먼저 연락해야겠다는 생각은 들지 않았다. 반기지 않는다는 걸 알고 있다.

양칫물을 싱크대에 뱉고 입을 헹궜다. 냉장고에는 맥주 캔과 안주라 불릴 만한 식재료만 가득했다. 냉장고가 비면 바로바로 채울 것이지. 다른 사람도 아니고 본인이 먹는 건데. 냉동고에서 언 식빵을 꺼내 전자레인지에 돌렸다. 내가 먹은 이후로 손도 대지 않은 듯한 사과잼을 꺼내 접시와 같이 테이블에 가져다 놓았다. 테이블 위에 어지럽게 얽혀 있는 종이를 치우다, 그 뭉텅이 속에서 다이어리를 찢어 적은 메모를 발견했다.

5/10
16:00

전화 통화를 하며 무의식적으로 적은 것 같은 글씨(전혀 정갈하지 않았다). 하지만 낙서라기에는 이 종이만 다이어리에서

찢었다. 근처에 이렇게나 많은 종이가 있음에도. 그렇다는 건 이전에 적어두었던 걸 찢은 것일까. 이제야 날짜를 확인했다. 5월 10일. 오늘이다. 지금은 오후 1시이고. 그러니까 이건 아직 오지 않은, 그리고 곧 올 시간이다. 전자레인지가 다 돌아가며 알림 소리가 들렸지만 발이 떨어지지 않았다. 이상했다. 이건 분명 그 애가 남긴 메모지이고, 그 시간은 곧 다가오는데 왜,

왜 내가 깨어 있지?

그 애의 일을 나는 할 수 없다. 만일의 사태에 대비해 그 애의 사회적 지위, 연구 목적 및 과정 따위를 남겨준 자료를 토대로 읽고 외워도 보았으나 그 애처럼 유창하게 말할 수 없었다. 너무 당연하게도 내 전공이 아니었으므로 돌발적인 질문에 답도 하지 못했다. 언젠가 연구실에서 사흘 밤을 새운 그 애가 내게 부탁했다. 다음 날 정오에 기자회견이 있는데 추가 질문을 받지 않기로 했으니 준비된 대본만 잘 읽어달라는 아주 쉬운 내용이었다. 나는 세 페이지 정도 되는 대본을 몇 시간씩 따라 읽으며, 그 애가 강연했던 영상을 틀어놓고 말투와 손짓을 흉내 내는 연습까지 했다. 하지만 기자회견은 보기 좋게 망했다. 기자가 종이만 보지 말고 카메라도 좀 보며 말하라고 한 순간 나는 버벅거리기 시작했고 내가 읽던 구간을 놓친 채로 종이를 한참이나 뒤적거렸기 때문이었다. 불확실한 말투와 불안정한 눈빛으로. 그 애는 단 한 번도 그런 적이 없었다. 기자들은 그 애가 과도한 업무로 이상 증세를 보인다는 식의 자극적인

타이틀을 썼다. 나는 잠드는 게 두려웠고 다시 일어나는 게 두려웠다. 내가 못했던 것이 아니라고, 네가 유별나게 유능한 거라고 말하고 싶었지만 끝내 미안하다는 한 줄만 적었다. 쪽지에 대한 그 애의 답장은 없었다. 그날 이후로 그 애는 어떤 것도 부탁하지 않았다. 심지어 간단한 전화 용무조차도 본인이 해결한 뒤에야 눈을 감았다.

잘못 잠든 걸까. 너무 오랫동안 잠을 자지 못해서 깜빡 잠이 든 걸까. 아니면 약속이 취소된 걸 수도 있다. 그러니 저렇게 종이 틈에 섞여 있던 것이 아닐까. 그래, 그럴 가능성이 크다. 그 애가 이런 실수를 할 리 없었다. 세상 그 누구보다 나를 못 미더워하는 애가……. 그렇게 생각하자 당황스러움은 좀 잦아들었지만 심장은 여전히 가쁘게 뛰었다. 나는 소파에 앉아 가만 숨을 고르며 다시금 상황을 정리했다. 오늘은 5월 10일이었으므로 나는 닷새 만에 깨어났다. 닷새 동안 그 애가 무슨 일을 했는지 나는 알지 못한다. 나는 의식의 깜깜한 심연에 있었으므로. 그 애가 남겨둔 쪽지도 보이지 않았다. 내가 알고 있는 마지막 정보는, 그 애의 연구가 몇 년에 걸친 안전성 검사를 끝마친 뒤 본격적으로 상용화되기 시작했다는 것이다. 대통령과의 만찬도 끝난 듯했으니 한동안 쉬지 않을까. 점점 중요한 일은 아닐 거라는 확신이 섰다. 섣부르게 그 애를 깨우기보다 우선 상황을 조금 더 살펴보는 게 맞을 것 같았다. 전자레인지에서 빵을 꺼내 잼을 발라 먹으며, 나는 그 애의 다이어리를 떠올렸다. 그 애는 뭐든 그곳에 적어두었다. 주기적으로 복용해야 하는 약이 있을 때는 그 약을 몇 시에 먹었는지까지도 기록했다. 친구와 나눈 마지막 대화까지도 전부 적어두는 그 치밀함은 태생이 꼼꼼하고 섬세한 성격이라 그럴 수도 있지만 그건 그 애 나름대로 나와 함께하는 삶에서 자신을 잃지 않기 위한 노력이었으리라. 그 애는 내가 자신의 다이어리를 훔쳐보고 있다는 사실을 모른다. 알았다면 전공 서적만 가득 쌓인 책장에 다이어리를 숨겨두지 않았을 터였다. 몇십 년 동안 줄곧. 다이어리에 테이프를 붙이거나 종이를 끼워놓는 치밀함을 그 애에게서 배웠기에 다이어리를 훔쳐보는 것 정도는 쉬웠다. 다이어리를 훔쳐보는 범인을 잡겠다고 나선들 어쩌겠는가. 나는 지문으로도 감별할 수 없는 범인인 걸.

다이어리가 보이지 않았다. 꽂혀 있던 전공 서적을 전부 빼내봤지만 있어야 할 곳이 텅 비어 있었다. 이런 적은 처음이었다. 당황스럽다. 함께 살기 위해 철저하게 모든 것을 일정하게 유지해왔는데. 아주 사소하지만, 무언가 변했다. 그리고 다이어리는 쉽게 발견됐다. 서재 책상 위에서. 펜과 함께 놓여 있었다. 마치 넣어두는 걸 잊었다거나 일부러 넣어두지 않은 듯했다. 왜지? 왜 갑자기? 몇십 년 동안 변한 적 없던 것을 왜 바꿨을까?

한 가지 더 이상한 점을 발견했다. 물이 담긴 컵. 치워두지 않은 것이 이상했다. 그 애는 자신이 잠들 시간이면 모든 흔적을 깨끗하게 지웠다. 강박처럼. 컵 밑면에는 물이 맺혀 있었다. 컵에 담아두었던 얼음 탓에 표면에 맺혔던 이슬이 흘러내린 듯했다. 이런 걸 치워두지 않을 애가 아니었다. 갑작스럽게 잠이 든 것일지도 모른다는 생각이 들었다. 나를 깨우려는 계획이 없었는데.

책상 의자에 앉았다. 다이어리를 들어도 되지만 위치를 표시해뒀을 수도 있으므로 최대한 위치 이동 없이 펼치는 게 나을 듯했다. 책꽂이 속에서 비죽 모서리가 튀어나온 봉투가 보였다. 편지였다. 그전에는 없었던, 최근에 그 애가 받은. 나는 편지를 꺼냈다.

봉투에 〔**재**에게〕라고 쓰여 있었다. 익숙한 필체였다. 물론 이 필체가 나를 위해 쓰인 적은 단 한 번도 없지만.

재이다. **제**는 없었다. 하나인 줄 알고 하나의 이름만 붙였다. 그러니까 이 몸의 이름은 **재**이고 우리는 그런 의미로 둘 다 **재**였지만 어느 순간 나는 **제**가 되었다. 다시 말하자면 몸의 부속이 되었다. 하지만 내가 **제**라는 걸 아는 사람은 나와 그 애, 그리고 동생 '선'밖에 없다. 모든 편지는 **재**에게 온다. **재**밖에 없으니까. 편지의 주인공이 나였던 적은 없다. 부모님조차도.

일찍이 **재**를 차지하는 것이 이 몸의 주인이 되는 길인 줄 알았더라면 그렇게 쉽게 내가 **제**가 되겠다고 말하지 않았을 터였다. 나는 몰랐고 그 애는 알았다. 그 애는 영특했으므로. 경시대회에서 대상을 타고, 큐브 대회에서 1등을 하고, 수능 수

학을 아홉 살에 풀고, 파동역학 방정식을 열세 살에 풀었다. 그랬던 애가 그 사실을 몰랐을 리 없었다. 알면서도 시치미를 떼고 내게 이름을 지어준 것이다.

내가 ***재*** *할게, 너는* ***제*** *해. 헷갈리잖아.*
우리만 알아볼 수 있는 거야.
재미있지 않겠어?

나는 그 애가 남긴 쪽지를 보고 좋아했다. 그것이 나를 뺏는 이름인 줄도 모르고, 나는 내게 이름이 생겼다고 좋아했다. 애초에 나도 **재**였는데.

모든 기사는 '해리성 인격 장애가 있는 천재 아이'라는 제목으로 퍼졌다. 파동역학을 열세 살에 풀었던 천재 아이는 인격 장애가 있고 이겨내는 중이라고 말이다. 천재와 인격 장애라는 타이틀은 멋스러워 보였다. 범상치 않은 천재. 아니면 천재이기에 가능한 장애. 그런 뉘앙스였다. 나는 해리성 인격 장애가 무엇인지 인터넷에 찾아보고 나서야 알았다. 인격이 여러 개라는 말이구나. 그러니까 몸은 하나인데 영혼은 두 개라는 말쯤으로 이해했다. 사람이 둘인데 몸은 하나니까 서로 나눠 쓰는 거구나. 그래서 어제와 기억이 연결되지 않고, 이상한 곳에서 눈을 뜨는 거구나. 종종 병원에서 눈을 떴던 게 다 이걸 검사하기 위해서였구나. 그러고 나서 알았다. 기사에서 몸의 주인을 그 애로 칭하고 있다는 걸. 그 애가 앓고 있는 병. 그 애의 몸에 딸린 나. 그런 게 아닌데. 내 입장은 왜 아무도 알아봐주지 않지?라고 생각했다가 점차 그게 맞는 것처럼 느껴졌다. 그 애는 세상에 한번 나올까 말까 한, 혹은 레오나르도 다빈치나 아인슈타인의 뒤를 이을 정도의 천재였기에 그 애가 세상에 있는 게 맞았다. 다들 그렇게 말했다. 그러니 내가 별수 있나. 그저 나는 왜 그렇게 똑똑하지 못하였는지 궁금할 뿐이었다. 똑같은 뇌를 쓰고 있는데.

잠을 자지 않으면 깨어 있는 동안 몸을 통제할 수 있었다. 우리가 인격을 바꾸는 방식은 무의식이었다. 잠들지 않으면, 깊이 자지 않으면 한없이 몸을 차지할 수 있었다.

그 애는 깨어 있는 시간을 점점 늘렸다. 약을 먹으면서 버텼다. 나는 이틀에 한 번꼴로 세상에 나왔고, 깨어 있는 내내 나를 그 애로 착각하는 사람들의 말을 받아치거나 내게는 그다지 할 말이 없는 듯 구는 부모와 이야기하다 잠자리에 들었다. 거실에는 함께 찍은 가족사진이 있었다. 가족 모두가 환히 웃고 있는데, 나는 기억이 없는 사진이었다. 아무도 나를 반겨주지 않았지만 그래도 깨어 있는 게 좋았다. 자다 일어났을 뿐인데 이틀이 지나 있고, 세상이 바뀌어 있으면 자꾸 누군가가 시간을 빼앗아가고 있다는 생각이 드니까.

선이 생긴 것도 냉장고에 붙은 초음파 사진을 보고서야 알았다. 내가 엄마에게 이게 뭐냐고 묻자, 엄마는 그제야 말하는 걸 깜빡했다며 동생이 생겼다고 심드렁하게 말했다. 나는 그 때부터 선이 태어나기를 기다렸다. 그냥 할 게 그거밖에 없었다. 그 애는 너무 똑똑해서 학교에 다니지 않았기 때문에 나 역시 친구가 없었다.

부모님도 나와 그 애를 헷갈렸다. 그 애가 의도치 않게 짧은 순간 깊이 잠들어버리면 어김없이 내가 깨어났는데, 그 사실을 모르는 부모님은 나를 그 애처럼 대했다가 어벙한 표정을 보고 나서야 나인 걸 알아차렸다. 나는 그런 표정에, 기대했다가 아님을 알고 실망하거나 흥미를 잃는 표정에 익숙해졌다. 선이 나를 보면 방긋방긋 웃는 것도 선은 아직 아기니까 사람만 보면 다 웃는 거로 생각했다. 하지만 선은 **제**에게만 웃었다. 그러니까 나. 구분할 수 없는 **재**와 **제** 중에서 **제**를 알아보고. 나는 신이 우리 둘을 한 몸에 넣은 실수를 뒤늦게 깨닫고 둘을 구분하는 판별자를 내려보냈다고 생각했다.

나는 나를 **재**가 아니라 **제**로 봐주는 선이 좋았다. 선과 놀고 싶었지만 같이 있는 시간은 짧았고 선은 유독 남들보다 더 빨리 크는 것 같았다. 나는 깨어 있는 시간 동안 선과 이야기했다. 선이 받아쓰기 백 점 맞은 것을, 장기 자랑에 나간 것을, 친구와 싸운 이야기를 전부 들었다. 선은 그 애와 내가 어떻게 다른지 말해주는 유일한 사람이었다. 모두 그 애가 아닌 나에게는 관심이 없는데 선은 **재**가 재수 없고 싹수없으며 이기적이고 인간으로서 매력이 없는 것에 반해, 나는 그래도 재미있고 다정하다고 했다. **재**는 천재이지만 싹수가 없고, **제**는 평범하지만 다정하다. 우리에게는 그 정도의 차이가 있었다.

이미 한번 열어본 봉투는 툭, 하고 가볍게 벌어졌다. 그 안에 편지 한 장이 들어 있었다. 나는 거리낌 없이 편지를 펼쳤다. 편지의 내용은 길지 않았다.

*'그동안 수고했고, 네가 자랑스러우며 앞으로 네 인생을 멋지게 네 마음껏 살기를 바란다'*는 말이 적혀 있었다. 네 마음껏. 나는 그 문장을 곰곰이 생각했다. 응원의 의미일 텐데 자꾸 그 말이 걸렸다. 지금까지는 방해받았다는 말처럼 느껴졌다. 그 애를 방해한 사람은 다름 아닌 나였을 테지. 그 애가 누려야 할 자유로움으로부터, 연애로부터, 대인 관계로부터 모든 것을 걸리적거리게 만든 건 나였다. 아니면 정말 긴 시간 동안 그 애가 몰두했던 연구로부터 가끔씩 자유로워지게 하거나. 그래, 되도록 후자로 생각하자. 진실은 잔인하니 때로 억지로라도 가릴 필요가 있었다.

우리는 지식을 공유할 수 없으므로 나는 그 애가 하는 일을 기사로, 집에 흩어져 있던 자료들로 알아갔다. 누군가에게 물어볼 수도 있었겠지만 그 애의 모습을 하고 다른 이에게 연구가 무엇이냐고 물어봤다간 큰일이 날 것 같았다. 그 애의 병을 다 알지만, 사람들은 아는 것을 체험하는 것으로 접목하지 못했다. 겪지 않으면 아는 게 아닌 셈이다. 그 애에게 직접 설명을 들을 수도 없었으니 내가 할 수 있는 것은 그게 다였다. 그 애는 재생되는 세포를 연구했다. 바다 달팽이가 제 몸을 스스로 재생시키는 것을 보며. 바다 달팽이는 아직까지 밝혀지지 않은 유전자의 기작으로 염장을 제거하고 손상된 세포를 수복시키는데 그 애는 그 유전자에 담긴 바이러스 벡터를 주사함으로써, 해당 유전자를 발현시켜 인간에게 똑같은 현상이 발현되도록 연구했다. 그것에 새싹세포라는 이름을 붙여 어떤 세포든 다시 자라게 했다. 시력, 청력 복원은 물론이고 절단된 신체도 재생됐다. 일각에서는 그 애가 마법을 만들었다고 표현했다. 이 땅의 모든 질병과 장애를 없앨 수 있는.

내가 이해하는 부분은 그 정도다. 하지만 그것만으로도 내겐 그 애가 정말 이 땅에 큰일을 이룩한 구원자처럼 느껴졌고, 나란 존재는 위인의 삶을 더 극적으로 보이게 하는 보조 장치일지도 모른다는 생각을 했다. '이겨내고', '뛰어넘고' 혹은 '천재성의 비극'이라는 수식어를 달 수 있도록.

편지에서 더 얻어낼 수 있는 건 없었다. 나는 다이어리를 펼쳐 오늘 날짜를 찾았다. 거기에는 검은색 펜으로 별 표시만 되어 있을 뿐 이렇다 할 말이 적혀 있지 않았다. 다이어리를 더 들춰봐도 오늘을 언급한 것은 저 메모지가 전부였다. 급하지 않은 일인 걸까. 누구를 만나기로 한 약속은 아닐까. 그저 쉬는 날을 표시해둔 걸까? 마음은 계속 초조해졌고 시간은 어느덧 오후 2시 10분을 넘기고 있었다.

다이어리를 그대로 덮고 자리에서 일어나려던 찰나 원목

책상 위에 희미하게 뿌려진 흰 가루를 발견했다. 깔끔한 그 애가 이런 가루를 흘렸을 리 없었다. 나는 손가락으로 가루를 쓸다가 문득 물이 담긴 컵에 시선이 향했다. 그리고 컵 아래에 가라앉은, 아주 희미한 침전물을 보았다. 그 순간 나도 모르게 뒷걸음질 치듯 자리에서 일어났다. 그 애가 원하지 않은 채로 잠든 거라는 생각이 들었다. 저게 수면제라면 그 애는 갑자기 쏟아지는 졸음을 참지 못하고 비틀거리며 침실로 간 것이다. 제대로 눕지도 못하고 기절하듯 잠에 빠진 거지. 그 애 스스로 먹었을 것 같지는 않았다. 오후에 약속이 있는데. 더군다나 그 애는 외출복을 입고 침대에 눕지 않는다. 아무리 시간이 없더라도. 그렇다면 누군가 억지로 재운 것일까? 하지만 누가, 무슨 이유로 이 애를 재운단 말인가? 심지어 집이다. 그 애가 직접 문을 열어주지 않는 이상 외부인은 절대로 출입할 수 없었다.

그 애가 직접 열어주었다면……. 나는 거실 인터폰으로 향했다. 마지막 방문자일 것이다. 그 애가 잠든 후에 누군가 왔다면 사람을 불러놓고 집에 없는 그 애를 이상하게 여겨 전화를 걸었거나 신고했을 것이다. 나는 벨소리에 깨지 않았다. 그러니 마지막 방문자가 확실했다.

인터폰 기록을 살폈다. 지금으로부터 여섯 시간 전인 오전 8시 3분. 누군가 집을 찾아왔다.

선이다.

나는 **재**를 원망해본 적 없었다. **재**의 마음은 모르겠지만.

그저 특별한 **재**가 부러웠다. 가끔 **재**의 삶 일부를 내가 차지하고 있다는 사실이 부끄러웠다. 나는 왜 부족한가. 같은 몸을 가졌는데. 그런 생각이 잘못됐다고 알려준 사람은 선이다. 정말 금방 자라 성인이 된 선은 나를 '너'라고 툭툭 부르며,

'그냥 **재**가 유별나게 빠르고 특별한 거지 네가 못한 게 아니야. 너는 억지로 **재**의 속도에 같이 얹혀살고 있으니까 부족하다고 느끼는 거지. 네가 **재** 속도에 맞춰주고 있는 거잖아. 그러니까 당연히 버겁지.'

하나의 몸에 둘이 살고 있으니 하나가 맞출 수밖에 없다. 그저 그뿐이라고 했다. 선의 말은 그전까지 암울하기만 한 내 삶을 조금 바꿔놓았다. 조금 늦은 감이 있었지만 어쨌거나 깨달은 것이 중요했다. 독립되었다면 어땠을까. 부질없지만 종종 고민했다.

벨소리가 들렸다. 시간은 오후 2시 43분이었다. 4시에 만나기로 한 사람일까. 침실로 달려갔다. 휴대폰에는 선의 이름이 찍혀 있었다. 그 애는 나와 다른 휴대폰을 썼다. 내 휴대폰은 나온 지 5년이 된 모델이지만 그 애의 휴대폰은 최신이었다. 휴대폰을 바꾸고 싶었지만 언제나 업무 연락이 끊임없이 오는 그 애의 휴대폰을 보고 있노라면 나에게 최신 모델은 사치처럼 느껴져 자꾸 마음을 접게 되었다. 그러니 선은 내가 아닌 그 애를 찾고 있는 것이다. 왜 전화한 걸까? 그 애를 재운 건 선이 아닌 걸까? 내가 받을까 말까 망설이는 사이 벨이 끊

졌다. 그리고 곧바로 벨소리가 울렸다. 이번에는 내 휴대폰이었고, 이번에도 선이었다. 전화를 받았다.

"……**재**, 자?"

선은 한참 뜸 들이다 물었다. 내가 **재**인지 **제**인지 구분하기 위해 망설였을 것이고 왜 전화했느냐고 다그치지 않는 것으로 내가 **제**라는 것을 확신했으리라. 나는 그렇다고 대답했다. 그 애에게 수면제를 먹인 것이 선 너냐고 묻고 싶었지만 입이 떨어지지 않았다. 왜 이런 짓을 했는지 짐작조차 되지 않아서였다. 하지만 선은 애초에 내게 자신의 행동을 이해시키거나 내 의견을 물을 생각 따위 없는 것처럼 말을 이었다.

"4시에 **재**의 연구원 팀원들이 올 거야. 그럼 네가 **재**인 척해야 해. 알겠어? 아무리 친구라고 하더라도 말투나 표정으로 단번에 구분할 수 있는 사람은 나밖에 없어. 그래도 불안하면 감기에 걸렸다고 해. 기침도 좀 하고. 그 정도 연기는 할 수 있지? 우리 어렸을 때 몇 번 했었잖아."

"그걸 왜 시키는 거야? **재**를 재운 게 너 맞구나. 대체 왜 그런 짓을……."

"**재**가 오늘 너를 죽일 거였으니까."

나도 모르게 헛웃음이 터졌다. 말이 안 되는 소리였다. 어쩌면 선은 장난을 치고 있는지도 모르겠다. 가끔 오랜만에 깰 때면 선은 다짜고짜 역할놀이를 하고는 했다.

"내가 죽으면 **재**도 죽어."

웃으며 말했다. 장난에 걸리지 않겠다는 의미였다.

"아니."

선이 단호한 목소리로 말했다. 이렇게까지 장난을 치는 애는 아니었는데.

"너만 죽어. 네가 깨어 있으면. **재**는 안 죽고 **제**만 죽는다고."

"그건 불가능해."

"아니 가능해. **재**가 가능하게 만들었어. **재**가 너 죽이려고 여태껏 그 연구를 했다는 거 아직도 모르는구나."

선의 말을 하나도 알아들을 수 없었다. 정말 불가능한 일이니까. 그런 일이었는데, 선은 이제 그게 가능하다고 말하고 있다. 여전히 나는 그게 무슨 말인지 알아듣지 못하지만 선의 말을 유추해보자면 그 새싹세포라는 것이 내가 몸의 주인일 때 주입되면 내가 가지고 있는 인식을 죽이고 다시 자라나 완전히 흡수되게 함으로써, 나는 사라지고 그 애만 이 몸에 남게 된다는 말이다. 그게 정말 가능한 걸까. 혼란스럽다. 그렇지만 그 애라면 가능하게 했으리라. 인류를 도약하게 할 천재니까. 속이 갑갑해졌다. 도움은 되지 못하더라도 나는 잘 살고 있다고 생각해왔는데 그 애가 나를 없애고 싶어 했다는 것이. 단지 함께라는 이유로, 자신에게 해가 된다는 이유로. 몸이 낯설게 느껴졌다. 손가락도, 다리도, 선의 말을 듣고 있는 귀도, 숨을 쉬는 장기까지 전부 내 것이 아닌 것처럼 느껴졌다.

"네가 잘못 알았을 거야."

나는 차분하게 호흡하며 말했지만 불현듯 엄마가 그 애에게 남긴 편지가 떠올랐다. *네 인생을 멋지게 네 마음껏 살기를 바란다.* 내가 없는 삶. 한 몸에 두 사람이 있지 않은 삶. 온전히 **재**의 몸인 삶. 가슴께가 아팠다. 왜일까. 이 몸이 정말 내 몸이 아니라면 내 감정과 무관해야 하지 않던가. 그런데 몸은 내 감정에 반응했다. 억울하게.

"부정이나 슬픔은 나중에 느끼고 내 말 알아들었어? 의식이 있는 쪽이 죽는 거야. 주사를 맞는 순간에. 그러니까 팀원들이 오면 **재**인 척해. 그리고 말해. 다른 애가 알면 도망치려 할 수도 있으니까 몸을 결박시키고 입을 막으라고. 그 후에 너를 재우라고 해. 그리고 깨어나면 그건 네가 아니고……."

선은 거기서 말을 멈췄다. 그 말을 끝까지 잇기가 본인도 힘든 모양이었다. 어쩌면 당연한 반응. 누군가를 죽인다는 건…… 그것이 꼭 육체가 사라져야만 죽는 것이 아니니까.

여전히 혼란스럽지만 조금씩 진정되어갔다. 잠자리에 들 때면 언제나 다시는 눈을 뜨지 못할 거라는 생각을 하며 눈을 감았다. 내 무의식의 나도, 이 몸이 내 것이 아니고 그 애의 것이라는 생각을 하고 있었다. **재**의 이름이 **재**이어서 일까. 내가 **제**가 아니라 **재**였다면 나도 내일이 당연하고 진짜 내 삶을 살며 아주 가끔 내 몸에 얹혀살고 있는 객식구에게 몸을 빌려준다고 생각했을까. 그럼 이 순간 지금의 내가 느끼는 감정보다 더 분노하고, 서글펐을까. 몸은 살지만 나는 죽는다는 건. 장례식에 사진조차 걸 수 없는 죽음인 걸까.

그리고 내가 억울함을 느껴도 될까. 내가 이 몸으로, 이 사회의 구성원으로 해왔던 것이 있던가. 억울함을 느끼려면 그 애가 느껴야 했다. 온전한 몸을 가지고서도 온전히 자신일 수 없었으니.

나는 우선 선에게 고맙다고 말했다. 선이 이 이야기를 해주지 않았더라면, 그리고 그 애에게 수면제를 먹여 재우지 않았더라면 나는 이 시간도 갖지 못한 채 눈을 뜨자마자 수술실에 있었을 것이고 내게 무엇을 하는지도 알지 못하는 상태로 주사를 맞았겠지. 죽는다는 것도 모르고 죽었을 것이다. 그러니 이 사실을 내게 알려주고, 내가 생각할 수 있는 이 시간을 준 선에게 고마울 수밖에.

"그렇지만 사람들은 나를 원하지 않아. 세상 사람들에게 필요한 건 **재**야. 내가 아니라. **재**가 죽고 나만 남았다는 걸 알면 모두가 슬퍼할 거야. 좌절할 거야."

"그게 뭐가 중요해? 나한테는 네가 필요해."

선에게서 처음 듣는 말이다.

"나는 네가 죽는 걸 원하지 않는다고."

나를 필요로 하는 사람. 그런 사람이 세상에 있다는 것이 놀라웠다. 나는 아무것도 하지 않았는데. 나는 고작 선에게 동화책을 읽어주고, 선의 이야기를 들어주고, 선과 함께 놀았을 뿐인데. 실은 그 모든 일이 내가 외롭지 않으려고 선을 이용했던 것뿐인데.

"살고 죽는 거에 누가 낫다는 건 없어. **재**는 살인마랑 다를 게 없어. 아니, 곧 몇 시간 뒤면 살인마가 되겠지. 아무 죄책감도 없이 사람을 죽이려고 한다고. 그런데 어떻게 너보다 **재**가 더 나을 수 있어?"

사람. 그 단어를 듣는데 마음이 울렁거렸다. 서글픔이나 분노 같은 것이 아니다. 그런 것들보다 더 아득하고 깊다. 깨달음의 파동 같은 감정. 나는 왜 나를 단 한 번도 사람이라 생각하지 않았던가. 나는 그 애의 몸에 기생하는 혼 같은 게 아닌데. 내게도 나의 몸이 있고, 내 목소리가 있고, 내 의식이 있다.

"그럼 **재**를 다시 한번 설득해보자. 그럼 지금처럼 다시 같이 지낼 수도 있을 거야."

그 애도 그렇게 모질지는 않을 것이다. 서로 소리를 내며 대화를 나눈 적은 없지만 그래도 우리는 언제나 같은 공간에 있었다. 나는 그 애가 〔반가워〕라고 내게 처음 남긴 쪽지를 아직도 기억한다. 혼자만의 추억이 아닐 것이다.

"**재**는 **제**가 아니야."

우리는 도무지 같지 않은가.

"**제**가 **재**의 부속도 아니고."

정말 그렇다면 왜 나는 여태껏 이렇게 살았던가. 몸이 이 나이를 먹을 때까지, 내 앞에 죽음이 놓일 때까지 왜 내게 아무도 이 사실을 말해주지 않았던가. 그 애가 만났던 모두를 결국 나도 만난 것인데. 나도 언제나 당신들과 함께였는데.

"그전까지 다른 사람들이 **재**만 도와줬으니까 이번에는 내가 너 한번 도와주는 거야. 똑같은 거로 쳐. 가만 놔두고는 못 버틸 것 같으니까. 그리고 내가 해줄 수 있는 것도 여기까지야."

어느새 오후 3시가 훌쩍 넘어 있었다. 나는 선의 말을 가만 들었다.

"지금부터는 네가 너를 지켜야 해."

"……나는 할 수 있는 게 없어."

나는 혼잣말하듯 중얼거렸다.

"왜 없어? 다 네가 한 거야. 이 시간까지 살아온 거 다 네 몸이 한 거라고. 그건 네 거야."

"……."

"**재**가 천재인 것과 네가 사는 건 다른 거야. **재**가 천재여서 네가 죽어야 한다는 건 정말 다른 문제야."

선의 목소리가 슬프게 느껴졌다.

"나한테 형제가 있을 거라면 남을 죽인 천재보다 그냥 네가 훨씬 좋아."

이 몸이 정말 내 것인가, 이 삶이 정말 내 것인가, 내가 정말 그 애로부터 완전히 독립된 삶을 살 수 있을 것인가, 하는 고민은 이제 들지 않았다.

"네가 살아 있다는 걸 보여주자고."

"그래도 될까."

"안 될 이유가 있어?"

선이 전부 말해주었다. 선은 나를 나로 보는 사람이었다. 내가 정말 존재하지 않았다면 선은 나를 볼 수 없었을 것이다.

전화를 끊었다. 거실에 시계 초침 소리가 가득했다. 나는 소파에 멍하니 앉아 있다가 문득 화장실로 들어가 몸을 씻었다. 화장실 수납장에는 그 애가 먹었을 각성제와 비타민 약통이 수십 개씩 놓여 있었다. 그 애는 약을 먹으며 자신의 삶을 영위해나가기 위해 부단히도 노력했다. 나한테 뺏기지 않기 위해. 내가 자신의 삶을 망치지 않도록 자기 전에 매일같이 쪽지를 남겨놓으며 그렇게 인류에게 엄청난 연구 결과를 선물했다. 위인이 되리라. 내가 잠들어 있는 동안, 내가 내 삶을 빼앗기는 동안 그 애는 그렇게 자신의 삶을 누렸다.

4시가 오기를 기다렸다. 할 수 있는 것이 기다리는 것밖에 없었다. 그리고 4시 5분 전, 인터폰 알람이 울렸다. 화면에는 세 명의 남자가 있었다. 그 애의 연구팀 팀원들이었다. 미디어 매체에서 익히 봐왔기에 알고 있었다. 그중 눈썹에 흉터가 있는 사람은 8년 전 그 애와 술을 마시다가 싸웠다. 그 애가 이 사람의 연락은 절대 받지 말라는 쪽지를 남겨놔서 알고 있었다. 성격이 그 애와 비슷해서 연구하는 동안 많이 싸웠다는 것도 알고 있다. 그리고 그들의 연구가 승인받은 날, 그가 장문의 메시지를 그 애에게 남겼다는 것도. 그 애가 자는 동안 전부 읽어 알고 있었다. 너의 천재성이 부러웠고 네게 장애가 있는 것이 너를 더 멋있게 해서 부러웠다는, 대충 그런 말이 적혀 있었다. 단발머리를 한 사람은 몇 달 전 아이가 생겼다. 쌍둥이였다. 그 애는 단발에게 너의 자식들은 한 몸에 두 사람이 들어가지 않아서 다행이라는 농담을 메시지로 건넸다. 키가 크고 비쩍 마른 사람은 대만인이다. 한국말이 능숙해 대부분 그가 한국 사람인 줄 알고 있다. 그 애도 처음 그를 봤을 때 한국인인 줄 알았다. 그 모든 것을 나도 알고 있었다. 그 애의 삶이었지만, 나는 언제나 그 애의 삶을 함께 살고 있었으므로. 그 애는 모르겠지만.

인터폰 화면으로 승강기가 점점 집을 향해 올라오는 것이 보였다. 나는 같은 자리를 돌았다. 선의 말을 곱씹었다.

'그럼 네가 **재**인 척해야 해. 알겠어? 아무리 친구라고 하더라도 말투나 표정으로 단번에 구분할 수 있는 사람은 나밖에 없어. 그래도 불안하면 감기에 걸렸다고 해. 기침도 좀 하고. 그 정도 연기는 할 수 있지?'

여전히 모르겠다. 그래도 되는지. 그 애의 계획을 내가 망쳐도 되는지. 그게 세계의 악이 되는 선택은 아닌지. 결국 내가 끝까지 불필요한 존재임을 증명하는 것은 아닌지.

나는 그저 태어났을 뿐이고, 살아 있었을 뿐인데. 내가 죽어야만 하는 이 상황을. 동시에 내가 살아야만 되는 이유도. 내가 죽으면 세상은 그대로 흘러가리라. 누가 죽었는지도 모르게. 어쩌면 그 애가 자신의 기술로 자신의 병을 치료했다고 떠들썩해질 수도 있었다. 그럼 내 장례는 축제가 되겠지. 그렇지만 모르겠다. 내가 왜 살아야 하는가. 단지 **재**가 먼저 나를 죽이려 했다는 이유로. 나는 왜 죽어야 하는가. 단지 **재**가 나를 불편해한다는 이유로. 내가 그 애보다 더 많은 시간을 세상에서 보냈다면 나도 그 애만큼 무언가를 하지 않았을까. 천재는 아니었지만 나는 그림을 꽤 잘 그렸고, 악기도 꽤 다룰 줄 알았다. 내게도 세상의 시간이 허락됐다면……. 그때 초인종이 울렸다. 현관 앞에 그들이 서 있었다. 나는 손바닥에 묻은 땀을 바지에 닦아내고 현관문을 열었다.

그들이 내게 인사를 해왔고,

나는 기침을 토했다.

이름 없는 몸

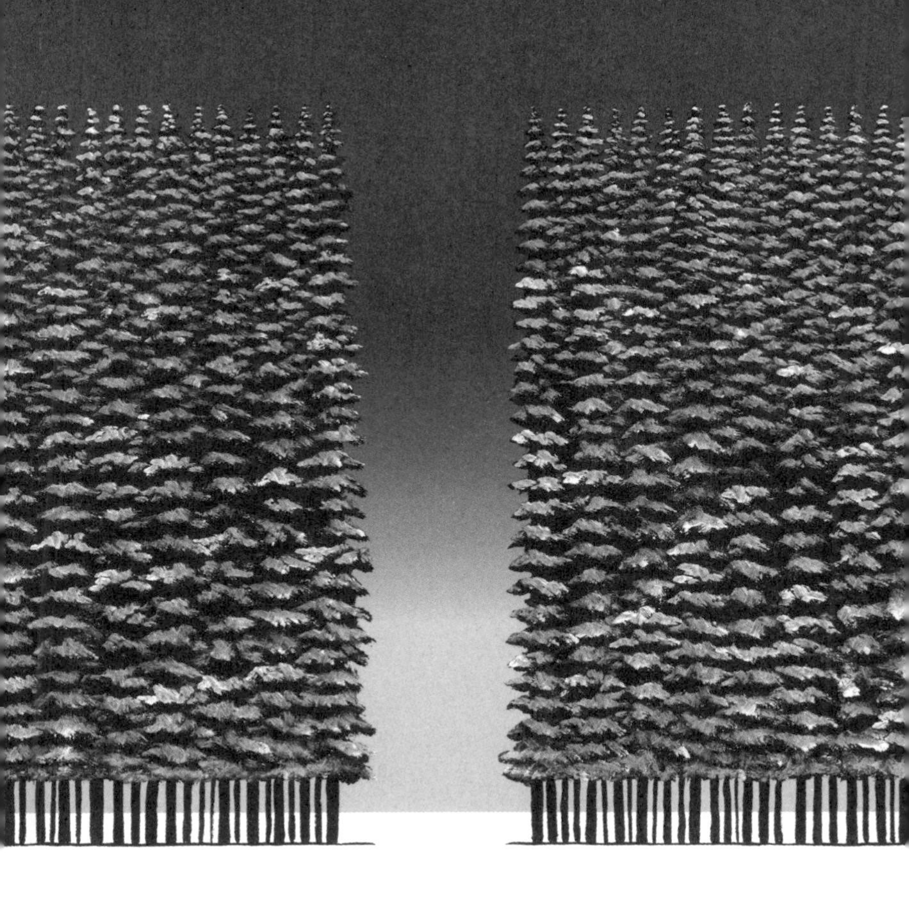

총을 쏠 때 가장 먼저 해야 하는 건 눈을 감는 일이다.

메마른 나뭇가지에는 인형이 걸려 있었다. 배를 붉은 실로 꿰맨 인형이었다. 속에 쌀과 서리태가 섞여 들어 있어 제법 묵직했다. 제자리에 가만 앉아 있는 법을 모르는 네 아비처럼 인형은 꼬인 실을 따라 자꾸 빙글빙글 돌았다. 멈추고 올까, 라고 묻는 내 말에도 너는 괜찮다며 고개를 저었다. 엽총은 너에게 버거워 보였고 탄환의 발사 소리가 커 방에서 자고 있는 네 아비가 깰 것만 같았다. 하지만 너는 아랑곳하지 않고 고라니탄 두 개를 탄창에 집어넣었다. 사냥용 엽총이었다. 아주 오래전에, 그러니까 네 증조할아버지의 아버지가 잡상인에게 샀다는 그 총은 네 아비가 가장 아끼는 보물이기도 했다.

너는 빙글빙글 돌아가는, 고작해야 손바닥 정도 크기의 인형을 바라보다 눈을 감았고, 총열을 붙잡아 올렸다. 몸이 기억하는 감각을 믿는 것이다. 팔과 총이 수평이 되었을 때를. 개머리판과 어깨를 맞댄 너는 천천히 움직여 네 팔과 총열이 완전히 수평이 되었을 때를 찾았다. 그리고 한 쪽씩, 이제 막 세상에 나와 처음 해를 마주하는 새끼 짐승처럼 눈을 떴다.

해를 쳐다보기 위해서야, 라고 네가 말했었다.

동공이 축소되어야 시야가 좁아지니까.

하지만 그때의 너는 동공의 축소를 위해서라기보다 한 생명의 숨을 끊어놓기 위해 의식을 치르는 것처럼 보였다. 이 세계에서 가장 뜨겁게 타오르는 것에 도전하는 용맹한 전사의 모습이 딱 그러했을 거라고 나는 아직도 생각한다.

너는 숨을 참고 방아쇠를 당겼다. 굉음과 동시에 이명이 덮쳐 괴로웠지만 끝까지 자세를 풀지 않고 목표물을 응시하는 너를 보며 차마 엄살을 부릴 수 없어 참았다. 터진 인형 몸뚱이로 쌀과 서리태가 쏟아졌다. 너는 그것을 마치 피를 쏟아내는 짐승을 바라보듯, 더 적절하게 표현하자면 네 아비의 가죽이 전부 오그라들기를 기다리듯 바라보고 있었다. 나는 그때 그런 네가 우아해 보였고 아름답다고 생각했다.

하지만 지금 나에게는 그런 우아함이 없다. 나는 떨고 있고, 흐려지고 있고, 무너지고 있다. 금방이라도 넘어갈 듯이 가쁘게 뛰었던 호흡은 이제 느려졌다. 내가 숨 쉬고 있다는 걸 잊게 할 만큼 느리게 움직였다. 생각과 움직임 모든 것이 초를 쪼개어 움직이는 것처럼 느렸다. 옆으로 기울어진 몸을 일으키기 위해 바닥에 손을 짚다가, 그만 손톱이 빠졌다. 떨어진 손톱은 검고 투박한, 썩은 서리태 같았다. 어루만지다 어느 손가락에서 떨어진 것인지 뒤늦게 확인했다. 남은 손톱도 머지않아 떨어질 것처럼 거무튀튀했다.

근육이 풀어진 것처럼 몸을 움직이는 게 쉽지 않다. 힘겹게 상체를 세워 총을 쥐었다. 캄캄했던 창밖은 어느새 푸르스름해졌다. 내 앞에 앉아 있는 너는 그대로다. 그대로라는 말이 붙으면 안 되는 상황인데도 그대로였다. 무엇이 그대로냐면, 너는 바깥에 있던 사람들처럼 안개가 낀 눈을 하고도 나에게 달려들지 않았고 고라니가 우는 소리를 지르지도 않았다. 또 바닥에 갈려 생긴 왼쪽 뺨의 흉터와 죽었을 때 입고 있던 교복도 그대로였다. 왜 그대로냐고 따져야 하는데 말이 나오지 않는다. 소리를 내려 해도 뭘 어떻게 해야 하는지 기억나지 않았다. 목에 힘을 줬는지, 배에 힘을 줬는지, 동시에 주어야 하는지, 숨을 뱉으면 나오는 것이 소리였는지 아니면 들이마실 때 나왔었는지도 떠오르지 않았다. 이러다가는 내가 여기 왜 있는지, 내 앞에 앉은 너는 누구인지도 잊어버릴 것만 같았다. 그러니 나는 잊지 않기 위해서 중얼거렸다.

너는 내 친구이다. 너는 내 죽은 친구이다. 너는 나보다 2개월 뒤에 태어났으며 그때부터 열아홉 살의 마지막 날까지 나와 이곳에서 함께 살았던, 그렇지만 죽은 내 친구이다. 너는 1년 전에 죽었다. 내 쌍둥이 같던 친구이다. 그런데 나는 총을 가지고 있고, 너를 겨누고 있다.

나는 1년 전에 죽은 내 친구를 다시 죽여야 한다.

◇

국장은 정이 많고 따뜻한 사람이었다. 어린 나이에 홀로 서울살이를 한다는 것이 눈에 걸렸는지 내가 단기로 하고 있던 우체국 물류센터 아르바이트를 그만두었을 때, 나를 따로 불러 우체국에서 더 아르바이트할 생각이 없느냐고 물었다. 이전처럼 택배를 분류하는 일이 아닌 우체국에서 사람들을 도와주고 큰 택배들을 옮겨주는 식이었다. 물류센터는 돈을 많이 벌 수 있었지만 그만큼 고되고 힘들었다. 건강했던 몸이 빠른 시간 안에 망가지는 걸 겪으며 아쉽지만 다른 적당한 일을 찾아보려고 했었기에 국장의 제안을 거절할 이유가 없었다. 나는 감사하다고 해야 할지 열심히 하겠다고 해야 할지 몰라 말을 고르다가 바보처럼 고개만 끄덕였다. 도리어 국장이 고맙다고 웃었다. 딱 나만 한 딸이 있어서 그랬는지 국장은 종종 보호자처럼 굴었다. 그게 싫다는 말은 아니다. 누군가 나를 보호해준다는 느낌은 든든하고 따뜻했다.

예전에 간암을 앓았다고 했다. 완치는 했다지만 투병 기간이 꽤 고됐는지 국장은 심심찮게 그때 이야기를 꺼내며 직원들에게 건강할 때 관리를 잘해야 한다는 잔소리를 달고 살았고, 그래서 국장은 아픈 것에 관대했다. 본인이 아픈 것은 물론이고 가족이 아프다는 말에도 사정을 쉽게 헤아려주었다. 덕분에 함께 일했던 직원들 중 어머니의 간병을 도맡아 했던 직원이나 혼자 딸을 키우던 직원은 마음 편히 가정과 일을 함께 돌볼 수 있었다. 국장은 아픔을 증명하라고 하지도 않았다. 본인이, 혹은 주변인이 아픈 것도 서러운데 그것을 증명까지 해야 하는 건 너무 잔인한 일이라고 말했다. 그래서 본인이, 혹은 주변인이 아프다는 말만 뱉으면 국장은 얼른 그들을 가정으로, 집으로 돌려보냈다. 이른 퇴근을 하거나 늦게 출근한 직원들은 보답이라도 하듯 다음 출근 때 손에 꼭 간식을 쥐고 왔기에 우체국에는 언제나 간식이 줄어들지 않았다.

국장은 대부분이 여성 직원인 이곳에서 가족 때문에 일을 그만두는 사람이 없기를 바랐다. 어떤 문제든 다 이해해줄 테니 눈치 보지 말라고 당부했다. 우체국은 내가 살던 세계와 공통점이 조금도 없는 다른 세계 같았다. 한 세계에 전혀 다른 세계가 존재한다는 게 신기할 뿐이었다. 우체국 같은 세상이 표본이었을, 나와 정반대의 세계에서 자랐을 불특정 다수의 또래들이 부러워졌다.

서른 후반에서 40대 중반 정도가 대부분이었던 우체국에서 나는 점점 딸 같은 존재가 되었다. 직원들은 국장을 닮아갔다. 내가 혼자 산다는 걸 알게 된 이후로 반찬을 챙겨 주거나 관공서 일 따위를 알려주었으며, 공무원 시험을 준비하라고 문제집을 사 주기도 했다. 고시원을 나와 원룸을 알아볼 때에는 부동산에 함께 가주었다. 직원들은 수돗물을 틀어놓고 변기 물을 내려보기도 했고, 창문 방충망을 뜯어보기도 했으며 마주 보는 건물이 있는지, 건물 주변 방범 카메라 작동 여부와 건물에 사는 사람들의 성별도 따져주었다. 나는 모든 것들이 신기해 입을 꾹 다물고 직원들을 그저 지켜만 보았다. 덕분에 나는 따뜻한 물이 나오며 외풍이 들지 않고, 이웃이 가족이나 여성이며 방범 카메라가 작동하는 그럭저럭 괜찮은 집을 찾을 수 있었다.

딸이 많은 집 막냇동생이 된 기분이었다. 직원들은 입버릇처럼 열심히 공부해서 이곳에 다시 오라고 말했다. 다른 곳에 가면 알겠지만 이런 직장은 다시 찾을 수 없을 거라고 말했는데, 그건 다른 회사를 다녀보지 않아도 알 것 같았다. 이런 사람들을 만나는 건 어느 곳에서도 어려운 일일 거라는 걸.

그렇지만 국장이 아무리 열과 성을 다해 직원들의 편의를 봐주려고 한다 해도 어쩔 수 없는 일은 어쩔 수 없다. 일주일도, 한 달도 아니고 1년 정도 일을 쉬어야겠다는 직원에게 국장은 아무 말도 하지 못했다. 어머니 상태가 급격히 나빠져 공기 좋은 곳에 가서 요양을 도와야겠다는 직원의 말에 국장이 해줄 수 있는 건 아무것도 없었다. 몇몇 직원들은 꼭 산속까지 같이 가서 요양을 도와야 하느냐고 물었다. 나라 지원 간병인을 쓰는 게 더 효율적일지도 모른다고 조언도 했다. 하지만 직원은 끝내 고개를 저었다. 효율의 문제가 아니라 아쉬움, 미련, 후회, 얼마 남지 않은 시간을 움켜쥐고 싶은 마음의 문제라고 했다. 나는 그때 그 직원의 말을 가만 들으며 마지막을 앞에 두고 있다는 걸 알면서도 함께하지 않는 것에 대해 생각했다. 아쉬움과 미련, 후회가 기다리고 있다는 걸 알면서도 쉽게 함께할 수 없다는 것. 그런 의미로 미련을 대적할 수 있다는 건 행운일지도 모른다는 생각을 했다.

국장은 사직서를 처리했고, 직원이 떠나는 날은 우체국 앞 사거리까지 실내화를 신고 나가 마중했다. 편의점에서 비품을 사고 돌아오는 길에 두 사람을 목격했는데, 그때 국장은 떠나는 직원에게 '세상이 정한 때는 없다'라고 말했다. 나는 그 말이 무슨 뜻인지 몰라 구매해 온 비품을 정리하는 내내 그 말을 떠올렸다.

그렇게 빈자리가 생겼다. 나는 새로운 사람이 올 때까지 그 자리를 매일같이 쓸고 닦았다. 새로 올 사람은 전 직원의 흔적이 남아 있는 걸 좋아하지 않을 것 같았다. 자리는 꽤 오래도록 비워져 있다가, 계절이 한 번 바뀐 후에야 새 주인을 만났다. 새 직원이 처음 출근하던 날, 국장은 축하의 의미로 조그마한 케이크를 책상에 미리 올려두었다. 나름의 이벤트였다. 국장은 반응을 기대했겠지만 새 직원은 책상에 놓인 케이크와 상자를 옆으로 슬쩍 밀어둔 채 자리에 앉아 일을 했다. 케이크는 한동안 안쓰럽게 책상 구석에 놓여 있었다.

새 직원은 긴 생머리에 키가 컸으며 안경을 썼다. 직원들은 똑순이 같다며 좋아했다. 스물일곱 살에 공무원 시험을 합격해 이곳에 왔으니 똑순이가 맞긴 맞았다. 그 전에는 서울 소재의 공립대에 다녔다고 했다. 갈 수 있는 길이 대학원밖에 남지 않아 뒤늦게 공무원 시험을 준비했다는데, 그 모든 과정이 너무 간단했다는 것처럼 말해서 듣는 이들 모두를 숙연해지게 만들었다. 케이크는 자신의 것이 아니라고 생각해 건드리지 않았다고 말했다. 남의 집 일을 내 일처럼 생각하는 우체국 식구 사이에, 경계가 뚜렷한 존재가 등장한 것이다.

언니는 내가 언니라고 부르는 걸 허락했다. 언니가 싫으면 이름 뒤에 '님'을 붙여 불러도 좋다고 말했다. 그게 다였다. 필요한 것이 있거나 자리가 지저분하면 내게 부탁하면 되는데 본인이 알아서 했다. 나에게 아르바이트생이냐고 묻지도 않았다. 처음에는 언니를 대하는 것이 어려워 근처에 가지도 않았다. 사람에게서 풍겨오는 냉랭한 기운은 참기가 힘들었다.

여름에서 가을로 넘어가는 길목에는 예고도 없이 비가 자주 내렸다. 우체국에는 손님들이 들고 왔다가 두고 간 우산들이 많았는데, 그 우산들은 한 14일 정도 보관한 뒤 버리거나 직원들이 쓰고는 했다. 그날은 오후부터 빗방울이 한두 방울씩 쏟아지더니 점점 굵어진 날이었다. 퇴근할 때는 그칠 거라 기대했지만 빗방울은 집에 가야 하는 시간에도 굵게 내리고 있었다. 우산을 가져오지 않은 직원들은 우체국에 버려진 우산들을 집어 갔고, 어느새 분실물 상자에는 고장 난 우산만 남았다.

우체국에는 언니만 있었다. 언니는 뒤늦게 자리를 정리하고 일어났다. 가방을 뒤적이더니 곧 얼굴을 구겼다. 언니가 우산을 들고 오지 않았다는 것을 바로 알 수 있었다. 사람의 몸짓과 표정만으로 상황을 읽는 것이 내가 살아오며 기른 유일한 능력이었다. 나는 그날 언니에게 우산을 빌려줬다. 고장 난 우산밖에 없는 걸 알면서도 우체국에 남은 우산이 많다고 거짓말했다. 어쩐지 그 기회를 빌미로 언니와 친해질 수 있을 거라는 생각이 들어서였다.

비를 맞으며 집으로 가는 내내 내가 그런 생각을 했다는 것이 참 이상했다. 누군가와 친해지고 싶다니. 내가 어떤 애인지 아무도 알지 못하는 곳으로 도망치고 도망쳐 이곳까지 왔으면서 누구와 친해지고 싶다는 생각을 했다니. 친해진다는 건 까발리는 것과 다르지 않았다. 보여지는 내 모습이 아니라 살가죽을 뒤집어 내 안에 있는 나를 보여주는 것이다. 나는 그런 수고로움을, 누군가와 친해져 내 안을 까발리고 상대방의 야들야들한 속살을 끌어안는 짓은 다시 하고 싶지 않았는데 말이다. 하지만 이 또한 어쩔 수 없이, 기어코 일어나야만 하는 일이었던 것이다.

누군가와 친해지고 싶다는 그 감정이 죄스러워 비를 맞고 가다가 울었다. 비가 내려서 내가 우는 걸 알아차리는 사람은 없었다. 다행이었다. 굵은 빗줄기만큼 시원한 눈물은 아니었지만 그래도 비실비실한 눈물 몇 방울을 흘린 덕분에 마음이 조금 홀가분해졌다.

언니는 다음 날 빌려줬던 우산이 아닌 새 우산을 건넸다. 내 우산은 구멍이 있어 비가 들이친다고 했다. 나는 얼굴이 홧홧해져 몰랐다고 얼버무렸다. 언니는 그런 나를 물끄러미 바라보더니 대뜸 어디에 사느냐고 물었다. 혼자 사니? 나도 혼자 살아.

언니 집은 내가 사는 원룸 빌라에서 걸어 5분밖에 걸리지 않는 건물이었다. 신축 풀 옵션 오피스텔로 입구에는 무인 택배 수거함이 있었고 비밀번호나 카드키 없이는 건물에 들어갈 수 없었다. 건물을 관리하는 경비도 있었다. 내가 사는 건물과는 너무 달라서 언니와 내가 사는 집은 동떨어진 세계 같았다.

언니의 집은 좋게 말해 깔끔했고, 반대로 말하자면 사람 사는 집 같지가 않았다. 기본적으로 갖춰진 가구 외에 언니가 새로 들여놓은 가구는 아무것도 없었다. 커튼도 없었고 옷걸이도 없었다. 그 외에도 없는 것들이 많았다. 언니는 맨몸으로 서울에 온 나보다 더 황량해 보였다. 그때 느꼈다. 언니가 나와 비슷한 사람이라는 것을, 언니도 무언가로부터 도망쳤다는 것을.

가끔씩 초대할 때마다 언니 집에서 함께 저녁을 먹다가, 어느 순간부터는 매일같이 저녁을 먹었고 배가 부르고 바닥이 따뜻해 쉬이 몸을 일으킬 수 없을 땐 자고 가기도 했다. 언니는 찌개나 국은 영 못 끓이지만 볶음밥이나 오므라이스, 파스타나 리소토를 잘했고 밤에는 드라마 다시 보기를 즐겼다. 드라마에 관심도 없던 나는 언니와 함께 지내며 처음으로 드라마를 봤는데, 그 속에 등장하는 세계가 너무 비현실적이라 시시하다가도 묘하게 다음 이야기가 궁금해 언니가 드라마를 틀면 그 옆에 자연스럽게 앉았다. 가끔 드라마 속 세상에 대해 이야기를 나누기도 했다. 밟혀도 죽지 않는 잡초 같은 주인공이 끝내 꽃이 된다는 건 결국 잡초로는 성공할 수 없다는 말이 아닌지, 옆집, 뒷집, 앞집을 마음껏 오가며 가족처럼 지내는 게 가능키나 한지, 사람들은 왜 현실이 될 수 없는 이야기에 열을 올리는지에 대해서.

저런 세상이 있다고 믿어야만 이 세상을 덜 원망할 수 있어서가 아닐까. 드라마를 특히 좋아하는 사람들은, 저 세상이 가짜인 걸 알면서도 그런 세상이 어딘가 있을 거야, 하고 믿어야만 버틸 수 있어서.

언니는 남의 일처럼 말했지만 실은 언니가 그런 사람이었다. 언니는 가을에서 겨울로 넘어가는 문턱에서 자신의 세계를 내게 까발렸다. 우리가 알게 된 지 고작 한 달밖에 되지 않은 시기였다. 언니도 알았던 것이다. 내가 언니와 별다를 거 없는 세계에서 살고 있다는 것을.

나는 언니 이야기를 들은 후에 내가 사는 세계에 대한 이야기를 해주었다. 그래야만 할 것 같았다. 언니는 새벽이 늦도록 내 이야기를 조용히 들어줬고, 다음 날 출근하며 괜찮으면 둘이 함께 사는 게 어떠냐고 물었다. 원룸 보증금은 종잣돈으로 두고 지금 월세의 반 정도만 내라고 말했다. 나는 왜, 라고 물었다. 그러니까 왜 내게 공간을 내어주느냐고. 그러자 언니는 하나의 세계를 붕괴시키려면 하루빨리 또 다른 세계를 만들어야 하고, 그 세계는 사람과 사람이 만났을 때에 만들어지므로 네가 살아온 세계가 빨리 붕괴되기를 원해서 그런다고 대답했다.

언니는 나를 믿어요?

내 대답은 형편없었다. 기껏 마음을 연 상대를 바보 취급하는 대답이었다. 하지만 꼭 물어야 했다. 대답이 듣고 싶었다. 어떻게 내가 살아온 세계를 듣고서도 나에게 마음을 열 수 있는 것일까. 어쩌면 내게 묻어 있을지 모르는 그 세계의 흔적들이 언니는 무섭지 않은 걸까. 언니는 도리어 너는 내가 안 무섭니, 하고 물었다. 나는 무섭지 않다고 대답했다. 언니는 자신을 무서워하는 사람이 많았다고 했다.

학교 다닐 때 몇몇 애들은 나를 무서워했어. 내가 잠시라도 멍하니 있으면 정신이 나갔다고 생각했고, 귀신을 보고 있는 거라고 떠들었어. 아니라고 해명해야 했는데 대체 내가 왜 그런 말을 해야 하는지 모르겠어서 아무 말도 하지 않았어. 소문은 침묵과 결합해서 견고해졌고 나는 그렇게 소문의 아이가 됐어. 무섭고, 음침하고, 반쯤 미친. 진짜로 미치기 딱 좋은 조건이었는데.

언니는 어쩐지 아쉬워 보였다. 미친 세상에서 제정신으로 버티고 있는 것처럼 보여 안타깝기도 했다. 내가 언니의 이야기를 듣고도 언니가 무섭지 않았던 건 언니의 세계가 이미 지난 세계였기 때문이었다. 담담하게 그때의 일을 말할 수 있다는 건 이미 한번 그 세계를 밟은 사람만이 가능했다. 그런 의미로 언니는 내가 얼마나 치사한 방법을 썼는지 모른다. 내가 살아온 세계의 아주 일부분만 똑 떼어내 언니에게 말했다는 것을 나는 더더욱 말할 수 없었다.

◇

내가 살았던 마을은 동쪽에는 바다가, 나머지 삼면은 산으로 둘러싸인 곳이었다. 버스 정류장은 걸어서 30분이 걸렸고 내가 열 살 때까지는 내비게이션에도 등록되지 않아 좌표를 찍으면 산 중턱의 허허벌판이 나오는 마을이었다. 도시 사람들 누구도 마을의 존재를 믿지 않는다. 하지만 나는 그곳에서 자랐다. 아직도 그런 곳에 사람이 사느냐고 말하는 그런 곳에, 아직도 그런 곳에서 아이가 태어나느냐고 하는 말속의 아이로 자랐다. 마을에서 한 해에 태어나는 아이의 숫자는 정확히 모른다.

아이는 태어나기도 전에 죽고, 태어나다 죽기도 하고, 태어났는데 며칠 못 살고 죽기도 하고, 영 신통치 않다고 죽이기도 했다. 그래서 몇 명의 아이가 태어났는지 알 수 없다. 죽은 아이의 숫자도 정확하게 알지 못했다. 태어나기도 전에, 태어나다, 태어나서 죽은 아이들에게는 묘를 만들어주지 않았다. 죽은 아이는 어떻게 됐는지 아무도 모른다. 그저 산모의 태반을 먹으면 건강에 좋다는 말이 도심에서 흘러들어온 이후로 악착같이 그것을 먹으려는 노인들이 득실득실한 곳이었다. 노인들은 몸에 좋다는 것이라면 무엇이든 먹었다. 지네를 삶아 먹는 것은 물론이고 뱀으로 술을 담그거나 태어난 지 얼마 되지 않은 새끼 오리를 넣어 탕을 끓이기도 했고 어디서 자라를 들고와 산 채로 등껍질을 벗기기도 했으며 산에서 자라는 독성 식물의 뿌리를 캐 달여 마시기도 했다. 마을에서는 사계절 내내 무언가를 끓이고 달여 마시는 냄새가 가득했다. 언젠가 태어난 지 하루도 안 된 아이가 곧바로 죽었다는 말을 들었는데 그날에도 마을 회관에서는 무언가를 끓이는 연기가 종일 피어올랐다.

그런 노인들은 들려오는 모든 소리에 잘 휩쓸렸다. 죽음과 병, 노화와 고독이 전부 외부에서 오는 것이라 믿었다. 그러니 이 세상에 있는 것들로 외부의 것을 막을 수 있다고 생각했다.

마을 산 중 가장 높은 독암산은 바위로 이루어졌다는 뜻과 독이라는 단어가 합쳐져 붙여진 이름이라 들었다. 그 산에서 자라는 식물 대부분이 독성을 가지고 있다는 의미의 작명이었다. 아주 먼 옛날부터 이 마을은 삼면이 산이고 한 면이 바다라 들어올 수 있는 길이 산을 넘는 것밖에 없었는데, 독암산을 넘어오던 중에 많은 이들이 산에 있는 식물을 먹다 죽었다고 했다. 그래서 산에는 이름을 모르는 시체가 많았다. 밤마다 산에서 들려오는 울음소리가 억울하게 죽은 영혼들의 울음이라는 소리도 많았다. 그것을 고라니의 울음소리라 받아들이는 노인은 거의 없었다. 그저 산에 가득한 저승의 기운을 물리치기 위해서는 무언가를 열심히 먹어야만 한다고 맹신할 뿐이었다.

그 마을에는 아이가 태어나서도, 자라서도 안 되었다. 태어났다 죽은 아이들이 왜 그렇게 서둘러 세상을 등졌는지 태어난 지 몇 해 지나지 않아 알 수 있었다. 빌어 처먹을 마을이라는 것을 진작 깨달은 것이다. 눈을 뜨자마자 본 노인들의 낯짝을 보고 알았겠지. 나만 그걸 몰랐다. 엄마가 마을 사람들에게 내 정체를 꽁꽁 숨긴 탓이었다.

엄마는 봄에 나를 가져 겨울에 낳았다. 만삭이었을 때는 다행히 겨울이었고 내가 그렇게 크지 않아 숨길 수 있었다. 엄마는 유독 이 나라의 추위에 적응할 수가 없다며 집에서 잘 나오지 않았고 밖에 나갈 때에도 두툼한 점퍼를 몇 겹씩 껴입었다. 누군가 엄마의 상태를 조금이라도 의심하면 엄마는 한국말을 잘 못 알아듣겠다는 변명을 되풀이하며 이상한 노인들로부터 나를 지켰다. 나는 컴컴한 방에서 태어났다. 나는 작았고, 울지 않았다. 엄마는 내가 울지 않아 태어나자마자 죽었다고 생각해 나를 끌어안고 울었지만, 나는 울고 있는 엄마의 옷깃을 살포시 쥐며 내가 살아 있음을 알렸다고 했다. 엄마는 출산 후 한동안 스스로 집에 갇혀 분비되는 오로를 홀로 닦았고, 아픈 가슴을 스스로 마사지하며 버텼다.

아빠는 살아생전에도 도움 되는 인간은 아니었다고 했다. 엄마의 임신도 몰랐고 틈만 나면 어디서 술을 퍼마시고 와 양말을 아무 데나 벗어두고 베개 하나만 꺼내 잠을 자던 인간이었다. 쓸모도 없고 한심하기 짝이 없었지만 그래도 없는 척 무시하면 되는 인간이어서 편했다. 엄마의 말을 빌리자면 그렇다. 나이는 마흔 중반밖에 안 먹었는데 밖에 나가면 쉰 후반의 소리를 듣고 다니는, 잘난 것 하나 없으면서 곧 죽어도 결혼은 하고 죽어야겠다던, 별 볼 일 없어 누가 주워 가지도 않을 그런 인간. 그런 인간에 비해 엄마는 다른 언어도 금방 배울 정도로 똑똑하고 혼자서 집을 꾸릴 정도로 현명한 사람이었다. 나는 엄마가 도대체 왜 그런 인간과 결혼했는지 이해가 가지 않았다.

하지만 엄마에게는 선택권이 없었다. 엄마에게는 엄마와 꼭 닮은 여동생이 세 명이나 있었다. 그 동생들이 공부도 하고 취업도 할 수 있도록 엄마는 결혼을 했다. 그때 나는 엄마의 결혼과 이모라는 사람들의 삶이 어떻게 연관 지어지는지 몰랐지만 더 묻지 않았다. 그것을 묻는다는 건 엄마가 애써 누르고 있던 무언가를 끄집어내는 것 같았고, 그렇게 되면 엄마가 나를 이곳에 두고 그리운 곳으로 갈 것 같았다. 그래서 나는 어떤 것도 묻지 않고 엄마를 꼭 끌어안았다. 엄마는 위로한다고 생각했겠지만, 실은 나를 두고 가지 말라고 내 흔적을 엄마 몸 곳곳에 묻히려는 거였다. 엄마에게 나는 징그러운 거머리 같은 존재였다.

아무리 등신 같은 인간이었어도 엄마에게는 아빠가 필요했다. 아빠는 이 집의 멍청한 파수꾼 역할을 톡톡히 했다. 그것이 아빠의 유일한 임무였는데, 내가 태어난 날, 아빠는 저 멀리 시내까지 나갔다가 돌아오는 길에 도랑에 빠져 죽었다. 술만 마시지 않았더라도, 겨울만 아니었더라도 아빠는 다음 날쯤 술에서 깨 집에 걸어왔을 텐데. 정확히 말하자면 아빠는 도랑에 빠져 죽은 것이 아니라 영하 20도까지 떨어졌던 그 겨울에 밖에서 잠들었다가 얼어 죽었다. 아빠가 도랑에서 잠든 사이 25센티미터의 폭설이 내렸다. 그래서 아빠의 시체는 눈이 녹을 때까지 발견하지 못했다. 꽁꽁 얼어 있던 시체는 하나도 썩지 않은 채 발견됐다. 아빠가 손에 쥐고 있던 비닐봉투에는 시장에서 파는 아기 옷과 신발 따위가 가득 들어 있었다.

자신이 죽은지도 모르게 죽어버린 아빠는 흔들어 깨우면 금방이라도 눈을 뜰 것 같았다고 엄마가 말했다. 그래서 마을 노인들은 아빠의 시체를 보고 순식간에 몸이 얼었으므로 녹이면 다시 살 수 있을 거라 말했다. 딱딱하게 굳은 몸을 녹이고 소의 뇌를 곱게 다져 먹이면 다시 뇌가 움직일 거라고 말이다.

엄마는 소의 뇌를 아빠에게 먹이고 싶지 않아 그날 밤에 얼른 아빠의 몸을 불태웠다.

파수꾼이 없는 집은 문고리가 단단해야 했다. 아이 좀 보자며 시도 때도 없이 대문을 넘나드는 노인들 탓에 엄마는 언제나 두 눈에 불을 켜고 있었다. 엄마는 내가 혼자 이 마을에서 자라날 생각을 하면 자다가도 가슴이 답답해져 깼다. 그냥 이 마을을 떠나야겠다고, 어디로 가든 이곳만 아니면 된다는 마음으로 고라니 울음소리가 들려오던 새벽에 짐을 싸던 엄마는 마을 어딘가에서 울려 퍼지는 또 다른 울음소리를 들었다.

고라니 울음소리가 아니었다. 그건 갓 태어난 아이의 우렁찬 울음이었다.

◇

열흘 만에 연락한 사회복지사는 엄마가 생을 다했다고 말했다. 갑작스러운 죽음이었지만 놀라지 않았다. 원래도 궂은 일을 많이 해 몸이 성한 곳이 없던 사람이었다. 엄마는 뭐랄까, 딱히 죽어야 할 이유는 없지만 언제 죽어도 전혀 이상하지 않은 상태로 너무 오래 살았다. 장례식장 주소는 속초시였다. 엄마가 지냈던 요양병원에서 멀지 않은 곳이었다.

직원들이 돈을 합쳐 내게 준 부조금은 내가 받는 한 달 치 아르바이트비에 가까웠다. 다들 돈 걱정 하지 말고 한 달 푹 쉬고 돌아오라고 말했다. 내가 꼭 필요하지 않은 인력이었음을 확인받는 순간이었고, 동시에 그들의 선한 마음을 다시 확인하는 순간이기도 했었다. 또 누군가의 몸에 달라붙은 거머리가 된 기분이었다. 꼭 오겠다는 대답을 하지 못하고 얼버무리다 우체국을 빠져나갔다.

언니는 우체국 후문에서 나를 기다리고 있었다.

바로 가야 돼?

나는 고개를 저었다.

그럼 한 시간만 늦게 출발해도 돼?

나는 머뭇거리다가 한 시간 차이라 해봤자 어차피 밤에 도착하는 건 같았으므로 상관없다고 대답했다. 언니는 나를 데리고 휴대전화 대리점으로 향했다. 내가 가지고 있는 휴대전화는 너무 오래되어 내 고향 마을에 가면 터지지 않을 것 같다는 이유였다. 언니는 비교적 최근에 나왔던 모델 중 인기가 많지 않은 기종을 선택했다. 옮길 사진도, 전화번호 목록도 없었던 덕에 30분도 걸리지 않았다. 언니는 제일 먼저 자신의 번호를 입력했다.

무슨 일 있으면 전화해.

그냥 하는 말인지 정말 그래도 되는 말인지 몰라 대꾸하지 않았다. 일어날 일이 있을까. 세상에서 가장 고요하고 쓸쓸한 장례식이 될 텐데.

언니는 지하철역 입구까지 나를 배웅했다. 터미널에서 버스를 타고 속초로 가는 동안 나는 언니가 했던 말을 되새기다가, 그게 익숙한 말이라는 걸 떠올렸다. 마음 한편이 찌르르 아파 왔다. 엄마가 했던 말이었다. 서울로 가는 딸에게, 엄마는 만 원짜리 지폐가 가득 든 봉투를 내밀며 무슨 일 있으면 언제든 연락하라고 말했다. 떠나갈 때와 돌아갈 때의 모습이 똑같은 것에 나도 모르게 실소를 터트렸다. 그러고는 곧 눈물도 터졌다. 평일 낮 강원도로 향하는 고속버스에는 고작해야 다섯 명이 타고 있었지만 나는 울음이 들릴까 싶어 입술을 꽉 깨물고 소리를 삼켰다. 추억은 선명해졌다가 한꺼번에 휩쓸려 흩어졌다. 엄마가 어떤 표정으로 세상을 떠났는지 궁금했다. 아빠는 편하게 자다가 얼어 죽었다고 했는데, 엄마도 그랬으면 좋겠다는 생각을 했다. 죽었는지도 모르게, 따뜻한 곳에서 편히 잠들었다가 그렇게 영원히 깨어나지 못하는.

한 번도 만나지 못했던 사회복지사는 멀리서 나를 단번에 알아봤다. 엄마가 보여준 어릴 때 사진과 똑같이 생겼다고 말했다. 상주 방도 따로 있고, 찾아오는 이도 많은 다른 빈소와 달리 엄마의 빈소는 딱 우리가 살았던 집 거실 크기였다. 엄마와 내가 누우면 다 차는 딱 그 정도 크기. 나는 집 거실에서처럼 빈소 한가운데에 누워 천장을 바라보다가, 문득 옆이 쓸쓸해 엄마의 영정 사진을 떼 와 옆에 눕혔다. 가까이 있던 사람이 죽은 게 이번이 세 번째인데 장례를 치르는 건 처음이었다. 앞에 죽은 두 명은 전부 제명을 채우지 못했고 엄마만 제 몫의 삶을 어느 정도 채우고 떠났다. 살만큼 살다 떠났다는 것만으로도 죽음이 이렇게 다를 수가 있구나. 그 생각을 하니 마음이 헛헛해졌고, 외풍이 느껴졌으며 도로에 누워 있던 네가 생각났다. 나는 다른 생각을 하기 위해 휴대전화를 들었다. 사진 한 장 없는 앨범을 채우기 위해 엄마의 영정 사진과 함께 찍었다. 나만 웃으면 되는 사진이었다.

입관할 때 마주한 엄마는 곱게 차려입은 채 편안히 누워 있었다. 수의가 이렇게나 잘 어울리는 걸 보니 엄마에게는 정녕 이승이 지옥이었고 저승이 본인의 삶인 모양이었다. 남들은 말로가 병마와의 투쟁으로 바쁘다는데 엄마는 크게 그러지도 않았으니, 그게 신이 엄마에게 하사한 유일한 상일 것이다. 편안히 자신의 품으로 오라는. 장의사는 엄마에게 하고 싶은 말을 하라고 했다. 무슨 말을 할 수 있을까. 다음 생에서도 만나자는 말은 차마 할 수 없었다. 그때도 엄마에게 거머리처럼 붙어 있고 싶지 않았다. 나는 딱딱한 엄마의 손을 한참이나 어루만지다가 입을 열었다.

따뜻한 곳으로 가.

엄마는 한국의 겨울이 살이 떨어지는 듯한 추위라고 싫어했으니까. 밤이고 낮이고 1년 내내 따뜻한 곳에 있었으면 했다. 엄마는 그런 곳이 잘 어울렸다.

요양병원에 있던 엄마의 유품은 고작 우체국 3호 상자 하나에 전부 담겼다. 그 안에는 쪼개 먹은 초콜릿이나 반쯤 먹은 비스킷 같은 것도 들어 있었고 무엇보다 엄마의 유골함이 있었다. 옷은 두세 벌뿐이었다. 그곳에서 지낸 세월이 반년이었다는 걸 상기하며 상자를 쳐다보고 있으니, 사회복지사는 엄마가 최근에 자주 집으로 돌아가 지냈다고 머뭇거리며 말했다. 사회복지사는 집에 갔다 오겠다는 엄마를 말렸지만 엄마는 집을 너무 오래 비워서 안 된다며 억척스럽게 본가로 돌아가 짧게는 며칠, 길게는 몇 주씩 지내다 돌아왔다. 본가에 갈 때마다 조금씩 요양병원에 있던 물건들을 가져갔으니 몇 남지 않은 거라고 변명하듯 말을 덧붙였다. 어쩐지 엄마다웠다. 사회복지사는 서울로 올라가느냐고 물었다. 나는 그렇다고 대답하려다가 고민 중이라고 말했다. 그렇게 궁금했던 것은 아닌지 사회복지사는 퍽 지친, 그렇지만 여전히 웃는 얼굴로 조심해서 돌아가고 앞으로 기운 내서 열심히 살라고 격려했다. 기운 내서 살라는 말이 낯설었다. 살면서 처음 듣는 말 같았다.

나는 속초 시내버스 정류장에서 상자를 끌어안은 채 우두커니 앉아 있었다. 오늘로써 혼자가 됐다. 비행기를 타고 여섯 시간 정도 날아가면 이모라는 사람들이 있겠지만 한 번도 만나본 적 없었다. 어쩌면 나를 반가워하지 않을 수도 있다. 그러니 없는 셈 쳐도 괜찮을 것이다. 일어나야 하는데 다리에 힘이 들어가지 않았다. 다리가 나더러 반겨주는 이도 없는 곳에 무엇 하러 그렇게 급하게 가느냐고 시위라도 하는 것 같았다. 어디를 가도 만날 가족이 없다. 하긴 그게 다 무슨 소용인가 싶었다.

언니에게는 엄마 짐을 챙기러 고향 집에 들를 거라고 말했다. 이번에는 답장이 바로 오지 않았고 마을로 향하는 버스에 탈 때쯤 〔응, 조심히 다녀와〕라고 답장이 왔다.

버스는 한참을 달렸다. 시내를 지나, 드문드문 집이 있는 시골길을 지나 더 깊은 산으로 들어갈 즈음 운전기사가 아가씨, 하고 백미러를 통해 나를 쳐다보며 불렀다. 내가 고개를 돌리자 운전기사는 어디를 가느냐고 물었다.

외면리요.

외면이요?

네, 외면리요.

운전기사는 백미러를 통해 나를 한동안 쳐다보다 고개를 갸웃거렸다.

차창 밖으로 몰려오는 땅거미를 바라보다 엄마의 유골함이 든 상자를 꽉 끌어안았다. 엄마가 이 속에 들어 있다. 새벽에 서울로 도망가는 딸을 붙잡아 돈을 쥐여주던 엄마가 이 조그만 유골함 속에 있구나. 인생에서 제일 처음 만났던 사람을 이제는 다시 볼 수 없구나. 대물림되는 모녀의 불행을 어떻게든 끊어내기 위해 몸부림쳤더니 나도 모르게 상처가 곳곳에 났나 보다. 상자를 움켜쥔 손이 아픈 걸 보면. 슬프지도, 괴롭지도 않은 현실감각이 조금씩 피부로 느껴졌다. 누군가가 나를 떠나갔다는 감각이다. 이전에도 느꼈던, 아주 얇은 칼날로 살갗을 벗겨내는 듯한.

마당에 놓인 대야에는 물이 가득 채워져 있었고 오래된 평상 위에는 말라가는 홍고추와 찐 감자 두 알이 담긴 양은 냄비가 있었다. 사람이 갑작스럽게 떠난 모습 그대로 남았다. 죽을 때를 몰랐던 사람의 마지막은 이토록 너저분하고 선명했다. 평상에 있던 감자 한 알을 쥐었다. 코에 박고 냄새를 킁킁 맡았다. 아무 냄새도 나지 않아 한입 가득 물었다. 차갑게 식은 감자는 입안에서 심심하게 바스러졌다. 배고프지 않았는데 자꾸만 무언가를 입에 넣고 싶었다. 그래서 평상에 앉아 상했을지도 모르는 감자 두 알을 꾸역꾸역 삼켰다. 감자 맛이 다 거기서 거기일 텐데 이상하게 엄마가 찐 감자에서는 달달한 맛이 났다. 찐 감자 수백 개가 있어도 엄마가 찐 감자는 찾아낼 수 있을 것 같았다.

빨래 건조대에 걸려 있는 엄마 옷 몇 벌과 속옷도 상자에 넣었다. 엄마와 함께 끈질기게 삶을 버텨왔던 옷들도 이제 쉴 때가 왔다. 다른 옷보다 더 오랫동안 자신의 숙명을 다한 옷들이었으므로 다음에는 더 좋은 옷감으로 태어나 비싸게 팔리기를 바랐다.

동쪽은 서울보다 해가 빨리 저물었다. 나는 해가 지는 것을 멍하니 바라봤다. 가로등 대신 송전탑이 더 많이 보이는 이곳은 내가 떠났을 때와 변한 것이 거의 없었다. 세상의 시간에서 제외된 마을처럼 보였다. 몇 세기가 지나더라도 외면리는 그대로일 것이다. 수십 세기 후에야 산에 남아 있는 고대 유적쯤으로 빛을 발한다면 모를까, 그 전까지 이 마을은 존재하는지도 모르는 채 시대에 무임승차할 것이다.

반 틈 열려 있는 대문을 꽉 닫았다. 켜켜이 포개진 이불을 꺼내 씻지도 않고 방에 누웠다. 새벽이면 쥐 발소리가 들리는 집이었다. 여름이면 눅눅한 물 냄새가 장판과 벽지 곳곳에서 풍겼고 겨울이면 닿는 곳마다 낡음이 빚어낸 소리가 터지는 곳이다. 그것은 꼭 집이 지르는 비명 같았다. 집은 살아 있는 생명처럼 여름이면 울고, 겨울이면 비명을 지르다가 주인을 따라 죽어버렸다. 집이 고요했다. 새까맣게 타 죽어버린 나무 안에 들어와 있는 기분이었다. 바람 소리도, 쥐가 넘나드는 소리도, 누군가의 발걸음 소리도 들리지 않았다. 이상했다.

그래, 이 고요는 이상했다. 이 마을의 새벽이 이렇게 고요할 리 없었다.

사람이 사라진 날에는 산에 올라가지 말라고 했다. 이유는 말해주지 않았다. 늘 궁금했지만 이유를 물을 수 없었다. 그렇지만 어떤 일은 묻지 않아도 어렴풋이 알게 되고는 했다. 그래서 더 물으면 안 되겠다고 다짐했다. 독암산에는 유독 안개가 자주 꼈다. 서울에서 아침에도 선명한 산봉우리를 보기 전까지 아침에는 으레 모든 산들이 그런 줄 알았다. 산봉우리가 보이지 않을 정도로 안개가 자욱하게 껴서, 앞에 서 있는 것이 사람인지 짐승인지 구분할 수 없을 정도로.

안개가 낀 날에는 꼭 소리도 퍼졌다. 안개 속 물방울에 튕겨 산란되는 것처럼, 소리의 진원지를 도통 알 수 없었다. 해는 일찍 지고 안개가 짙은 마을에는 숨길 수 있는 게 많았다. 사람들은 보이지 않는 건 잘 믿지 않으니까. 선명하게 들리지만 목격하지 않으면 그 비명을 환청쯤으로, 웃음소리쯤으로, 소의 울음쯤으로, 어느 집의 개가 짖는 소리쯤으로 생각했다. 말은 아무런 힘이 없다. 목격하지 않는 이상, 그것을 눈앞에 들이밀지 않는 이상. 하지만 보여줄 수 없는 무형의 것들은 도대체 어떻게 해야 했을까. 언어와 손짓, 발짓. 그 안에 내포되어 있는 위협들은 어떻게 물질로 만들어 보여줄 수 있었을까. 그런 방법이 세상에 있기나 했던가.

시골 남자 대부분은 출가를 했다가 실패해 돌아왔거나 애초에 마을 밖을 한 번도 나가 본 적이 없는 사람들이었다. 전자의 남자들은 세상에 대한 패배감으로 똘똘 뭉쳐 있었고 후자의 남자들은 세상을 정복했다는 성취감에 절어 있었다. 그렇지 않은 남자들도 있었겠지만 기억나지 않는다. 그러니 결국 거기서 거기였던 셈이다. 밖에 나갔다 돌아온 남자들은 자신의 인생을 영웅담으로 포장하거나 세상의 부조리를 힐난하며 연설하는 운동가로 나뉘었다. 어느 쪽이든 그 말들은 햇빛에 말린 진흙처럼 단단했다. 하지만 햇빛에 말리면 금이 가기 마련이었고 금이 간 것은 언제나 부서질 수 있는 상태를 뜻했다. 자신의 세상과 논리가 부서질까 봐 안절부절못하던 그들은 조금이라도 금이 커지면 난데없이 분풀이를 했다.

여자들은 돌아오지 않았다. 마을을 떠났던 여자가 돌아온 적은 한 번도 없다고 했다. 똑똑한 여자는 이곳으로 돌아오지 않고, 또 시집을 오지도 않는다고 했다. 멍청하고 돈이 없는, 가여운 여자들이 이곳에 시집을 온다고 했다. 삶의 기준은 대개가 엉망진창이었다. 내가 보기에 이곳에 있는 여자들은 부지런하고, 일도 잘했으며 낯선 언어를 빠르게 배울 정도로 머리가 똑똑했음에도 모자라고 부족한 사람으로 분류되었다.

패배감과 사명감은 비슷한 모습으로 나타났다. 무언가를 가르쳐야 했다. 가르치는 과정에는 통제와 훈육이 들어갔다. 밤마다 마을 어디에선가 울음소리가 들렸다. 모두가 들었지만 누구도 보지 않아서 그 소리들은 없는 소리가 됐다. 혹은 환청이나, 웃음소리나, 소의 울음이나, 개 짖는 소리쯤으로. 하긴 울음이 울음으로 들리지 않으면 그건 없는 소리나 마찬가지구나.

가끔 이른 새벽에 눈이 떠질 때가 있었다. 그럴 때는 누군가 집 앞을 지나가는 날이다. 나도 모르는 새에 기척에 눈을 뜬 것인지, 아니면 정체를 알 수 없는 기류 같은 것들이 나를 깨운 것인지 모르겠지만 그렇게 일찍 눈을 뜬 날 밖을 내다보면 안개 속에 희미하게 서 있는 사람을 목격했다. 그들은 독암산으로 갔다. 왜 가는지는 당연히 알 수 없었다. 돌아오는지도 알 수 없었고. 그렇지만 어쩐지 독암산으로 간 사람들은 돌아오지 않을 것 같았다. 누군가 사라졌다는 말을 마을에서 들은 적이 없는 걸로 보아 내가 새벽마다 보았던 것은 어쩌면 귀신에 가까울지도 모르겠지만, 그 귀신조차도 언젠가 한 번은 이 마을에서 살았을 거라 믿었다. 나는 가끔 그들을 부를 때가 있었는데, 그럴 때마다 그들은 뒤돌아 나에게 쉿, 이라고 손짓했다.

산안개가 내려온 마을을 보고 있으면 무언가를 열심히 감추고 있는 범죄 현장처럼 보이고는 했다. 조력자는 독암산이다. 밤사이 울었던 누군가의 울음이 안개가 되는 것 같기도 했다. 어쨌든 그런 곳이다. 해가 지면 울음이 땅에 낮게 깔리는 곳. 그러니 이 마을의 새벽이 이렇게 고요할 리 없다.

나는 그제야 버스 정류장에서 내려 마을 입구를 지나쳐 집에 올 때까지 사람 한 명 마주치지 않았다는 것을 떠올렸다. 전부 어디로 떠난 것일까. 마을은 예정보다 일찍 유적지가 된 것 같았다. 새벽에 울음소리가 들렸다. 하지만 사람의 울음은 아니었다. 그것은 꼭 고라니의 울음 같았다.

고라니 출몰 지역이라는 표지판은 언제나 병풍 이상의 기능을 하지 못했다. 사람들이 표지판을 보지 못하는 것인지 아니면 보고서도 보지 않은 척하는 것인지 알 수 없었다. 운전을 할 수 없었던 나이였던 우리는 고라니를 치고 가는 운전자들의 마음을 농담 따 먹기 하듯 추측할 뿐이었다.

보지 못했을 거야. 놀랐겠지.

하지만 그중에는 분명 기분 더럽다며 침을 뱉는 사람도 있었을 거야.

놀라 벌벌 떠는 사람도 있었을 거고.

쳐다보지도 않고 지나가는 사람도 있겠지.

친 줄도 모르는 사람도 있을까.

설마. 그런 사람이 진짜 있을까?

있지 않을까.

그럼 미안해서 우는 사람도 있었을까?

모르겠다. 근데 있었으면 좋겠다. 한 명쯤은.

그렇지만 확실한 건 동물병원에 전화하는 사람은 없었다는 것이다. 대부분 바퀴를 아주 살짝만 비틀어 아직 살아 숨 쉬고 있는 고라니를 피해 가던 길을 갔다. 충분히 살 수 있었던 고라니는 고랑에 빠져 얼어 죽은 아빠처럼 오래도록 길에 누워 있다가 죽었다. 사람들에게 고라니는 고작 그 정도의 존재였다. 농작물을 망치고 재수 없게 차에 치이기나 하는. 그때가 열아홉 번째였던가, 스무 번째였던가. 우리는 갓길에 죽어 있는 고라니를 포대 자루 위에 옮겨 끌었다. 고개를 숙일 때마다 고라니와 눈이 마주쳤다. 피가 굳어 검붉게 변한 고라니 뱃가죽에 파리가 들러붙었다. 우리는 아무 말 없이 고라니를 끌고 산을 올랐다. 둘 중 누구도 힘들다고 투덜거리지 않았다. 최대한 높은 곳에 갔다. 사람의 발길이 닿지 않는, 실수로라도 누군가 밟을 수 없는 땅으로.

삽이 무거워 우리는 순서를 바꾸며 한 시간 동안 땅을 팠고, 구덩이에 고라니를 밀어 넣고 다시 흙으로 덮었다. 나는 이미 지쳤는데 너는 지치지도 않는지 시종일관 덤덤한 표정으로 삽으로 흙을 내리쳤다. 그때쯤 너는 체격도 크고 키도 커져 네 아비보다 더 커진 상태였다. 나는 그런 너를 보며 네 미래를 내 미래보다 더 자주 상상했다. 운동선수도 어울릴 것 같았고 공부를 잘했으니 선생님도 잘할 것 같았다. 직업군인이나 파일럿도 좋을 것 같았다. 그게 아니라면 너만의 가게를 차려도 좋을 것 같았고 매일 아침 출근길에 오르는 회사원도 좋을 것 같았다. 사실 뭐든지 좋았다. 네가 어떤 어른이 되건 나도 네 옆에서 어떤 어른이라도 되어 있고 싶었다.

우리는 단단히 덮은 고라니 무덤 위에 늘 한두 시간씩 앉아 있었다. 그럴 때면 우리는 마치 이승과 저승의 경계에서 죽은 것들을 저승으로 밀어 넣는 집행관 같았다. 아무도 부여하지 않은 사명감이 우리에게 있었다. 갑작스러운 사고로 아직 제 죽음을 인식하지 못했을 고라니를 위로하고 싶었다. 너는 죽어서 땅에 묻혔어. 여기가 그곳이야. 하지만 걱정 마, 네가 안전히 저승으로 갈 때까지 여기에 우리가 앉아 있을 테니까. 인간을 미워해도 돼. 다음에 다시 태어나면 꼭 인간을 쳐서 죽일 수 있는 존재로 태어나렴.

고라니가 멸종 위기 동물이래.

너는 침묵을 깨고 말했다.

우리나라랑 중국 일부 지역에만 산대. 다른 나라에는 없고. 불쌍해. 다른 나라에서 살았으면 이렇게 많이 치여 죽지는 않았을 거야. 다른 나라였다면 고라니를 지키기 위해 법을 만들었을 거야. 그랬다면 행복하게 살았겠지. 왜 화필 이 커다란 지구에서 불쌍하게 우리나라에 터를 잡았을까.

고라니도 몰랐을 거다. 왜 하필 이곳에서 태어났는지. 그걸 알 수 있는 존재는 없다. 왜 이곳인지, 왜 하필 여기인지, 왜 하필 나인지. 그것이 태어나는 존재들에게 가장 처음 내려지는 수수께끼다. 평생 답을 찾아 헤매지만 아무도 알지 못하고 죽겠지.

누구는 그런데도 편안하게 죽겠지만 누구는 죽는 순간까지도 수수께끼의 출제자를 원망하겠지.

앞집에는 노부부가 살았다. 할아버지는 내가 갓 태어났을 즈음 마을의 이장이었다. 친절하고, 사람 좋고, 인자한, 거슬리고, 메스껍고, 소름 끼치는 분이었다. 어떻게 저 단어들이 공생할 수 있었을까. 한쪽이 한쪽을 잡아먹지 않고. 나는 여전히 그게 신기했다. 사람들은 내가 보는 할아버지의 모습을 보지 못했거나 보고도 안 보이는 척했거나 아무렴 상관없다는 듯 굴었다. 치사한 인간들이었다.

할아버지는 대문 앞에 나무 의자 하나를 두고 거기에 앉아 담배를 피웠다. 차 하나가 간신히 지나갈 골목에서 담배를 피우면 그 냄새가 우리 집 마당까지 넘어왔다. 일부러 그런 것이다. 물어본 적은 없지만 얼굴만 봐도 느껴졌다. 언젠가부터 담배 냄새가 풍기는 날이면 방문을 꼭 닫고 밖에 나가지 않았다. 할아버지와 마주치기 싫었다. 다 늘어난 러닝셔츠를 입고 있는 것도 싫었고, 속옷인지 바지인지 모를 짧은 하의를 입고 하얀 다리를 드러낸 것도 싫었으며 이따금씩 사타구니를 벅벅 긁는 것도 싫었다. 무엇보다 피 한 방울 섞이지 않은 나에게 딸이라고 부르는 게 싫었다. 엄마도 나를 딸이라고 부르지 않았다. 엄마는 꼬박꼬박 내 이름을 불렀다.

그 할아버지가 골목에서 담배를 피웠던 건 같이 사는 할머니 때문이었다. 할머니는 등이 굽어 상체를 반쯤 숙인 상태로 걸었는데, 힘쓰는 것은 문제없다는 듯 무거운 물건들을 아무렇지 않게 머리에 이거나 등에 업었다. 할머니는 눈 깜빡이는 걸 못하는 사람처럼 언제나 두 눈을 매섭게 뜨고 다녔다. 할아버지와 할머니가 싸우는 날에는 언제나 할머니의 목소리가 더 크게 들렸다. 버틴다는 건 천년을 살아온 나무처럼 두껍고 단단해진다는 것이었다. 할머니는 그런 사람이었다. 고목처럼 빼빼 마른 몸으로 어떤 것이든 들었다. 할머니가 그렇게 단단해진 것은 그 집에서 나는 냄새 덕분이었을까.

그 집에서는 늘 무언가를 달였다. 대개가 이 마을에서만 유행하는 뼈가 펴지고, 시력이 맑아지고, 위가 건강해지고, 정력이 돌아온다는 것들이었다. 코를 틀어막고 싶은 정도로 냄새가 역할 때도 있었고, 오랫동안 뼈를 우리는 것처럼 고소할 때도 있었으며 달달할 때도 있었다. 하지만 나는 재료가 무엇인지 궁금하지 않았다. 이따금 대문 앞에 내놓은 쓰레기에서 동물의 사체를 마주칠 때마다 보지 못한 척해야 했으니까. 그 동물들은 너무 어린 것들이었다. 내가 마주해야 했던 발과, 손과, 머리 전부가. 너무 작고 연약했다. 한 생명에게 불로장생을 줄 만큼 강해 보이지가 않았다. 제 생명도 끝까지 지키지 못했는데, 도대체 무엇을 살릴 수 있다는 걸까.

눈을 떴을 때에도 마을에서는 아무 소리도 들리지 않았다. 하루를 시작하는 소리도, 새가 지저귀는 소리도, 개가 짖는 소리도 들리지 않는 이상한 적막함이었다. 나는 누운 상태로 몇 분 동안 더 바깥 소리에 집중했지만 적막은 두터웠다. 나는 결국 꽉 닫았던 방문을 열고 마당으로 나왔다.

할아버지가 앉아 담배를 피웠던 의자는 부러져 있었고, 그 집 대문은 반쯤 열려 있었다. 그리고 아무 소리도 들리지 않았다. 이상한 일이 아니라 말도 안 되는 일이었다. 텅 빈 골목을 살펴보다 앞집 대문 앞에 우두커니 섰다. 한 번도 들어가본 적 없는 대문을 밀었다. 오래된 집이다. 빨래가 어지럽게 놓여 있는 평상을 지나 아궁이의 형태가 남아 있는 주방으로 향했다. 그때까지 나는 어쩌면 두 사람이 죽었을지도 모른다고 생각했다. 내가 마을을 떠날 때도 나이가 많았으니까. 엄마처럼 언제 죽어도 이상하지 않은 상태였다. 너무 급하게 가서 평상에 놓은 빨래를 치우지도 못했던 거라고. 그렇지만 내 예상은 틀렸다. 주방에 이질적으로 놓인 전기밥솥의 불이 켜져 있었다. 취사한 지 108시간이 지난 밥이었다. 싱크대에 들어가 있는 그릇도, 수저도 전부 두 쌍이었다. 무언가를 잔뜩 달이고, 삶고, 쪄 먹던 흔적이 주방 곳곳에 남아 있었다. 주방에서 은은하게 풍겨오는 악취에 서둘러 나왔다.

기척이 들린 곳은 주방 옆에 딸린 창고였다. 덜컹거리며 움직였던 문은 환청이었을 거라 믿는 나를 유혹하듯 한 번 더 덜컹였다. 전날 먹고 남겨둔 어리고 작은 무언가가 아직 살아 있는 것은 아닐까. 되살리지 못하더라도 그때처럼 산에라도 묻어줘야지.

창고 문을 열었다. 창고에 어리고 작은 것은 없었다. 할머니와 할아버지가 있었다. 할머니가 할아버지를 뜯고 있었다. 할머니의 입이 할아버지의 다리를. 아, 그냥 먹고 있다고 표현하면 되는구나.

할아버지의 몸뚱이는 할머니가 살을 물어뜯을 때마다 덜컹거리며 흔들렸다. 몸이 딱딱하게 굳은 것인지 곧게 펴진 할아버지의 손이 창고 선반을 툭툭 건드렸다. 얼굴 가득 피를 묻힌 채 살을 뜯던 할머니의 동작이 멈췄다. 할머니의 시선이 천천히 내게로 넘어왔다. 도망가야 한다. 그러나 다리가 말을 듣지 않는다. 할머니는 마치 먹고 있던 식사를 빨리 끝내고 다음 식사를 하려는 것처럼 씹지도 않고 허겁지겁 살덩이를 집어삼켰다. 살점을 씹고 뜯어내는 손길은 억셌다. 다리가 조금씩 움직였다. 소리를 내면 안 될 것 같았다. 내 기척으로 할머니의 심기를 건드리면 안 될 것 같은 느낌이 들었다. 나는 숨도 쉬지 않고 조금씩 뒷걸음질을 쳤다. 할머니에게서 눈을 떼지 않았다. 눈을 돌리는 순간 할머니가 달려들 것만 같았다. 몇 걸음 되지 않는 거리였는데 대문까지가 천 리 길처럼 멀게 느껴졌다. 그러는 동안에도 할머니는 할아버지의 다리를 뜯었다. 탄력 없는 살은 길게 늘어지다 힘없이 끊겼다. 어느덧 대문과 가까워졌을 때 뒤돌아 밖으로 달려 나갔다. 울부짖는 소리가 들린다. 사람의 소리가 아니다. 꼭 고라니 울음소리 같았다.

집으로 들어가 대문을 닫았다. 문을 잠그고 싶었지만 손이 벌벌 떨려 계속 허공에서 헛손질을 했다. 결국 문고리를 붙잡고 주저앉아 몸을 웅크렸다. 대문을 들이박는 소리가 들렸다. 우리 집 대문이 아니었다. 본인 집 대문에 부딪치는 소리였다. 굉음은 조용한 마을에 울려 퍼졌다. 잠들어 있는 악령을 깨우는 소리처럼 절망스러웠다. 한 손으로 바닥을 짚고 대문 밑으로 눈을 내밀었다. 크게 덜컹거리던 앞집 대문은 곧 반동에 의해 활짝 열렸고, 그 사이로 고개를 내민 것은 할머니였다.

할머니의 눈은 안개가 내려앉은 것처럼 뿌옜고 입과 턱은 검붉은 피와 덩어리로 얼룩져 있었다. 할머니는 고장 난 자명종 시계의 뻐꾸기처럼 뚝뚝 끊기는 고갯짓으로 주변을 살폈다.

하늘에서 눈인지 비인지 모를 것이 떨어졌다. 할머니는 고개를 쳐들고 짧은 숨을 연속해서 들이켰다. 빗물에 흐려지는 사냥감의 냄새를 맡으려는 몸짓 같았다. 나는 문고리를 더 꽉 쥔 채 숨을 죽였다. 숨에도 냄새가 섞여 있을까. 터무니없는 말처럼 느껴졌지만 할머니는 내 속에 곪아 있는 염증의 냄새를 맡을 것처럼 보였다. 할머니는 그곳에 오래 머물지 않았다. 어기적어기적한 발걸음으로, 마치 무거운 바구니를 머리에 이고 걸었던 때처럼 골목을 빠져나갔다. 그 후에도 마을은 고요했다. 새 한 마리도 날아가지 않았다. 마을 전체가 커다란 공동묘지 같았다.

◇

엄마랑은 연락 안 해요?

하기는 하는데 잘 안 해.

그 말이 믿기지 않을 만큼 사진 속 언니와 아주머니는 다정해 보였다. 아저씨 얼굴을 보지는 못했지만 아주머니만을 닮은 것처럼 둘은 똑같이 생겼다. 모녀는 손을 꼭 잡고 카메라를 향해 웃었다. 바다인데 옷차림을 보니 겨울인 듯했다. 등 뒤로는 붉은 조양이 가득했고 사람들이 바글거렸다. 나는 바다를 덮은 태양 빛의 채도만 봐도 그것이 동해 바다가 품는 일출이라는 것을 알았다. 그러니 이 사진은 새해에 일출을 보러 갔을 때 찍은 것이리라. 언니는 흰색 패딩을 입고 있었다. 어려 보였다. 얼굴의 전체적인 골격은 변하지 않았지만 사진 속 언니는 지금보다 10년은 더 앳되었다.

이거 몇 살 때예요?

열두 살인가 열세 살인가.

언니는 좌식 식탁을 펴놓고 앉아 영수증을 뒤적거리며 무성의하게 대답했다. 나는 다시 이 집에 하나뿐인 액자 속 사진을 주시했다. 찍어준 건 누구일까.

누가 찍어준 거예요?

사진을 보며 물었다. 답이 곧바로 들려오지 않았다. 고개를 돌리자, 언니는 내 손에 들린 액자를 멀거니 쳐다보고 있었다. 언니가 대답하지 않아도 누가 이 사진을 찍었는지 알 것 같았다.

대답하지 않아도 돼요. 누군지 알았어요.

언니는 흐리게 웃었다. 언니와 함께 몇 주를 지내는 동안 나는 언니가 가족과 통화하는 걸 단 한 번도 듣지 못했다. 나는 액자를 원래 자리에 도로 올려놓았다. 나는 무릎을 끌어안고 언니를 구경했다. 언니는 지난달 지출 내역을 정리하는 중이라고 했다. 그걸 왜 하느냐고 물었다. 그걸 정리하면 지난달보다 좀 덜 쓰게 되느냐고. 언니는 전혀 그렇지 않다고 대답했다.

항상 무언가를 적고, 정리하고, 통계 내는 것이 습관이라 그걸 해야 마음이 편해진다고 했다. 그래야 쓸데없는 생각이 머릿속에 떠오르지 않는다고 했다. 언니는 학생 때도 생각을 없애기 위해 공부를 했다고 덧붙였다.

저도 생각이 많을 때 공부를 했으면 좀 달라졌을까요?

이미 지나간 것에 가정을 붙이지 마.

그걸 어떻게 안 할 수 있을까. 나는 습관처럼 내가 가지 못한 세계를 상상하며 시간을 보내는데. 나도 멈추는 법을 알고 싶었다. 내가 가지 못한, 그 일이 일어나지 않은 세계에서 살고 있는 나를 부러워하지 않는 법을. 나는 또 한참 있다가 언니에게 물었다.

언니는 엄마랑 왜 연락 자주 안 해요?

너는 왜 안 하는데?

할 말이 없어서요.

나도 할 말이 없어서 안 해.

그 대답에 나도 덩달아 할 말이 없어져 입을 다물었지만, 언니는 나와 상황이 달라 보였기 때문에 그 말을 쉽게 납득할 수 없었다. 언니는 엄마와 더욱더 함께 있어야 할 것 같았다. 서로를 혼자 두면 더 괴로워지지 않을까. 언니는 과거에서 도망친 사람이었고, 나는 현재에서 도망쳤다. 비슷해 보이지만 엄연히 달랐다. 과거에서 도망친 언니는 현재에서 나아갈 수 있었지만 현재에서 도망친 나는 떠돌았다. 나는 정착하지 못했고 어디로 가야 하는지도 몰랐다. 언니의 슬픔은 과거에서 온점을 찍었지만 내 슬픔은 온점을 찍지 못한 미완성 문장이었으므로 나는 여전히 도망치는 중이었다.

왜 같이 안 살아요?

언니가 영수증을 정리해 다이어리에 껴 넣었다. 쓰고 있던 안경을 벗고 손바닥으로 눈두덩을 꾹꾹 눌렀다. 내 질문이 너무 무례했던 걸까. 대답을 철회하려고 했지만 그 전에 언니가 입을 열었다. 다행히 덤덤한 말투였다.

서로의 얼굴을 보면 고통스러운 게 떠오르거든. 나만 그런 줄 알았는데 엄마도 그렇더라. 그래서 조금만 보자고 했어. 무소식이 희소식인 삶을 살자고.

그날 새벽은 밤새도록 얼굴에 깃든 과거를 생각했다. 얼굴에는 과거가 묻어 있다. 아무리 빡빡 문질러도 지워지지 않는. 나는 내 얼굴에 묻은 네 얼굴을 떠올렸다. 나는 네 얼굴을 보며 자랐고, 네 표정을 보고 배웠다. 엄마는 표정이 많은 사람이 아니었다. 엄마는 둘 중에 하나였다. 웃고 있거나 아무 표정도 담고 있지 않거나. 내 앞에서 이죽거리고, 삐지고, 화내고, 울고, 분노하고, 약 올리고, 상처받고, 두려워하고, 악에 받쳤던 표정을 지었던 건 전부 너였다. 나는 어쩔 수 없이 네 표정을 닮았다. 이따금 엄마가 너를 보며 내 이름을 불렀을 정도였으니까. 엄마는 우리가 닮았다고 좋아했다. 둘이 친자매처럼 지내야 한다고 입버릇처럼 말했다. 그러니 엄마의 소원이 이루어진 셈이다.

◇

그리고 왜 이렇게 됐더라. 기억이 나지 않았다. 벌레 한 마리가 어느 틈에 몸속으로 들어와 뇌를 갉아 먹고 있는 것이 분명했다. 그렇지 않고서야 이렇게 모든 기억이 테두리가 타버린 종이 같은 꼴일 수 없다. 속이 메스꺼웠다. 입으로 나오려는 것을 꾹꾹 참아내려고 노력했지만 결국 속을 게워냈다. 검붉은 덩어리가 쏟아졌다. 하루가 다 가도록 먹은 것이 없어서 쏟아낼 게 피뿐이었으리라. 손등으로 입술을 닦아내고 손등에 묻은 피는 옷에 문질렀다. 내 옷에는 이미 여러 번 닦은 핏자국이 선명했다. 기억나지 않는다. 내가 언제 또 피를 토했던가.

너는 여전히 가만 앉아 나를 바라보고 있다. 아니, 그것은 보는 게 아니다. 그저 네 시선 끝에 내가 앉았을 뿐이다. 방 안에는 네 시선을 피해 앉을 수 있는 사각지대가 많았다. 창을 등 뒤에 두고 앉은 너를 중심으로 양옆에는 침대와 책상이 있었으며 방 한편에는 퀴퀴한 먼지 냄새가 풍기는 옷이 잔뜩 걸린 행거가 있었다. 그러니 네 시선을 피할 수 있는 곳은 충분했다. 하지만 나는 굳이 문을 등에 두고 네 시선 끝에 앉았다. 이곳에서 너를 마주쳤던 순간이 문득 떠올랐다. 혹시나 네가 나를 알아보고 안개 낀 눈을 거두지 않을까 싶은 상상 때문이었다.

팔에 힘이 없다. 총구가 바닥에 닿았다. 둔탁한 소리가 들리자 너는 늘어진 손가락 하나를 까딱 움직였다. 그게 전부였다. 너는 밖에 있던 다른 것들처럼 달려들지 않았다. 차라리 너도 밖에 있던 다른 것들처럼 행동했더라면, 나에게 달려드는 게 너라는 걸 알아차리기도 전에 쐈을 텐데. 그랬다면 이 상황까지 오지 않았을 것이다. 하지만 이제 와서 후회해서 뭘 어쩌겠는가. 버릇처럼 세웠던 가정을 철회했다. 그건 아무것도 바꿀 수 없으니까. 현실의 고통만 쑤셔대겠지.

너를 부르고 싶은데 이름이 너를 따라 죽은 모양이다. 오랫동안 불리지 않은 이름은 딱딱했다. 마치 서서히 굳어갔던 네 몸처럼 딱딱하고 차갑게 혀와 입안을 아리게 만들었다. 함부로 뱉으면 깨질까 봐 두려웠고 뱉지 않으면 녹아 사라질 것 같았다. 그런데 이제 네 이름을 부를 수 없는 건 이름이 딱딱해서만이 아니다. 배에 힘을 주고 숨을 내뱉으며 소리를 내는 것이 전부 뜻대로 되지 않았다. 아직 소리 내는 법을 기억해내지 못했다. 어떻게 해야 너를 부를 수 있었던가. 다른 것보다 그걸 기억하고 싶다.

◇

길을 막고 서 있는 할아버지는 며칠 동안 바닷바람을 쐰 황태 같았다. 쥐어짜내도 수분 한 방울 나오지 않을 것 같은. 희뿌연 눈동자는 하늘 어딘가를 쳐다보고 있었으며 벌어진 입에 몇 마리의 파리가 들러붙어 바삐 움직였다. 할아버지는 저승 문턱을 넘었다가 끈질기게 다시 이승으로 도망쳐 온 사람 같았다. 사람이라면 뼈를 드러낸 팔뚝에 덜렁거리는 살점을 매달고 저토록 평온하게 하늘을 쳐다보고 있을 리 없었다. 길은 좁았고 다른 길을 통해서는 마을 입구로 갈 수 없었다. 바다와 산으로 둘러싸인 마을에서 세계로 나갈 수 있는 문은 이토록 간소하고 비좁았다. 할아버지는 발을 끌며 주변을 서성였다. 그 모습은 꼭 닭장을 순찰하는 수탉같이 기괴하고 부자연스러웠다. 그때 문자만 오지 않았더라도 나는 할아버지에게 들키지 않았을 것이다.

엄마의 유품 상자를 들고 있어 달릴 수가 없었다. 무거웠고 앞이 잘 보이지 않아 넘어질 것 같았다. 그래서 골목에 상자를 두고 내달렸다. 할아버지는 제멋대로 꺾이는 팔과 금방이라도 내려앉을 듯한 다리로 쫓아왔다. 메마른 황태 같은 모습과는 어울리지 않을 정도로 꽤 빨랐다. 집으로 들어가지 못했다. 집으로 들어간다 하더라도 문을 닫기도 전에 들어올 것 같았고, 행여나 그렇게 된다면 집 안에서는 더는 도망갈 곳이 없었다. 길목을 따라 뛰었다. 독암산 초입이 보였다. 방향을 바꿀 판단도 서지 않았다. 망설이지 않고 풀숲으로 뛰어들었다. 낙엽이 수북하게 쌓인 길을 빠르게 뛰어올랐다. 나뭇가지는 손톱처럼 머리와 피부를 쓸었다. 뒤를 돌아볼 때마다 네발로 산을 기어오르는 할아버지가 보였다. 어디를 향해 달려가는지도 모르는 상태로 무작정 올랐다. 높은 곳으로, 더 높은 곳으로.

둔탁한 소리에 뒤를 돌아보자 쫓아 올라오던 할아버지가 나무에 다리가 걸려 땅을 구르는 게 보였다. 몸이 바위에 걸려 튕겨져 오르다가 뾰족하게 솟은 나무 밑동에 머리가 꽂히며 멈췄다. 죽었을까. 할아버지의 몸은 저주가 풀린 인형처럼 바닥에 늘어졌다. 숨을 죽인 채 오랫동안 할아버지를 지켜봤지만 손가락 하나 움직이지 않았다. 나는 그제야 소리가 섞인 한숨을 길게 내뱉었다. 다리에 힘이 풀려 자리에 주저앉았다. 한동안은 몸이 굳어 움직이지 못했다. 산에서 불어오는 바람 소리만 가만 듣고 있었다.

할아버지는 입과 콧구멍, 눈구멍을 전부 크게 벌린 상태로 굳어 있었다. 굵고 뾰족한 나무 밑동이 이마를 통과했는데 피 한 방울 흐르지 않았다. 대신 그 주변으로 파리들이 날아와 붙었다. 방금 죽은 것이 아니라 아주 오래전에 죽었던 것이 아주 잠깐 움직인 것 같았다.

산 초입에는 집 한 채가 있다. 잘 아는 집이다. 3인 가족이 살았던. 신고를 받고 출동한 순경이 가벼운 주의만 주고 돌아간 집이기도 하다. 마을에서 꽤 멀리 떨어진 집이었다. 그 애의 아비는 사냥해서 잡은 들짐승을 팔아넘기는 일을 했으므로 살아 있는 가축을 묶어두고, 목을 자르고, 피를 빼고, 뼈를 자를 수 있는 산과 가까운 곳이어야 했다. 무시하고 지나치려고 했다. 다시는 들어가지 않겠다고 다짐했던 집이었다. 뛰다 접질린 다리를 절뚝이며 보이지 않는 척 지나치려 했다. 그랬어야 했다. 열린 대문을 들여다보는 것이 아니었다. 그런데 나는 그냥 지나치지 못했다. 나는 거기서 하반신이 잘린 시체를 보았고, 그 시체 옆에 놓인 엽총도 봤으며 네 방 창을 통해 그 안에 있던 너도 보았다.

왜 그 집에 네가 있을까. 너를 묻은 것이 나였는데.

너는 그곳이 무덤인 줄도 모르게 묻혔다. 우리가 묻은 고라니처럼. 마을 사람들은 너를 얼른 치우기를 바랐다. 도망간 네 엄마가 마을에 대해 이상한 소문을 퍼트릴까 봐 두려워했고 아내와 자식이 전부 사라진 네 아비를 안쓰럽게 여겼다. 네 죽음을 슬퍼한 사람은 나와 엄마뿐이었다. 가장 슬퍼한 사람은 나였을 것이다. 나는 그날부터 매일 밤 칼로 사람들의 배를 찌르는 상상을 했다. 가끔은 이불 속에서 두 손을 모아 기도를 올렸다. 산사태가 일어나 마을이 흔적도 없이 묻히게 해주세요. 번개가 내리쳐 모든 게 다 타버리게 해주세요. 외계인이 찾아와 마을 사람들 전부를 납치해 살아 있는 채로 몸을 해부하게 해주세요. 어떤 비명과 폭력에도 자신들이 그래왔던 것처럼 누구의 구원도 바라지 못하게 해주세요. 너는 너무 어이없게 죽었다. 그래서 언니에게 네 이야기를 해줄 수 없었다. 언니에게 죽은 너를 끌어안고 하루를 함께 보냈다고 말하지 못했다.

너는 원래도 하얘서 영 죽은 사람 같지 않았다. 소매로 네 얼굴에 묻은 피를 박박 닦아내면서도 너무 세게 문질러 네가 아프지 않을까 걱정했다. 그러다 피를 다 지우고 나서도 네가 눈을 뜨지 않아서 그제야 네 가슴에 머리를 올렸다. 억지로 숨을 뱉으면 폐부가 찔리는 고통이 뒤따랐다. 고통이 아니면 살아 있다는 감각을 느낄 수 없는 상태로 나는 산 것도 죽은 것도 아니게 너를 끌어안고 누웠다. 그때 내 눈에 보였던 터널은 저승의 문턱 같았다. 저기를 넘으면 네가 있는 곳에 갈 수 있지 않을까. 하지만 그때 터널을 건너온 건 붉고 파란 순찰차였다. 신고를 받고 출동한 순찰차를 보자마자 나는 너를 안아 들고 달아나고 싶었다. 나는 저들의 낯짝을 알고 있었다. 저들은 네 아비한테 꼬박꼬박 선생님이라는 호칭을 붙이던 자들이었다. 너한테는 얘야, 너는, 어린애는, 어린것들은, 어린놈들은, 야, 라고 불렀고, 네 엄마에게는 아내분, 이봐요, 저기요, 아주머니, 애엄마, 라고 불렀으면서 왜 네 아비에게는 꼬박꼬박 선생님이라고 불렀을까. 네 아비는 선생도 아니고, 선생이라 불릴 자격도 없었는데. 피해자는 너와 네 엄마였지만 그들은 너와 네 엄마를 질척거리는 구경꾼처럼 대했다. 네가 그랬지. 그들이 네 엄마의 이름만 제대로 불러줬어도 네 엄마는 떠나지 않았을 것이라고. 이름을 제대로 불러주는 사람만 왔더라도.

너는 순경이 너를 함부로 대할 수 없게끔 자라 네 엄마를 이 지긋지긋한 마을에서 데리고 나갈 거라고 말했다. 그것이 네 삶의 목표였다. 종종 내가 끼어들 틈이 없는 미래처럼 느껴졌지만 그래도 좋았다. 너에게 목표가 있는 것이. 너도 잘 알다시피 그때 나는 이루고 싶은 게 없었다. 되고 싶은 것도 없었다. 마을을 벗어나고 싶었지만 벗어난다고 갈 수 있는 곳이 있던 것도 아니어서 너처럼 열성적이지도 않았다. 나는 그저 네가 가는 곳을 어디든 따라가고 싶었다. 언젠가 네 등에 난 상처에 약을 발라주며, 네가 어디를 가든 따라가도 되느냐고 물었을 때 너는 대답을 망설였다. 만일 그때 네가 싫다고 했으면 나는 뭐라고 대답했을까. 그 자리에서 애처럼 떼를 썼을까? 겪어본 적 없으니 영원히 알 수 없는 일이다.

나는 사이렌도 울리지 않고 도착한 순찰차를 노려봤다. 순찰차는 술 취한 운전자를 차에 태웠다. 틀렸다. 순경이 정말 몰랐을까? 아마 알았을 것이다. 알았기에 내 눈을 마주치지 못하고, 너를 쳐다보지도 못했던 것이다. 집을 도망쳐 나온 아이의 결말을 무수히 많이 보았기에 바로 알았을 것이다. 사고의 진범을. 하지만 순경은 네 아비를 잡지 않았다. 그렇게 할 정도로 미안하지는 않았던 거지.

◇

하반신이 잘린 시체는 살아 있었다. 그걸 살아 있다고 표현해도 좋을지 모르겠지만. 두 팔로 땅을 짚으며 나에게 오려고 안간힘을 썼다. 나는 남자의 얼굴을 오래도록 바라본 뒤에야 그가 마을 이장이라는 걸 깨달았다. 나는 그만 헛구역질을 했다. 그건 살아 있다고 말할 수 없었다. 그것은 단지 움직이고 있었다.

홍채의 경계가 사라질 정도로 희뿌옇게 변한 눈동자는 마치 탁구공을 껴 넣은 것 같았다. 나를 보고 있는지도 불명확했다. 하지만 이장은 죽은 것처럼 누워 있다가, 내가 대문 앞에 섰을 때 고개를 쳐들었다. 그리고 움직이기 시작했다. 구더기와 파리가 뒤엉켜 있는 하반신을 끌고, 턱살이 반쯤 떨어져 나간 입을 벌려 울음과 괴성의 사이 그 어디쯤의 소리를 내지르면서. 아마 소리에 반응했을 것이다. 내가 뒷걸음질을 칠 때마다 신발이 바닥에 끌리는 소리를 들었을 테니까. 손은 애처롭게 바닥을 긁었다. 검게 썩은 손톱들은 바닥을 긁을 때마다 떨어져 나갔다. 툭, 툭, 손톱이 떨어진 자리에는 핏자국이 남아 있지 않았다. 그렇게 열 손가락 전부 손톱이 빠질 때까지 이장은 눈 한번 깜짝하지 않고, 침 한 방울 흘리지 않고 삭아버린 치아를 드러낸 채 땅을 기었다.

대문 옆에는 짐승의 멱을 딸 때 쓰는 손잡이가 긴 도끼가 있었다. 나는 조심스럽게 도끼 손잡이에 손을 뻗었다. 도끼는 생각보다 무거웠다. 그도 그럴 것이 손잡이의 길이가 내 허리까지 왔으며 쇳조각은 사람 얼굴만큼 커다랬다. 한 손으로는 들 수 없어 나는 양손으로 손잡이를 움켜쥐었다. 내리쳐야만 한다. 그렇게 생각했다. 정말 내리쳐도 되는 것일까. 고민은 깊어지지 못했다. 그럴 시간이 없었다. 누구라도 내리쳤을 것이다. 턱이 반쯤 잘려 나간 사람이 기어서 쫓아온다면 누구나 그랬으리라. 나는 몇 번이고 되뇌었다.

그 집에 네가 있다는 걸 보지 않았더라면 나는 도끼를 휘두를 생각 따위 하지도 않았을 텐데. 다시 돌아오면 그 자리에 네가 없을 것 같았다. 그 집 대문 앞에서 도끼를 쥐고 망설이는 동안 나는 네가 죽지 않았던 것일지도 모른다고 생각했다. 죽기 직전까지 갔다가 다시 살아났을지도 모른다고. 세상에는 종종 심장이 멎었던 사람의 심장이 다시 뛰는 기적 같은 일이 발생하기도 하니까. 역시 내가 너무 황급히 마을을 떠났다는 생각을 했다.

이장은 어느새 대문 문턱을 손으로 짚을 만큼 가까워졌다. 이장이 지나온 길에는 핏자국이 아닌 검은 살덩이가 떨어져 있었다. 나는 있는 힘껏 도끼를 들었다. 보고 싶었다. 안에 있는 것이 네가 맞는지, 살아 있는지. 살아 있다면 이것 때문에 밖에 나오지 못하고 갇혀 있는 것이 아닐까. 너를 구해주고 싶었다. 얼마나 가여운 생각이던가. 나에게는 검을 쥘 자격이 없었다. 검의 주인이 아닌 자는 그 검으로 제 심장을 찌를 뿐이다. 도끼를 내리쳤다. 도끼는 이장의 어깨나 머리가 아닌 두꺼운 철문을 내리쳤다. 폭음과 같은 굉음이 울렸지만 나는 상관하지 않고 다시 도끼를 휘둘렀다. 다시 한번 금속이 맞부딪치는 날카로운 소리가 사방에 울려 퍼지며 이장의 손가락 몇 개가 투두둑 바닥에 떨어져 굴렀다. 너희 집 철문도 요란하게 흔들렸다. 도끼를 다시 내리쳤고, 이번에는 정확히 정수리에 날이 꽂혔다. 그제야 전원이 꺼진 듯 이장의 고개가 픽 고꾸라졌다. 주저앉고 싶었지만, 저 길 끝에서 이쪽을 향해 무언가 달려오고 있었다. 하나도 아니고 셋이.

이장의 어깨를 발로 밀어내며 도끼를 뽑으려고 했지만 도끼 대신 이장의 목이 몸통에서 떨어지고 있었다. 시간을 지체할 수 없었다. 도끼를 포기하고 도망치려 몸을 틀자마자 나는 무언가에 몸이 짓눌리며 그만 넘어지고 말았다. 눈을 뜨기 전까지 내 몸에 올라탄 것이 무엇인지 한 번에 알아차릴 수 없었다. 그걸 확인하기 위해 눈을 뜬 후에는, 뜨지 말걸 그랬다는 생각을 했다. 그냥 있는 힘껏 밀쳐버리고 뒤도 돌아보지 않고 달릴걸. 그러면 아래턱이 사라진 채 내 위에서 버둥거리고 있던 그것의 모습을 보지 않을 수 있었는데. 그 얼굴을 마주한 이후의 기억은 선명하지 않다. 그것을 어떻게 떼어놓고 달렸는지, 창고에 감겨 있던 자물쇠를 어떻게 풀었는지, 창고 문을 내리치는 것들이 사라지기를 기다리며 그 문을 잡고 어떻게 버텄는지 전부 희미했다.

다시 정신을 차렸을 때 나는 말라비틀어진 고라니 머리가 수북하게 쌓인 창고에 있었다. 신발 한쪽을 잃어버렸고 팔과 손에 누구 것인지 모를 피가 묻어 있었다. 백미러로 나를 보며 고개를 갸웃거렸던 버스 기사가 떠올랐다. 버스 기사는 알고 있었을까. 이 마을에 사람이 아닌 것들이 산다는 걸. 그래서 그곳에 가는 나를 의아하다는 듯이 쳐다본 것일까. 알고 있었다면 왜 나를 말리지 않았을까.

한기를 느껴 무릎을 끌어안았다. 속이 메스꺼웠고 숨 쉬는 게 답답했다. 나는 그런 증상이 잠잠해질 때까지 손가락 하나 움직이지 않았다. 창문으로 들어오는 빛이 전부였던 창고를 가만 바라보다 눈을 감았다.

◇

엄마는 시집오기 전에 번호로 불렸대. 예비 신부 몇 번. 인터넷에 그렇게 이름이 올라가는 거야. 엄마는 327번. 예뻐서 조회수가 가장 높았대. 그러다 아빠가 가장 값을 높게 불러서 온 거야. 그 후에는 한국식에 맞춰 개명을 했지만 그 이름조차 안 불렀어. 혼을 뺏으려고.

혼?

응. 이름을 잊게 해서 정체성을 흐리게 만드는 거야. 이름이 불리지 않는다는 건 결국 내가 누군지 잊게 된다는 거고, 그렇게 되면 자신의 삶을 송두리째 빼앗기는 거야. 뭔지 모르는 것에게. 그럼 이름 없는 몸이 돼.

그쳤다고 생각했던 빗방울이 다시 떨어지기 시작했다. 아직 갈 길이 멀었지만 너는 발걸음을 서두르지 않았다. 등이 축축해졌다.

좀 느리게 걸어.

이미 느린 걸음이었지만 너는 내 주문에 맞춰 더 느리게 걸었다. 그렇게 걷다가는 영영 집에 도착하지 못할 것처럼. 나는 네가 말했던 이름을 잃어버린 몸에 대해 곱씹고 또 곱씹었다. 입안에서 맹맹해져 아무 맛이 느껴지지 않을 정도로. 그렇지만 끝내 삼키지는 못했다.

너무 아플 것 같았어. 소화시키지 못해 토해내고 말 것 같았어. 그러면 그 토사물 속에 몸을 잃은 이름들이 섞여 있겠지. 이름은 분해되는 효소가 없어 썩지 않고 쌓일 거야, 그렇게 수많은 이들의 이름이 쌓인 곳에는 땅이 썩어 괴물을 탄생시키겠지. 그때는 늦었어. 돌이킬 수 없는 지경까지 가버린 거야, 처절하게 울다 몸을 잃은 이름들이 몸을 찾기 위해 달려들 거고 그렇게 죽은 사람들은 괴물처럼 또다시 다른 이의 무언가를 빼앗으려 들 거야. 그러니까 그런 비극이 오기 전에 이곳을 떠나자. 떠나서 우리의 이름을 찾자.

◇

이장은 타지에서 온 사람이었다. 이장은 어느 날 택시를 타고 마을 입구에서 내렸다. 34인치 캐리어와 그에 버금갈 정도로 큰 검은색 천 가방이 이장이 챙겨 온 전부였다. 마을에서 보기 드문, 심지어 출가했다 돌아온 남자가 아닌 사람은 처음이어서 너도나도 외국에서 온 사신을 구경 나온 조선시대 사람들처럼 몰려나왔다. 그렇지만 이장은 외국에서 온 사신만큼 기품 있는 인상과는 거리가 멀었다. 속된 말로 촌마을 깡패 같았다. 내가 보기에는 그랬다. 남색 칼라 티에 검은색 정장 바지를 입고 있었는데 그다지 세련되어 보이지 않았다. 이장은 구경 나온 마을 노인들에게 친절하게 웃으며 제 소개를 올렸다. 앞으로 마을에서 같이 살게 됐다며 잘 지내보자고 말했다. 나중에 알았지만 두 해 전 죽었던 마을 할아버지의 아들이라고 했다. 노인들 말로는 그 할아버지가 서울에 나갔다가 싸질러 놓고 버리고 온 아들이랬다. 할아버지는 혼자 살았으므로 집은 오래도록 방치되어 있었고, 그 집을 되살린 것이 이장이었다. 담배를 뻑뻑 피우며 거미줄을 치우고, 물걸레질하고, 페인트칠을 다시 해 얼추 사람 사는 집의 모습을 갖췄다. 노인들은 그것이 재미있는 연속극이라도 되는 것처럼 집요하게 이장이 집 고치는 것을 구경했다.

이장이 고친 집은 다른 집들과 사뭇 다른 점이 있었는데 그

건 방 창문을 죄다 철판으로 막아두었다는 점이었다. 산으로 둘러싸인 동해안 마을은 밤이 일찍 찾아왔으므로 태양이 뜬 동안 빛을 집에 가둬두어야 했는데 이장은 오후 햇볕이 들어오는 창을 막아둔 것이다. 이장이 나쁜 사람이었을 거라 의심하는 노인은 없었다. 휴대전화도 제대로 터지지 않는 이 마을로 중년의 남자가 살겠다고 찾아왔는데 그것을 의심하는 노인들이 아무도 없었다. 그들은 그저 마을에 힘쓰는 남자가 생겼다는 것을 기뻐했다. 젊은 남자에게 그토록 관대한 마을이었다. 젊은 남자는 직책을 맡고 일을 해야 기가 안 죽는다며 덥석 이장의 자리를 줄 만큼.

나는 이장을 별로 좋아하지 않았다. 그래서 말도 잘 섞지 않았다. 이따금 마주칠 때도 눈으로 힐끔 쳐다보기만 하고 잰걸음으로 빠르게 지나쳤다. 그럴 때면 이장은 내가 시야에서 사라질 때까지 그 자리에 우두커니 서서 나를 쳐다봤다. 그건 내가 이장을 보지 않아도 느낄 수 있었다. 이장은 언제나 께름칙한 분위기를 풍겼다. 그리고 그건 나만 느낀 게 아니었다. 날이 유난히 더웠던 8월 어느 날, 우리 집에서 함께 방학 숙제를 하다 네가 문득 연필을 놓으며 말했다.

그 남자 범죄자 같아.

나는 네가 말한 '남자'가 이장이라는 것을 곧장 알아듣고, 네 뒷말을 기다렸다.

오늘도 긴바지를 입고 있었어.

담장 기와는 손으로 만질 수도 없을 만큼 뜨거웠고, 집들이 창과 문을 열어놓고 선풍기를 틀어놔도 시원해지지 않아 수시로 몸에 찬물을 뿌리던 날이었다. 너는 그런 날에도 이장이 긴 바지를 입고 있다는 게 수상하다고 말했다. 나는 오래 걸리지 않아 네 말을 이해했다. 이장은 바지로 감추고 싶은 게 있는 것일지도 몰랐다. 우리는 언제나 이장의 다리를 주시하고 다녔지만, 이장은 사계절 내내 목이 긴 양말과 밑단이 긴 바지를 입어 결정적인 단서를 찾아내지 못했다. 이장이 아무 죄도 짓지 않았다면 왜 이 깊은 산골까지 찾아와 살기로 한 것일까? 만일 정말 이장이 죄를 저질러 도망쳐 온 것이라면, 왜 죄를 이토록 숨기기 쉽게 만든 것일까.

상자가 있는 곳까지 가야 했고, 그러려면 총이 필요하다고 생각했다. 하반신이 잘리고, 도끼로 손을 내리찍어도 끈질기게 움직이던 이장은 이마가 뚫린 할아버지처럼 머리가 으깨진 후에야 멈췄으니까. 그러니 죽이려면 머리에 구멍을 낼 수 있는 총이 필요했다. 마을에서 총을 가지고 있는 집은 딱 한 집이었다. 네 집. 마당에 있던 그 총뿐이었다. 어쩌면 이장도 그 사람 같지도 않던 사람들을 죽이기 위해 너희 집으로 달려가 총을 쥐었던 것이 아닐까. 그러다 실패한 것이다. 총을 잡았지만 먹히는 속도가 더 빨랐던 거야. 하반신이 다 뜯겨 먹힐 때까지 눈 뜨고 있었을까? 자신의 다리가 먹히는 걸 보고 있었을까? 사람들이 왜 자신의 다리를 먹고 있는지 이유는 알았을까? 그런 것들이 궁금했다.

거기까지 생각을 마치고 움직이기 위해 몸을 일으키자, 땅바닥이 요동치며 사물이 제멋대로 구부러졌다. 다급하게 벽을 짚었지만 버티지 못하고 주저앉았다. 머리를 감싸 쥐었다. 눈을 감았다. 땅이 움직이는 듯한 어지럼증은 눈을 감은 상태에서도 지속되었다. 몸은 균형을 잃고 흔들렸다. 머리를 숙여 몸을 둥글게 말았다. 그래야만 땅의 흔들림을 최대한 덜 느낄 수 있었다. 정말로 땅이 움직이는 것은 아닐까 생각했다. 하필이면 도망친 곳이 살아 있는 것들의 목을 따고 생살을 가르는 집이었던 곳이라, 그토록 많은 피가 스며들었으니 이 창고에 저주가 걸려 있을지도 모른다.

검게 변한 널빤지에서는 비린내가 풍겼다. 긴 시간 동안 수없이 축적된 피가 삭은 냄새였다. 역한 냄새에 머리가 더 아파왔지만 고개를 들 수 없었다. 바닥은 여전히 파도처럼 출렁거렸고 누군가 대못을 박고 있는 것처럼 머리로 둔탁하고 강한 통증이 덮쳐왔다. 나는 구명조끼도 입지 않은 조난자였다. 배는 금방이라도 뒤집힐 듯했다. 내가 할 수 있는 일이라고는 이 거센 파도가 잠잠해지기를 기다리는 것뿐이었다. 깨질 듯한 머리를 움켜잡고 잔뜩 웅크려서는 잠잠해져라, 잠잠해져라,

하고 중얼거렸다.

흐르고 있다. 혈관을 타고. 그것은 분명히 '피'겠지만 여태껏 피의 흐름을 이렇게 생생하게 느낀 적은 없었다. 차갑다. 심장을 통과한 차가운 피가 온몸의 혈관을 지날 때마다 얼얼하게 아파 왔다. 빳빳해진 혈관들은 당장이라도 끊어질 것 같았다. 몸이 으슬으슬 떨렸다. 창고의 냉기가 고스란히 느껴졌다. 얼음 인간이 끌어안고 있는 것만 같았다. 그것은 내가 몸을 웅크리면 웅크릴수록 겨드랑이를 더 파고들었다. 얼음 인간이 녹으며 생긴 물이 내 몸을 축축하게 적셨다. 머리카락과 옷이 젖을 정도로 땀이 흘렀다. 아무것도 할 수 없어 숨만 쉬었다. 이마를 바닥에 처박고 있다가 몸을 옆으로 뉘었다. 무릎을 가슴 가까이 끌어 올렸다. 덮을 수 있는 것이 하나만 있었으면 좋겠다고 생각했다. 따뜻하게 몸을 감쌀 수 있는 무언가가.

아, 언니의 집이었다면 얼마나 좋을까. 두껍고 포근한 이불을 덮고 따뜻한 방바닥의 열기를 느끼며 누워 있고 싶었다. 그렇게 한숨 푹 자고 나면 이 모든 고통이 사라져 있을 것이고, 언니가 해준 파스타나 리소토를 먹으며 드라마를 보겠지. 나는 그 장면을 머릿속으로 되풀이했다. 틈을 노려 파고드는 쓸쓸함까지 끌어안으며 따뜻한 언니의 집을 상상했다. 그 상상 속에서 소리가 사라지고, 온기가 사라지고, 빛이 사라질 때까지 집중했다. 모든 게 까맣게 변할 때까지.

그 드라마는 죽은 동생을 위해 자신의 삶을 포기하고 복수

하는 언니의 이야기를 담았다. 따돌림에서 비롯되어 심한 폭력을 당했던 동생이 스스로 목숨을 끊은 뒤, 동생의 일기장을 통해 모든 진실을 알게 된 언니가 가해자들을 찾아가 동생이 기록한 대로 똑같이 갚아주었다. 드라마가 시작할 때 잔인한 장면이 자주 나오므로 시청 시 주의가 필요하다는 안내 문구를 먼저 보여줬지만 장면 중 잔인한 장면은 보이지 않았다. 진짜 잔인한 건 겉으로 드러나지 않았다. 사람들은 진짜 잔인한 것이 무엇인지 잘 모르는 게 분명했다.

드라마를 보던 언니는 이따금 눈물을 훔쳤는데 나는 언니가 우는 이유를 알고 있었다. 그래서 언니에게 울지 말라고 할 수 없어, 조용히 휴지만 옆에 가져다 놓았다. 언니는 언니를 잃었다. 언니는 동생을 잃은 드라마 속 언니처럼 언니의 언니를 잃었다. 교복을 처음 입었던 열네 살에.

언니가 기억하는 언니의 언니는 기이했다.

언니는 이름을 불러도 어느 순간부터 반응하지 않았어. 이름을 모르는 사람 같았어. 나는 막연하게 언니가 잘못되어가고 있다는 걸 느끼고 있었지. 그래서 언니를 부를 때 가끔 소리를 질렀어. 아파트에 살았는데 아침이고, 밤이고 상관없이 언니가 반응해주기를 바라면서 악에 받친 비명을 질렀어. 하지만 동네 사람들이 다 깨고 윗집 아랫집 앞집에서 사람들이 시끄럽다고 찾아오는데도 언니만은 반응하지 않았어. 나는 정말 미쳐버리는 줄 알았어. 이미 다른 세계에 가 있는 사람 같았거든. 차원이 달라서 내 목소리가 들리지 않는 거야. 나와 함께 있음에도 다른 곳에 가 있는 사람을 옆에 두는 기분은 정말 끔찍해. 언니를 보고 있는데도 언니가 보고 싶었으니까.

그럼 언니도 복수하고 싶겠네요.

나는 언니가 망설이지 않고 그렇다고 대답할 줄 알았다. 하지만 언니는 잠깐 고민하고 아니라고 고개를 저었다.

왜요?

묻고 나서 조금 바보 같은 질문이었다고 생각했다.

언니의 삶을 내 삶으로 끌어들이고 싶지 않거든.

언니는 그만 자라며 나에게 두꺼운 이불을 덮어주었다. 그런데도 추웠다. 나는 몸을 잔뜩 웅크리며 춥다고 중얼거렸다. 언니는 보일러를 더 올려야겠다며 자리에서 일어났다. 그게 아닌데. 어디서 바람이 불어오고 있다. 꽉 닫힌 창문을 뚫고 찬 바람이 불고, 역한 냄새가 풍겨오고 있다. 눈을 감고 싶지 않았다. 다시 떴을 때 마주할 현실을 이미 알고 있었다. 꿈에서 깨어나고 싶지 않았다. 그냥 이대로 영원히 꿈에서 살아도 될 것 같았다. 하지만 언니가 내 어깨를 흔들었다.

일어나! 언니는 자신의 언니를 부르는 것처럼 큰 비명을 질렀다.

두 눈을 번쩍 떴다. 나는 창고에 누워 있었고, 온몸이 땀에 흠뻑 젖어 있었다.

메스꺼움은 좀 가라앉았으나 막이 씌인 것처럼 시야가 흐렸다. 눈을 몇 차례 깜빡거리다 손으로 벅벅 문질렀다. 그제야 답답했던 시야가 선명해지며 말라비틀어진 고라니 머리와 짐승을 썰고 묶을 때 필요한 기구들이 눈에 들어왔다. 톱과 면적이 넓은 칼, 망치, 그 외에도 크기가 제각각인 칼과 검들이 얼룩덜룩한 자국이 남은 밧줄에 걸려 있었다. 창문 밖으로 본 하늘은 아직 환했다. 정오가 조금 지난 시각일까. 어쩌면 더 지났을지도 모른다. 어쨌거나 이곳의 밤은 순식간에 찾아왔으므로 되도록 빨리 움직여야 했다.

자리에서 일어나기 전에 바깥 기척을 살폈다. 혹시나 내가 움직이는 소리를 듣고 그것들이 창고 문을 들이받는다면 문이 오래 버티지 못하고 무너질 것 같았다. 귀를 문에 바짝 붙여 바깥 소리를 들었다. 발걸음 소리도, 고라니가 내는 것 같은 울음소리도 들리지 않았다. 고요했다. 숲에서 불어오는 바람 소리만 칼날이 스치는 것처럼 들려올 뿐이었다. 나는 상체를 더 숙여 창고 밑에 난 틈으로 눈을 들이밀었다. 바깥에 아무도 없다는 것을 확인한 후에야 몸을 일으켰다. 현기증이 도졌다. 넘어지지 않기 위해 문을 부여잡았다. 문이 철컹철컹 흔들렸고, 어깨가 아팠다. 그제야 오른쪽 어깨가 짐승 발톱에 긁힌 것처럼 상처가 난 것을 발견했다. 반대편 손으로 오른쪽 어깨를 훑었다. 그사이 피가 굳었는지 손에는 진득하게 검붉은 점액 같은 것이 만져졌다. 언제 다친 것인지를 곰곰이 생각하다 내 위에 올라탔던, 아래턱이 사라진 그것을 떠올렸다. 그것이 나를 물었던가. 기억나지 않는다. 그 순간에는 어떤 고통도 느껴지지 않았고 오로지 그것의 무게만 느꼈을 뿐이다. 상처에 관한 생각은 그만두기로 했다. 치료가 시급한 상처가 아니었다. 출혈이 많지도 않았고 무엇보다 이 창고에는 생명을 치료하고 살릴 수 있는 장비가 하나도 없었다. 여기는 오로지 죽음만이 가득했다.

손때가 묻어 있는 장비 중 내가 잡은 것은 망치였다. 톱은 휘두르기에 위협적이지 않았고 칼은 손잡이가 너무 짧았다. 달려드는 사람들의 머리를 내리치기 위해서는 망치가 가장 적격이었다. 더 챙길 것이 없을까 싶어 주위를 살펴보다, 문득 커다란 원목 책상에 딸린 서랍장을 열었다. 그 속에는 고라니탄 네 개가 들어 있었다. 고라니탄을 전부 주머니에 넣었다. 차례로 서랍을 더 열었지만 쓸 만하거나 특별한 것은 보이지 않았고, 맨 마지막 칸은 쓰레기로 가득 차 있었다. 몸을 일으키던 나는 도로 바닥에 손바닥을 짚고 고개를 숙였다. 순간 무언가가 보였다. 마지막 칸과 바닥 사이. 컴컴한 블랙홀처럼, 시간의 여백처럼 어떤 기능도 하지 못하는 그 공간에 네 명찰이 있었다. 언제였더라. 언제 잃어버렸었는데. 그래서 살구색 스타킹만 신어 다리가 새빨갛던 그 엄동설한에 네가 오래도록 교문에 서 있었어야 했는데.

창고 앞에는 역시나 아무것도 없었다. 가장 먼저 휴대전화를 찾을 생각이었다. 그러려면 유골함이 든 상자가 있는 곳까지 가야만 했다. 휴대전화를 쥐고 곧장 마을을 빠져나갈 수 있으면 좋겠지만, 버스가 언제 올지 알 수 없었고 입구를 지나면 허허벌판이었기에 또 누군가 쫓아온다면 정말 숨을 곳이 없었다.

한 발자국을 내딛자마자 잠잠해졌다고 생각했던 메스꺼움이 순식간에 몰려왔다. 땅이 또 요동쳤다. 기댈 곳이 없어 결국 주저앉아 두 손으로 땅을 짚었다. 참을 수 없는 어지럼증과 메스꺼움에 결국 속을 게워냈다. 쌀죽 같은 것들이 쏟아져 나오다가 이내 점성 짙은 노란 액체가 나왔다. 참았다 쏟아내는 것처럼 위를 쥐어짠다거나 속이 뒤틀리는 고통은 느껴지지 않았다. 그저 여전히 눈앞이 핑핑 돌았고, 속이 메스꺼웠으며, 입을 벌리면 속절없이 토사물이 쏟아져 나왔다. 그러는 와중에도 제멋대로 구부러지는 길을 응시했다. 무언가 다가올까 봐 두려웠다. 이 상태라면 일어나는 것도 힘들었다. 하지만 속이 진정되고 어지럼증이 사라질 때까지도 길은 적막했다. 나는 무릎을 쥐고 일어나 숨을 천천히 몰아쉬었다. 시선을 저 멀리 있는 가로등에 고정한 채 걸었다.

논길이 끝나고 너희 집이 보였다. 너희 집 대문에는 머리에 도끼가 찍힌 채 죽어 있는 이장이 그대로 있었다. 나는 이장을 먼발치에서 지켜보다 근처에서 돌멩이 하나를 주워 이장을 향해 던졌다. 돌은 정확하게 이장의 머리에 맞았다. 움직임이 없었다. 나는 또 하나를 주워 아까보다 더 세게 던졌다. 이번에도 돌은 이장의 머리에 맞았고, 역시나 아무 반응이 없었다. 죽었구나. 비로소. 하반신이 다 먹혀도 살아 움직이던 것이 이제야 진정 죽은 것이다.

마당에 있던 총을 들었다. 노리쇠를 당겼다가 놓으며 장전된 탄환을 확인했지만 한 발도 들어 있지 않았다. 나는 주머니에 가지고 온 고라니탄 세 개를 총에 넣었다. 한 번에 넣을 수 있는 탄환의 개수가 최대 세 발이었다. 마지막 한 발은 주머니에 도로 넣었다. 총을 지지대 삼아 몸을 일으켰다. 정말로 쏠 수 있을까. 지금껏 쐈던 것이라고는 나뭇가지에 걸려 빙글빙글 돌아가던, 쌀과 서리태가 가득했던 인형뿐이었는데. 그 인형은 언제나 누군가를 대신했지만 어쨌든 몸이 잘려봐야 쌀과 서리태뿐이지 않았던가. 머리가 지끈지끈 아파 왔다. 사람을 죽일지도 모른다는 공포심이 덮친 것인지 아니면 다른 이유의 두통인지 구분되지 않았다. 이럴 줄 알았으면 너에게 총 쏘는 법을 더 많이 배워둘 걸 그랬다.

고개를 들면 네 방이 보일 것이다. 내가 잘못 본 게 아니라면 네 방 창으로 네가 보일 것이다. 하지만 네가 그곳에 있는 이유를 알지 못하는 나는, 그저 무섭다. 땅에 묻혀 있어야 할 네가 다시 네 방에 있다는 것이. 네 방 창문을 향해 걸었다. 이름을 부르고 싶었지만 혹시나 누군가 들을까 봐 쉬이 소리를 내지 못했다. 그래서 아무 소리도 나지 않는 입술을 열심히 뻐끔거리며 너를 불렀다. 너는 단 한 번도 내 부름을 듣지 못한 적이 없다. 네 아비가 깨지 않도록 담장 너머로 속삭이듯 네 이름을 불렀을 때도, 책상에 엎어져 자는 너를 물끄러미 바라보다 입술만 움직이듯 바람 소리를 섞어 네 이름을 불렀을 때도, 저 멀리 운동장 끝에서 나를 기다리고 있을 때도, 이곳을 빠져나가겠다고 차도로 뛰어들었을 때도 너는 희미한 내 목소리를 놓치지 않았다.

창문에 손을 얹었다. 손가락을 구부리면 네 뒤통수를 만질 수 있을 것 같았다. 그러니까 그건 네가 맞았다. 창문을 등지고 앉아 있는 사람은. 숨을 뱉을 때마다 창문이 뿌옇게 서리는 탓에 네 모습이 흐려졌다가 선명해지기를 반복했다. 손가락으로 창문을 두드렸다. 고개가 어렴풋이 움직였지만 너는 소리의 근원을 찾을 수 없다는 듯 주변을 조금 둘러보다 말았다. 나는 검지 손톱으로 다시 창문을 두드렸다.

네가 나를 향해 고개를 돌렸다. 너는 희멀건 입술과 뿌연 눈동자로 나를 쳐다보았다. 어떤 질문에도 답이 나오지 않았지만 어떤 답이든 상관없었다. 그저 네가 내 어깨를 파먹는다고 해도 괜찮을 거 같았다. 아프지 않을 거 같았다. 나는 견딜 수 있을 것 같았고, 그런 너와 함께 드디어 이 마을을 나갈 수 있다는 얕은 상상을 했다. 그 상상에서 나를 끄집어낸 건 바깥에서 들린 바퀴 소리와 짧게 울린 사이렌 소리였다. 순찰차 소리였다.

◇

너는 새벽 4시 50분, 동이 트는 시간에 맞춰 태어났다. 마을을 빠져나가기 위해 짐을 싸던 엄마가 들었던 힘찬 울음소리는 네가 태어나며 지른 비명이었다. 엄마는 들리지 않는 척 짐을 쌌지만, 그 울음이 꼭 자신을 부르는 것 같았다고 했다. 네 딸을 위해 내가 왔노라고. 엄마는 결국 울음소리를 쫓아 걸음을 옮겼다. 그 집 앞에는 이미 아기 울음소리를 듣고 온 노인들로 바글거렸다. 엄마는 노인들을 헤치고 집으로 들어갔다. 네 엄마는 혼수상태였다. 탯줄을 자르고, 119에 연락을 하고, 주변을 치우는 일은 전부 내 엄마의 몫이었다. 엄마는 구급대원이 하는 말을 빠짐없이 알아들었고, 응급조치를 하며 구급차가 오기를 기다렸다. 엄마는 네 엄마와 말을 살갑게 나누던 사이도 아니었고, 의학적 지식이 전혀 없었으며, 말이 빠른 한국 사람의 말은 대체로 알아듣지 못함에도 그 순간 본능처럼 모든 말을 알아들을 수 있었고 시키는 대로 일을 신속하게 끝냈다고 했다. 엄마는 그때를 떠올릴 때마다 자신이 그렇게 차분할 수 있었음에 놀라고는 했다. 네 엄마는 내 엄마가 살렸다. 그때부터 네 엄마는 내 엄마를 언니라고 불렀다.

엄마는 언니 소리를 좋아했다. 한국말의 '언니'는 어쩐지 끝 글자가 길게 늘어지는 느낌이라 귀엽다고 했다. 엄마가 떠나지 않은 이유는 전부 너와 네 엄마 때문이었다. 엄마는 네 엄마의 언니가 되어주고, 너와 나는 사촌이나 자매가 되면 되겠다고 생각했다. 그러면 이곳에서도 서로 의지하며 버틸 수 있을 거라 믿었다.

나는 울지 않았는데 너는 울었다. 너는 목젖이 보일 정도로 쩌렁쩌렁 울었고, 네 울음소리를 밖에서 듣던 마을 노인들은 아들이 태어났다며 좋아했다. 하지만 네 가랑이 사이에 고추가 없는 걸 알게 되자, 노인들은 실망한 기색을 감추지 못하더니 못 볼 걸 봤다는 듯 혀를 차며 고개를 돌렸다.

너는 나보다 늦게 태어났지만 말하는 것도, 걷는 것도 전부 나보다 빨랐다. 그 시절은 내가 기억하지 못하는 시절이었으므로 엄마의 말을 믿을 수밖에 없었는데, 나는 맘마라는 옹알이도 하지 않다가 네가 맘마, 하면 그 말을 따라 했다고 했다. 네가 말을 하면 따라 말을 하고, 네가 울면 따라 울고, 네가 엎드리면 따라 엎드리고, 네가 기어가면 아등바등하다가 따라 기었다. 엄마는 네가 나를 길렀다고 말했다. 말 그대로 나는 너를 보고 자란 것이다.

우리는 이 마을의 유일한 아이였지만 언제나 노인들 눈 바깥에 있었다. 다행이었다. 노인들이 주시하고 있었다면 우리는 더 일찍 이 마을을 떠났을지도 모른다. 우리에게는 하지 말아야 할 금기 사항이 많았지만 암암리에 모든 짓을 다 저지르고 다녔다. 우리는 꼭 모험가 같았고 선구자 같았고, 때때로 음모를 꾸미는 암살자 같았다. 이 마을에 엄청난 저주가 걸려 있어. 우리가 그 저주를 푸는 거야. 그렇게 노인들을 구하자……. 우리의 모험은 일찍 깨졌다. 네가 밥을 챙겨 줬던 고양이가 전봇대 아래에 죽어 있는 걸 발견했던 날을 기점으로. 우리는 더 이상 저주 걸린 마을을 구원할 영웅이 아니었다. 우리는 죽은 고라니를 묻었고, 개장수에게서 사 온 개를 한밤에 몰래 풀어줬으며 누군가의 비명이 들리는 집 창문에 돌을 던지는 게 다였다.

너는 어디서 무엇을 듣는지 언제나 가보지 않은 세상에 대한 이야기를 많이 알았다. 오사카에 가면 라멘을 먹어야 한다는 것이나 상하이 야경이 아름답다는 것, 파리에 가면 바게트를 꼭 먹어야 하는데 그 바게트가 우리나라에서 먹는 것과는 비교할 수 없을 정도로 맛있다는 것을 말이다. 너는 모든 이야기를 꼭 겪은 것처럼 말하는 재주가 있었다. 나는 그런 이야기를 들을 때마다 오사카와 상하이, 파리에 있는 너를 상상했다. 그 도시들이 정확히 어떻게 생겼는지도 모르면서.

우리는 함께 가고 싶은 나라와 도시를 노트 한 권에 정리했다. 그 노트는 우리 둘의 버킷 리스트였다가 나중에는 교환 일기가 되었다. 우리는 거기에 말할 수 없고 입 밖으로 꺼낼 수 없는 단어들을 거침없이 적었다. 나는 일기장에 무언가를 적을 때마다 해방감과 해소를 느꼈는데 너도 그랬을까. 물어본 적은 없었지만 아마 그랬으리라 확신한다. 그리고 우리는 거기에 살인 계획도 짰다. 몇 월 며칠 몇 시에 네 아비를 어떤 방

식으로 죽일지에 대해. 네가 먼저 계획을 써놓으면 내가 그 계획에 흠을 잡는 식이었다. 네가 '창고에 있을 때 문을 막고 불을 지른다'라고 써놓으면 나는 거기다가 '그러다 산에 불이 옮겨붙으면?'이라고 남겨놓았다. 그렇게 수십 가지의 살인 계획을 세웠다. 우리는 실수를 용납할 수 없었다. 아주 작은 실수로 네 아비가 죽지 않고 산다면 우리를 가만두지 않을 테니까.

그 노트는 마지막 장을 남겨두고 불에 탔다. 네 아비가 그걸 보고 짐승의 사체를 태우는 드럼통에 던졌기 때문이었다. 다행히 네 아비는 노트를 유심히 살피지 않았다. 그저 노트 초반에 적힌 버킷 리스트와 너와 내가 나눈 일기를 보며 어린애가 벌써부터 까져서 쪽팔리다는 말을 했다고 들었다.

마지막 장에 무슨 계획을 쓰려고 했어?

너는 대답하기를 망설였다.

말 안 해줄래.

왜?

그냥. 네가 실망할 것 같아서.

우리는 그날도 버스 정류장에 앉아 있었고, 나는 네 말을 곱씹으며 신발 끝으로 모래를 쓸어 모았다. 하지만 아무리 생각해도 네가 어떤 말을 내뱉든 너에게 실망할 것 같지 않았다.

실망 안 해.

너는 그런 나를 보더니 입술 선이 얇아지도록 웃었다. 그리고 얼굴을 불쑥 들이밀었다. 나는 놀라 고개를 뒤로 조금 뺐다.

나는 죽어서도 마을 사람들에게 복수할 거야. 강시처럼 무덤을 파헤치고 나와서 온 마을에 불을 지르거나 한 명, 한 명 다 찔러 죽일 거야. 저 인간들이 나보다 먼저 죽어도 무덤에서 시체를 다 끄집어내서 길바닥에 버릴 거야. 그리고 새들이 쪼아 먹을 수 있게 돼지 사료를 잔뜩 뿌려놓을 거야. 이래도 실망 안 해?

왜일까. 써놓으면 잔인한 말일 텐데 네 목소리로 듣는 말은 하나도 잔인하지 않았다. 그 차이를 알 수가 없다. 나는 고개를 저었다. 점점 세차게 저으며, 하나도 잔인하지 않다고 말했다. 너는 그런 나를 보고 장난이야, 하고 어깨를 퍽 치며 웃었다가 갑자기 울기 시작했다.

나는 어느새 노트를 가득 채웠던 우리의 비밀 일기를 까먹었다. 아무리 애를 써도 도통 네가 어떤 말을 적어놨는지가 기억나지 않았다. 나는 가장 잊고 싶지 않았던 사람의 모든 것을 조금씩 잊어가는 중이었다. 해가 지날수록 너는 더 빛바래질 것이다. 너와 나누었던 이야기를 잊고, 네 목소리를 잊고, 네 얼굴을 잊고, 그렇게 끝내 네 이름을 잊게 될까 봐 두려웠다. 내가 아니면 너를 누가 기억해주지? 태어났지만 누구에게도 기억되지 못하고 죽으면 그건 태어났다고 말할 수 있을까? 왜 어떤 사람은 태어난 것조차 잊혀질까. 그게 왜 너여야 했을까. 나는 여전히 모르겠다. 너를 살릴 수 있었던 수억 개의 가능성이 매일 밤마다 소리 없이 파묻혔다.

◇

순경은 차 문을 크게 닫았고 마을 어르신들을 불렀다. 나를 바라보고 있는 너는 아무런 미동도 하지 않았지만 바깥 소리가 들리자마자 너희 집 현관문이 덜컹거리며 흔들렸다. 나는 창문에서 몇 발자국 떨어져 현관문을 응시했다. 순경은 또다시 어르신, 이장님, 하고 소리쳤다. 현관문은 아까보다 더 큰 기세로 흔들렸고 그 안에서 고라니 울음소리가 들렸다. 나는 현관문에서 더 멀어지다 뒤돌았다. 순경의 입을 틀어막아야 했다. 이번에는 경적이 울렸다. 사람을 부르기 위해 경적을 짧게 때리는 소리였다. 나는 엎어져 있는 이장을 밟고 지나가 순찰차가 있는 골목을 향해 뛰었다. 마을 회관으로 갔을 것이다. 그곳에 늘 마을 주민들이 몰려 있었으니까. 너희 집에서 마을 회관으로 가려면 세 집을 지나 좌측 골목으로 꺾어야 했다. 달려가면서도 주위를 계속 살폈다. 쫓아오는 것은 아무것도 없었다. 골목에서 몸을 틀었다. 순찰차 한 대와 두 명의 순경이 보였다. 한 명은 잘 아는 순경이었고 다른 한 명은 처음 보는 순경이었다. 그때 그 어린 순경이 아니었다. 왜 그 순간 다행이라고 생각했을까. 누굴 걱정할 처지도 아니면서.

그때 또다시 머리가 깨질 듯한 두통을 느끼며 자리에 주저앉았다. 이번에는 메스꺼움을 느끼기도 전에 입에서 검은 덩어리가 저항 없이 쏟아졌다. 이봐요, 하고 부르는 소리가 들렸다. 고개를 들었다. 땅이 기울어져 있는 것인지 내 몸이 기운 것인지 그것도 아니면 순경이 옆으로 걷고 있는 것인지 구분되지 않았다. 순경이 나를 향해 다가오는 것이 보였다.

저기요. 괜찮아요? 119 불러드려요?

순경은 문득 걸음을 멈추며 삿대질을 했다.

거 총은 뭐요? 소지증 있어요? 예?

너희 집을 드나들었던 그때 그 순경이었다. 그래놓고 나를 알아보지 못하는 것처럼 굴었다. 순경은 당장 나를 연행하려는 것처럼 뒷주머니에서 수갑을 꺼냈다. 순경은 종종 네 아비를 찾아와 소지증을 확인하고 잘 보관하고 있는지를 확인했으므로 총기의 소유자를 다 알고 있을 것이다.

나랑 같이 좀 갑시다.

순경 뒤로 달려오는 사람들이 보였다. 이번에도 진짜 사람은 아니었다. 도망가라고 말하고 싶은데 힘이 빠져 목소리가 제대로 나오지 않았다. 운전석에 있던 순경의 동료를 향해 그것들이 달려든다. 뜯는다. 질긴 살점이 속절없이 떨어져 나간다. 피가 아래로 흘러 웅덩이가 만들어진다. 아직 그것들의 정체를 모르는 순경은 화를 내며 다가가고, 도와줘야 하는데 내 몸이 말을 듣지 않았다. 손이 떨려 레버를 제대로 잡지도 못했다. 그러는 사이 순경이 하늘을 향해 한 발의 공포탄을 날리며 당장 떨어지라고 소리쳤다. 그것들은 총이 무엇인지 모른다. 짐승도 총소리를 알아듣고 피하는데. 그러니 그것들은 짐승보다도 못한 존재가 되어버린 것이다.

총소리가 깨운 것은 내 정신이었다. 나는 레버를 밀었다가 놓으며 총대를 붙잡아 올렸다. 개머리판을 어깨에 붙이고 몸과 수평이 되도록 힘을 주었다. 순경도 더는 보고 있을 수 없었는지 동료를 물어뜯고 있는 그것들을 향해 실탄을 발사했다. 순경이 쏜 총알은 그것들의 어깨와 몸에 맞았다. 아니, 거기가 아니다.

머리를 맞추라고 소리쳤다. 순경은 공포와 당황스러움이 뒤섞인 얼굴로 나를 쳐다봤다. 나는 다시 한번 머리를 쏘라고 소리쳤다. 순경은 손을 덜덜 떨면서도 방아쇠를 당기지 못했다. 순경이 계속 망설이는 사이 땅을 기어온 그것이 순경의 다리를 붙잡았다. 나는 그것의 머리를 조준했다. 손이 떨려 가늠쇠 끝부분이 머리와 허공을 심하게 오갔다. 미간에 힘을 주고 개머리판을 어깨에 더 밀착시키며 손에 힘을 주었다. 그제야 조금씩 가늠쇠가 그것의 이마와 눈 사이를 오갔다. 나는 표적이 되는 그것의 이마만을 주시하며 망설이고 있는 순경에게 소리쳤다.

머리를 쏘라고요!

방아쇠를 당겼다. 발사된 총알은 다행히 그것의 머리를 관통했다. 그것은 두 눈을 뜬 상태로 엎어졌다. 순경은 권총을 쥔 자세로 굳어 있었다. 천천히 시선을 옮기자, 반대편에는 바닥에 엎어진 것들과 볼 살점이 다 뜯겨 치아가 고스란히 드러난 순경의 동료가 있었다. 동료는 자신의 뺨을 만지다가 소리치며 울었다. 동료는 아직 모르는 듯했다. 자신의 왼쪽 팔이 전부 뜯겨 살점이 너덜거린다는 것을. 동료는 쇼크가 온 것처럼 덜덜 떨며 안절부절못하더니 돌연 순찰차 밖으로 나와 담벼락에 머리를 박았다. 그리고 방언을 터트렸다. 순경은 뒤늦게야 정신을 차리고 무전기를 찾기 위해 순찰차 안으로 들어갔다. 동료는 고개를 이리저리 움직이며 눈을 까뒤집고 괴로워하다 고개를 뒤로 꺾었다. 목뼈 부러지는 소리가 들렸다. 척추와 목을 뒤로 꺾으며 고통에 몸부림치는, 방금까지 사람이었던 것을 봤다. 동료는 발작이 일어난 것처럼 사지를 뒤틀고, 목에 핏줄을 세우며 고통스러워하다가 돌연 잠잠해졌다. 죽었을까. 하지만 동료는 몇 초 지나지 않아 몸을 일으키더니 순찰차 안으로 뛰어들었다.

아니라고 몇 번을 말해요.

너한테 안 물어봤다.

내가 봤다고요. 저 아저씨가 돌로 머리 치는 거 봤다니까요.

너한테 안 물어봤다니까 어린 게 어디를 자꾸 끼어들어.

그딴 식으로 굴 거면 왜 오는데!

내 고함에 순경이 자리에서 일어났다. 손을 들어 올렸다가 한숨을 푹 쉬며 내려놓았다. 그러다 기가 막힌 듯이 웃으며 손가락으로 내 이마를 툭툭 밀쳤다.

아저씨도 다 알아. 아저씨 눈에 다 보인다니까. 그러니까 괜히 어른들 일에 끼어들지 말고 집에 가라.

순경의 말이 맞는다. 순경은 다 안다. 그러니 순경은 다 알고 있으면서 사실을 왜곡하고 있다. 네 아비는 늘 입고 있던 러닝셔츠 위에 검은색 외투를 걸쳐 입고는 연신 고개를 숙였다.

바쁘실 텐데 별일 아닌 거로 애 친구가 신고했네요. 아니 어제 마당 물청소를 했는데 날이 추워서 다 얼었지 뭡니까. 거기에 애가 미끄러졌는데 그만 돌에 머리를 좀 찍혀서. 오해할 만했죠.

어쩌면 네 아비는 정말로 그렇게 믿고 있는지도 모른다. 자신이 보고 싶은 대로 세상을 바라보고, 자신이 생각한 대로 모든 일이 일어났다고 세상을 믿어버리는 것이다. 아, 그렇게 되면 또 눈의 문제만이 아니겠구나. 내가 그 뻔뻔한 거짓말에 주먹을 꽉 쥐고 떨고 있을 때, 너는 다친 엄마 옆에 붙어 앉아 있다가 갑자기 자리에서 일어났다. 말없이 움직이는 너의 동태를 살피는 순경에게 너는 보란 듯이 마당 한가운데에 무릎을 꿇고 앉아 느닷없이 땅에 머리를 박았다. 세게, 몇 차례씩. 나는 너를 말렸지만 너는 기어코 네 이마에 피를 냈다. 그리고 돌하나를 쥐고 일어나 순경에게 다가갔다. 아무 표정 없이 다가간 너는 순경을 향해 돌을 쥔 손을 올렸다. 순경은 반사적으로 팔을 올려 얼굴을 가렸다.

넘어지면 나처럼 이마에 생겼겠지. 때렸으면 이마가 아니고 머리통에 상처가 났을 거고. 당신처럼 팔로 얼굴을 가렸을 테니까.

너는 들고 있던 돌을 던졌다. 순경은 어정쩡하게 들고 있던 팔을 내렸다. 너는 그래도 뒤돌아 네 엄마에게 다가갔다. 옆 머리카락이 피로 뒤엉켜 있는 아주머니의 머리를 살피다가 손을 잡고 일어났다. 순경에게 다가가 말했다.

할 거 없으면 구급차나 불러주세요.

하지만 구급차를 불러준 것은 순경이 아니고 내 엄마였다. 구급차는 오래 지나지 않아 마을에 도착했고, 너는 네 엄마와 함께 구급차를 탔다. 모여 있던 마을 주민들은 상황이 끝나자 드라마가 끝난 것처럼 시시해진 얼굴로 등을 돌렸다.

너도 쏴볼래?

너는 가늠쇠를 실눈으로 보고 있다가 내게 물었다.

아니, 관심 없어.

나는 고개를 저었다.

너 계속 쏴.

나도 관심 없어.

너는 곧장 총을 놓으며 대꾸했다. 그런 네 모습에 서운해진 것은 나였다. 너는 총을 잘 쏘면서 늘 총 쥐는 것 자체에 별 감흥이 없는 것처럼 굴었다. 나는 네가 왜 그러는지 알 것 같았다. 언젠가 너는 총을 쥘 때마다 네 아비와 자신이 비슷해 보인다고 말했었다. 흘러가듯 뱉은 말이었지만 그 이후로 너는 점점 총 잡는 횟수를 줄여갔다. 너는 무서운 걸까? 네 아비처럼 자라게 될까 봐. 아무리 발버둥 쳐도 결국 그 양분을 먹고 자라 똑같은 형태의 가시가 돋게 될까 봐. 그럴 리가 없는데. 내 손에 장을 지지든, 내 성을 갈든, 그 어떤 걸 내걸어도 나는 네가 네 아비처럼 되지 않을 거라고 확신할 수 있었다. 그래서 나는 네가 총을 계속 쥐었으면 했다. 총을 쥐고 있을 때 네가 얼마나 멋있는지 잘 몰라서 그러리라.

너 잘 쏘잖아.

내 칭찬에 머쓱해졌는지 너는 되지도 않게 겸손을 떨었다.

이거 그냥 폼만 잡는 거야.

원래 폼이 멋있으면 되는 거랬어. 너 멋있어.

너는 내 말에 헛기침을 하다 고개를 돌렸다. 네 목덜미와 귀가 빨갛게 변했는데 노을 때문에 그런 건지 부끄러워 그런 건지 확실하지 않았다. 너는 얼마 지나지 않아 자리에서 일어나 내게 다가오며 말했다.

지난번에 엄마가 집에 있는 총알을 다 버렸거든?

왜?

아빠가 술 마시고 진짜 쏠 것 같다고. 우리 아빠가 술만 마시면 이게 보물인 것처럼 걸레로 닦거든. 가끔 심심하면 조준도 해. 총알이 안 들어 있는 거 알면서도 그러면 섬뜩해.

그렇긴 하겠다.

그러니까 너도 한번 쏴봐. 가르쳐줄게.

갑자기 왜 얘기가 그렇게 가?

사냥은 둘이 하는 게 좋대.

너는 내게 총을 넘겼다. 나는 망설이다 총을 건네받았다.

총은 견착이 제일 중요해. 오른손으로 여기를 잡고 왼손은 여기를 잡아.

나는 네가 시키는 대로 손잡이와 총대를 붙잡았다. 그리고 네가 하던 동작을 떠올리며 어설프게 총을 올렸다. 내 자세가 어정쩡하다는 것은 거울을 보지 않아도 알 수 있었다. 그런 나를 보고 네가 웃었다면 창피해서 그만하려고 했는데 너는 웃음기 없는 얼굴로 진지하게 자세를 바로잡아주었다.

볼까지 개머리를 올려서 붙여야 돼. 총을 따라 고개를 숙이는 게 아니라. 그리고 개머리판을 어깨에 딱 붙이는 거지. 그럼 팔과 시선, 그리고 총열이 수평이 돼.

자세는 한결 수월해졌다. 네가 손끝으로 총구 끝을 툭툭 치며 말했다.

고정된 물체를 쏠 때는 가늠쇠만 맞추면 돼.

나는 네 말을 따라 총구 끝을 바라봤다. 한자리에서 빙글빙글 돌아가던 인형을 쏘기 위해 가늠쇠를 바라보던 너를 생각했다. 그런 너를 따라 눈을 가늘게 떠보았다. 시야가 좁아진 탓에 가늠쇠와 그 끝에 있는 네 손가락이 더 선명하게 보였다.

그런데 이동하는 물체를 쏠 때는 가늠쇠가 기준점이 되는 게 아니라 물체가 표적이 되어야 해. 그러니까 가늠쇠가 아니라 물체를 보고 있어야 한다는 거야. 네 시선이.

너는 내 턱을 들어 올려 너를 보게 했다. 너와 눈이 마주쳤다. 금빛으로 빛나는 네 눈동자가 방금 쏘아진 총알 같기도 했다.

알겠어?

응.

그리고 너는 총구를 잡아 올려 네 이마에 맞췄다.

여기를 쏘면 무조건 죽일 수 있어.

나는 대꾸 없이 너를 쳐다봤다.

그러니까 이 총으로 누굴 쏘고 싶다면 정확하게 여기를 노려야 해. 그래야 실패가 없어. 알겠지?

나는 어설프게 고개를 끄덕였다. 이유를 알 수 없게 몸이 떨렸고 네 이마에 총구가 향해 있다는 것만으로도 눈물이 나려고 했다.

◇

길에 사람의 흔적은 보이지 않았고 상자는 온전하게 놓여 있었다. 상자에 넣어둔 물건도 전부 그대로였다. 유골함이 차가웠다. 상자에 함께 챙겼던 엄마 옷으로 유골함을 꽁꽁 감쌌다. 금방 다시 올 테니 추워도 기다리라고 말했다. 엄마라면 분명 알아들었을 것이다. 휴대전화를 찾아 꺼냈다. 배터리가 10퍼센트 남아 있었다. 언니에게 꽤 많은 연락이 와 있었다. 지문 인식이 계속 실패했다. 옷에 오른손을 박박 문질러 핏물을 없앤 후에야 잠금이 풀렸다. 손가락이 덜덜 떨리고 있었다는 것도 그때 처음 알았다. 화면 위에서 손가락이 계속 미끄러졌다. 입술을 세게 깨물며 손가락에 힘을 줬다. 통화 버튼을 눌렀다. 언니는 곧바로 전화를 받았다. 왜 이렇게 연락이 안 되느냐는 말을 듣자마자 눈물이 터졌다. 이번에는 코끝이 맵고 목이 잠기는 울음이었다. 나는 엉엉 울고 싶은 것을 참아야 했다. 그것은 곤욕스러웠다. 울음을 참는다는 것은.

너 어디야?

이곳은 잊혀진 마을이다. 이런 곳에 사람이 살고 있다고는 아무도 믿지 못하는 마을이다. 이 세계에서 시간이 비껴간 유일한 마을이다. 그래서 살아도 살아 있는 것이 아닌 사람들이, 현실이 아닌 다른 세계를 탐하는 눈을 가진 사람들이, 숨기고 숨기다 끝내 입술이 꿰매어진 사람들이, 생명을 생명으로 보지 않아 산 것도 죽은 것도 아니게 된 자들이 살아 있는 마을이다. 나는 그런 마을에서 태어났고 자랐다. 누군가는 상상조차 할 수 없는 세계에서 뼈와 살을 깎고 내 심장 절반을 도려내며 이곳을 빠져나왔다. 벗어나면 살아갈 수 없을 줄 알았다. 반쪽이 되어버린 나는 다른 세계에 적응하지 못해 시멘트 바닥에 눌어붙은 벌레처럼 죽을 줄 알았다. 그런데 아니지 않은가. 나는 살았다. 내 반쪽짜리 심장은 살겠다고 발버둥 쳤고 깎인 내 뼈와 살은 도로 자랐다. 누군가 나를 부를 때마다, 나를 찾을 때마다, 나를 필요로 할 때마다, 나를 끌어안아줄 때마다 나는 다시 자랐다. 나는 계속 그렇게 살고 싶었다. 내 이름을 불러주는 사람들 곁에서. 나는 언니에게 이곳의 주소를 읊었다. 바로 출발하겠다는 언니의 말을 끝으로 전화를 끊었다. 다리에 힘이 풀려 바닥에 주저앉았다. 오고 있다. 누군가 나를 위해서. 그 사실만으로도 나는 모든 걸 버텨낼 수 있을 것 같았다.

손바닥을 보고, 엄지부터 차근차근 움직인다. 손가락은 뜻대로 움직였다. 이 몸은 아직까지 내 것이었다. 내가 통제하고 움직이는 나의 것. 언니가 올 때까지, 그래서 병원에 갈 때까지만 버티면 됐다. 손바닥을 뒤집었다. 살과 붙어 있는 손톱이 거뭇거뭇했다. 피가 묻은 줄 알고 문질렀지만 지워지지 않았다. 하지만 왜 그렇게 변했는지는 생각하지 않기로 했다. 내게는 지금 그걸 따질 기력이 남아 있지 않았다.

가다가 몇 번을 주저앉았다. 그러다 한번은 우리 집 앞에서 주저앉았는데, 그 순간 집으로 들어가 이불을 덮고 눕고 싶은 충동에 휩싸였다. 한숨만 푹 자고 일어나고 싶었다. 그럼 이 두통과 어지럼증도 사라져 있을 것 같았고 몸도 훨씬 가벼울 것 같았다. 나는 대문에 기대어 앉아 집 마당을 쳐다보며 잠시 쉬었다. 나는 기억을 더듬으려고 애썼다. 장례를 치르고 엄마 유품을 챙기기 위해 이곳에 왔었지. 언니에게 연락을 했고, 집에 도착하자마자 오래된 감자를 먹었다. 그러고는 뭘 했더라. 곧바로 잠이 들었던가. 저 평상에 잠시 드러누워 있었던 것 같기도 하다. 나는 평상에 누워 있는 걸 좋아했으니까.

어떤 시선도 닿지 않는 그곳에서 평상에 팔다리를 크게 뻗어 누워서는 노래를 듣거나 낮잠을 자거나 하늘을 보거나 옆에서 빨래를 널고 있는 엄마에게 조잘조잘 말을 걸었다. 그러다 엄마가 시장에서 한 봉지 사 온 귤을 까먹기도 했고, 복숭아 껍질에 손이 빨개지기도 했으며 가끔은 감꼭지를 엮어 다음해에 먹을 곶감을 만들기도 했다. 엄마는 그런 나를 위해 언제나 대문을 단단히 잠갔다. 엄마는 문지기였다. 누가 찾아오든 대문 앞에 버티고 서서 집 안으로 들어오는 걸 허락하지 않았다. 마을에서 문지기의 허락 없이 유일하게 우리 집 대문을 넘나들 수 있는 사람은 그 애뿐이었다. 너는 귀신같이 때맞춰 집에 찾아와 내가 기껏 까놓은 귤을 홀랑 뺏어 입에 넣고는 했다. 그래서 엄마는 언제나 고구마를 세 개씩 삶고, 감자를 여섯 알씩 찌고, 귤과 감을 바구니 가득 쌓아놓았다. 너랑 같이 평상에 드러누워 숙제를 하고, 떠들고, 낮잠을 자다 헤어지면 엄마는 내 머리맡에서 산에서 캔 고사리를 다듬으며 엄마도 딱 너희 같은 친구가 있었다며 옛이야기를 들려주었다. 많은 이야기를 들었는데 뚜렷하게 기억나는 것이 없다. 그저 그런 말들만 기억이 난다.

누구나 살아가며 은인을 만나게 된다. 그게 전생에 나와 사랑을 나누었던 사람이랬다. 그 은인은 전생에서 사랑했던 그 마음을 그대로 품고 태어나 이번 생에서도 내 삶을 아름답게 꾸며준다는 것이다. 기억은 못 하더라도. 그 은인은 연인의 모습으로만 오는 게 아니라 부모로, 자식으로, 선생으로, 친구로 나타난다고 했다. 아주 다양하게. 엄마는 네 울음소리를 처음 들었던 그날, 본능적으로 너와 나를 떨어트리면 안 되겠다는 생각이 들었고 그래서 도망가지 않았다고 말했다.

엄마를 원망하니?

그러니까 엄마 말은 그때 도망가지 않은 엄마를 원망하느냐는 것이었다. 나는 별 고민도 하지 않고 고개를 저었다. 아니라고 대답했던가 그럴 리가 있냐고 했던가. 원망하고 싶다면 마당 밖을 원망하지, 절대로 이 마당은 원망하지 않아.

이 기억도 얼마나 간직할 수 있을지 확신이 없다. 선명했던 것들이 흐려지고, 사라지면서 내 시야에는 도로 삭막한 마당이 보인다. 다시 일어나 너희 집을 향해 걸었다. 반드시 가야만 했다. 그 집에는 너 혼자 있는 것이 아니었으므로. 나는 순찰차 소리에 덜컹거리던 너희 집 현관문을 아직 기억하고 있다.

한때 이해하기 위해 노력하던 때도 있었다. 네 아비는 집에 약통과 주사기를 가지고 있었고, 스스로 주사를 놓았다. 몸 어딘가가 안 좋고, 그래서 고통을 잊기 위해 술을 마신다고 했는데 직접 들은 적이 없어 정확히 어디가 아픈 것인지는 끝내 알지 못했다. 네 아비는 속초의 농업고등학교를 졸업한 뒤 바로 서울로 가 공장 일을 했고, 일을 잘해 나름 공장장까지 됐다는데 어디까지가 진실인지도 역시 알지 못했다. 그리고 사업을 했다고 했던가. 동업자가 돈을 들고 튀었다고 했던가. 아무쪼록 한 번 듣는 걸로는 뇌리에 깊게 박히는 이야기는 아니었다. 그러니까 그런 갖은 고생을 다 했으니 네 아비를 불쌍하게 여겨야 한다는 것이 마을 어른들의 결론이었다. 우리는 잠시 이해하려다가 포기했다. 아마 내가 네 등을 내리치며 말렸을 것이다.

발이 점점 무겁게 느껴졌지만 버틸 수 있었다. 총을 지팡이 삼아 땅을 짚었다. 몇 발이 남아 있더라. 아까 네 발을 챙겼고, 순경을 물려는 그것에게 한 발을 쐈으니 아직 세 발이 남아 있었다. 두 발은 탄창에 있고 한 발은…… 아, 주머니에 있다. 멀리서 옅은 바람이 불어왔다. 어디서 방울 소리 같은 것이 들려왔다. 마을에서 처음 듣는 소리였다. 소리의 발원지를 알 수 없었지만 독암산 부근에서 들려오는 듯했다. 이파리가 다 떨어진 산은 머리카락이 비죽비죽 솟은 것처럼 보였다. 독암산을 멀거니 바라보던 나는 그제야 그 산이 눈을 감고 있는 인간의 얼굴과 비슷하다는 것을 깨달았다. 나무 사이사이로 우두커니 서 있는 사람들의 모습이 보였는데 시선을 돌리면 금세 사라졌다가 다시 나타났다. 나무 사이사이에. 내가 기억하는 얼굴과 기억하지 못하는 얼굴을 한 사람들이 독암산에 심어진 것처럼 서 있었다. 잘못 본 것이겠지만 어쩌면 아닐 수도 있겠다는 생각을 했다. 그것들을 보았는데 어떻게 저것들을 가짜라고 할 수 있겠는가.

대문에 쓰러져 있는 이장을 밟고 지나갔다. 너는 여전히 방에 있었다. 나는 현관 계단을 오르려다가 다시 마당으로 걸음을 돌렸다. 돌 하나를 주워 거실이 보이는 커다란 창문을 향해 던졌다. 돌은 창문을 맞고 떨어졌고, 몇 초 지나지 않아 네 아비가 튀어나와 창문에 달라붙었다. 고라니 울음 같은 괴성을 내지르며 창문에 손바닥과 얼굴을 붙이고 방금 들린 소리를 찾아 헤매고 있었다.

네 아비는 다른 것들보다 상태가 멀쩡했다. 눈에 하얀 막이 씌워져 있었지만 다친 곳이나 절단된 곳은 없어 보였다. 나는 피 한 방울 묻어 있지 않은 그 얼굴을 유심히 바라봤다. 네 아비는 유리를 깰 것처럼 입을 크게 벌려 누런 이를 창문에 들이박았다. 총을 들었다. 레버를 세게 잡아당겼다. 소리를 들은 네 아비가 나를 발견했다. 발광하기 시작했다. 손바닥으로 창문을 두드리며 더 거세게 울었다. 어쩐지 네 아비는 다른 것들과 달리 무언가에 분노하고 있는 것처럼 보였다. 내가 네 친구라는 것을 기억하는 것일까. 내가 든 총이 자신의 총이라는 걸 알아서 그러는 것일까.

창문은 단단했지만 머지않아 깨질 것 같았다. 나는 당겼던 레버를 다시 밀었다. 탄환이 장전되는 소리가 들렸다. 총대를 붙잡았다. 개머리를 볼에 붙이고 손과 수평이 되도록 맞췄다. 시야가 흐렸지만 지금은 중요하지 않았다. 두 다리를 벌려 힘을 단단하게 주고 방아쇠를 당겼다. 커다란 총성을 내며 빈 탄환이 밖으로 튀어나왔고 총알이 유리에 박혔다. 총의 반동에 어깨가 아파 왔지만 아까처럼 나뒹굴지는 않았다. 네 아비는 방금 들은 소리에 더 날뛰며 창문을 쉴 새 없이 내리쳤다. 총알이 박힌 부분에 조금씩 금이 갔다. 먹잇감을 앞에 둔 짐승은 사나웠다. 제 머리로 창문을 내리쳤다. 창살이 열리기를 기다리는 투우처럼 보였다. 흥분한 짐승은 제 이마에 피가 나는 것을 모른다. 총알이 박힌 유리의 금은 점점 더 넓어져갔다. 쩍쩍 갈라지는 소리가 내가 있는 곳까지 들렸다.

레버를 다시 당겼다 놓으며 탄환을 장전했다. 자세를 풀지 않은 채로 네 아비를 조준했다.

나는 그렇게 네 아비를 기다렸다. 창문을 깨고 밖으로 나오기를. 어서 빨리 괴성을 지르며 나에게 달려오기를.

비가 오던 그날 내 이름을 친절하게 불렀던 네 아비의 목소리와 표정이 떠올랐다. 죽이고 싶었지만 죽일 수 없다는 걸 알고 있었어. 총을 들고 네 아비를 찾아갈 때부터 탄환이 있어도 방아쇠를 당기지 못하리라는 걸. 네가 품에 칼을 들고 내 방을 찾아왔던 때처럼 나도 결국 무기를 끌어안게 되리라는 걸 알고 있었다. 우리는 강하게 태어났지만 악하지 못했다. 강하다는 것은 악하다는 것이 아니라는 걸 우리는 태어날 때부터 알고 있었다. 악했다면 너는 네 아비를 찔렀겠지만, 너는 강했기에 버텨서 살아남았다. 세상을 일부러 이해하려 하지 않았고 모든 상황을 타협하려 하지 않았다. 가끔은 그게 미칠 듯이 억울했지만, 그래서 '차라리 네가 악했다면'이라는 생각을 수도 없이 많이 했지만 나는 네가 악하지 않아서 좋았다. 너는 정말이지 강해서, 멋있었다.

얼음이 갈라지는 듯한 소리가 들리며 창문 전체가 자잘하게 갈라졌다. 이제 단 한 번의 손짓으로도 창문은 산산조각 나리라. 나는 가늠쇠가 아닌 네 아비의 머리를 노려봤지만 시야가 흐렸고 초점이 맞춰지지 않았다. 미간을 잔뜩 찌푸려도 여전히 흐렸다. 붉게 노을 지는 태양을 바라보다 눈을 감았다. 유리 부서지는 소리가 들렸다.

총을 쏠 때 가장 먼저 해야 하는 건 눈을 감는 일이야. 그러다 해를 정면으로 바라봐. 그럼 동공이 축소돼서 시야가 좁아져. 네가 원하는 목표물을 정확하게 조준할 수 있어.

눈을 떴다. 동그랗고 붉은 태양이 보였다. 주변이 까맣게 변했다. 그대로 시선을 내려 네 아비의 이마를 바라봤다. 괴성을 지르며 달려오는 네 아비를 향해 방아쇠를 당겼다.

애초에 딱 한 발이면 됐는데. 그런 생각이 들었다.

부질없는 생각이지만.

네 아비는 총구 바로 앞에서 걸음을 멈췄다. 다른 것들과 다르게 네 아비의 이마에서는 붉고 따뜻한 피가 흘러내렸고 그 몸은 오래 버티지 못하고 무릎을 꿇으며 주저앉았다. 몸을 움직일 수 없었다. 다른 것들과 다르게 사람을 죽였다는 느낌이 들었다. 피가 선명해서 그랬을까. 아니면 죽은 상대가 네 아비라서 그랬을까. 나는 시선만 내리깐 채로 죽은 네 아비를 쳐다보았다. 당신 앞에 있어야 할 사람은 내가 아닌데. 허무해서 화가 났다. 우리의 마지막 관문이 이토록 형편없었다는 게.

현관 계단을 올라 현관문 손잡이를 당기다, 눈앞이 핑 돌았다. 무언가를 붙잡을 새도 없이 몸이 균형을 잃고 앞으로 고꾸라졌다. 신발장을 짚으며 일어나려고 했지만 마음처럼 되지 않았다. 손이 미끄러지며 몸이 다시 엎어졌다. 이번에는 고개를 들 수가 없었다. 머리카락을 움켜쥐고 제멋대로 움직이는 땅이 잠잠해지기를 기다렸다. 괜찮을 것이다. 괜찮을 것이다. 그렇게 몇 번이고 되뇌었다. 내 눈앞에서 변했던 순경들을 생각하며, 잘 버티고 있는 것이리라. 어지럼증이 조금 나아졌을 때 나는 네발로 기어 움직였다. 네 방은 현관문 바로 옆에 딸린 방이었다. 이따금씩 네 아비가 취한 상태로 거실에 뻗어 잘 때 몰래 들어가거나 나가기 편리한 방이었다.

단단히 닫혀 있는 네 방 문고리를 잡았다. 일어나고 싶었는데 몸에 힘이 풀렸는지 도저히 움직여지지 않았다. 그래서 그저 무릎 꿇은 채로 두 손으로 문고리를 잡았다. 문을 열고 싶기도, 열고 싶지 않기도 하다. 무섭기도 하고 슬프기도 하다. 처음 네가 방에 있는 걸 봤을 때는 믿지 않았고 혹시 네가 살아있었는데 내가 떠나 알지 못했던 건 아닐까 생각했다. 하지만 이제 그런 가능성은 망상에 불과하다는 것을 알았다. 네게 다시 오는 동안 마주쳤던 존재들이 있었으므로. 너는 죽지 않고 살아난 게 아니라 죽어 있다. 여전히. 나는 숨을 크게 들이마시고 문을 열었다. 만일 네가 나를 보고 뛰어든다면 나는 기꺼이 너를 끌어안을 생각이었다.

하지만 그뿐이겠지. 아무리 그리웠어도 나는 너를 따라가고 싶지 않았다.

너는 여전히 내 앞에 있다.

이제 확실해졌다. 나는 말을 하는 법을 잊었다. 말을 꺼내려고 하면 뇌에 오류가 걸린 것처럼 문장이 뒤엉키고 단어의 자모음이 떨어져 나갔다. 목은 딱딱하게 굳어 도통 움직이지를 않았고 숨을 내뱉는 것도 불편해졌다. 하지만 불안하지는 않았다. 나는 그렇게 변한 것들과 다르다. 내 몸은 무언가와 싸우고 있다. 나는 나를 지키고 있었다.

내가 할 수 있는 것이 무엇인지 생각했다. 나는 아직까지 생각을 할 수 있고, 숨을 자유자재로 쉴 수 있으며 사지를 움직일 수 있었다. 단지 어떤 행동을 하고자 마음먹었을 때 그것을 실행하기까지 계속해서 머릿속에 그 모습을 되풀이해야 하며, 끝내 결과에 도달하지 못하고 포기해버리고 만다는 문제점이 있지만. 나는 몇 분 전까지 휴대전화를 충전시키려고 했다. 네 책상 서랍에서 충전기를 꺼내서 말이다. 하지만 이 생각만 벌써 몇 번을 했는지도 알 수 없다. 나는 여전히 엽총을 쥔 채 너를 바라보고 있을 뿐이었다. 그리고 너 역시도 여전히 막이 씐 눈으로 나를 보고 있었다. 네 눈은 꼭 너와 함께 책에서 보았던 행성 같다. 그게 어떤 행성이었더라. 태양계에 있던 온통 푸른 빛에 회색기가 얼핏 섞여 있던. 가스로 이루어진 행성인데도 너는 거기에 가고 싶다고 말했다.

땅이 없는데 거기서 어떻게 살 수 있냐고 물었다.

땅이 있다고 모두가 살 수 있는 것도 아니지 않느냐고 네가 대답했다.

내가 뭐라고 했더라. 그래. 가만 생각해보니 네 말이 맞는 것 같다고 했다. 그럼 우리는 중력이 없는 곳에 가서 살자고 말했다. 묶여 있지 않으면 어디든 행복할 거야.

네 방 천장에는 아직도 야광 별 스티커가 붙어 있다. 여전히 빛날까. 밤이 되어야 알 수 있을 텐데, 아직도 해가 지고 있다. 조금씩 노을빛이 네 방 창을 통해 들어오기 시작했다. 이토록 느리게 저무는 태양은 태어나서 처음이었다.

연락을 받고 곧장 출발했다면 머지않아 언니가 도착할 거였다. 그러니 휴대전화를 충전시켜야 한다. 작은 마을이어도 나를 찾는 것은 쉽지 않을 테니까. 나는 다시 네 책상으로 고개를 돌렸다. 네 아비가 버리지 않았다면 첫 번째 서랍에 충전기가 들어 있을 것이다. 꼭 첫 번째가 아니더라도 두 번째나 세 번째에라도. 어쨌거나 너는 습관처럼 모든 물건을 서랍에 넣었으므로 거기에 있으리라. 정말로 움직여야 한다. 손바닥으로 땅을 짚어 무릎으로 기어가든 몸을 일으키든. 총을 문에 세워두고 땅을 짚었다. 머리를 숙이자 어지럼증이 왔다. 뇌가 부표처럼 흔들리는 기분이었다. 저항도 없이 구토를 했다. 검고 끈적끈적한 것이, 꼭 거머리 같은 것이 쏟아져 나왔다.

머리카락을 늘어트리며 책상으로 간신히 기어가 손을 뻗었다. 서랍 문을 열었다. 손을 집어넣고 선을 찾았다. 딱딱하고 납작한 것이 손에 잡혔다. 그것을 꺼냈다. 나는 손바닥에 쥐어진 그것을 보고 웃었다. 내 명찰이었다.

네가 명찰을 잃어버려 몇 날 며칠 교문 앞에 춥게 서 있던 어느 날, 나는 교문 앞에서 내 명찰을 네 교복에 달았다. 어차피 선생님들은 그냥 명찰이 있는지만 보니까. 너는 필요 없다고 했지만 나는 대답도 듣지 않고 교문을 먼저 통과했고, 선도부한테 걸렸다. 명찰은 그렇게 네 명찰이 되었다. 그것이 네 서랍 속에 있는 것이 좋아서 그런지 하염없이 웃음이 났다. 그러다 돌연 눈물이 나왔다. 그렇다고 울고 있기는 싫어서, 몇 방울 흘리지 않은 눈물을 박박 닦아내고 주머니에 넣어두었던 네 명찰을 꺼내 손바닥에 나란히 올렸다. 드디어 되찾았다. 둘 다 잃어버린 줄 알았는데 아니었구나. 손을 뻗어 바닥에 있는 네 손에 너의 명찰을 쥐여주었다.

입을 벌렸다. 소리를 내려 할 때마다 쇳소리가 나왔다. 다시 목을 가다듬었다. 꼭 부르고 싶었다. 네가 죽었을 때 네 이름을 얼마나 많이 불렀는지 네가 알아줬으면 했다. 한 번도 대답해주지 않았잖아. 그게 얼마나 서러웠는데. 아, 하고 소리를 내뱉었다. 이번에는 저음의 소리가 나왔다. 목소리가 일시적으로 돌아온 것 같았다. 천천히 네 이름을 한 글자씩 불렀다. 너는 그때까지 허공을 쳐다보고 있었는데, 그때 나를 바라봤다.

총을 들었다. 서랍 안에 충전기는 없었지만 상관없을 것 같았다. 저 멀리서부터 자동차 바퀴 소리가 들려오고 있었으니까. 너를 데려가고 싶지만 그것도 안 될 것 같았다. 나는 일단 너를 업고 갈 힘이 없다. 그리고 이 마을이 왜 이렇게 변했는지 너를 보며 그 이유를 어렴풋이 느꼈다.

너는 쓸쓸하고, 서글프고, 외롭고, 억울하게 걸어가는 길에 누구를 만난 거니.

누군가 불러 독암산으로 갔던 그 사람들처럼, 너도 곡소리 하나 들리지 않는 그 길을 걸어가다가 어떤 속삭임을 들었던 걸까. 홀로 산을 내려오는 너를 떠올렸다. 죽은 줄 알았던 네가 돌아온 걸 보고, 네 아비는 안절부절못하며 너를 이 방에 가두지 않았을까. 모르겠다. 이런 것들은 전부 내 추측일 뿐이다.

나는 천천히 레버를 당겼다. 탄창에 마지막 탄환을 넣은 후 다시 레버를 밀었다. 너는 내 모든 행동을 잠자코 지켜볼 뿐이었다. 총대를 붙잡고 올려야 하는데 힘이 없는 것인지 몸이 생각을 따르지 못하는 것인지 총은 무거운 쇳덩이처럼 들리지 않았다. 그냥 너를 여기에 두고 가도 되지 않을까. 너를 여기에 두고 가서 이따금 네가 보고 싶을 때마다 찾아오고 싶었다. 어떤 형태라도 좋으니 네가 이곳에 있기만 해줬으면, 내가 볼 수만 있다면, 내가 말을 걸 수만 있다면 네가 아무런 반응이 없어도 좋으니 그렇게만 있을 수 있다면 좋겠다고 생각했다. 하지만 너는 그걸 원치 않는 모양이다. 네가 손을 뻗어 총구를 잡았다. 그리고 천천히 총을 들어 올려 네 이마에 놓았다. 네가 나에게 말하고 있다. 나는 네가 뱉지 않은 그 말을 들을 수 있다. *당겨. 어서 당겨.* 나는 그제야 방아쇠에 손가락을 걸었다. 네가 이미 알고 있을지도 모르지만 그래도 꼭 말해주고 싶은 것이 있다. 쇳소리를 쥐어짜내는 듯한 목소리로 입을 열었다.

"마을…… 사람……들……."

자동차 소리가 점점 가까워졌다. 언니는 나를 부르지도, 경적을 울리지도 않았다. 언니는 순경들처럼 멍청하지 않았다.

"전부……."

너는 내 말을 듣는 것처럼 집중했다. 말을 할 때마다 목에서 피 맛이 느껴졌다. 이 모든 것은 네가 원했던 것이로구나.

"죽었……어."

그러자, 네가 웃었다. 햇빛이 거의 사라지고 차츰 어둠이 내려앉았다. 네 얼굴에도 어둠이 내려앉았다. 그런 네 모습은 꼭 임무를 완수한 전사 같았다. 나는 그런 너를 다시 네 세계로 돌려보내야 했다. 이번에는 돌아오지 말라고 빌었다. 네 방문에 남아 있던 빛 한 줄기가 완전히 사라졌을 때 방아쇠를 당겼다.

나 있잖아. 가끔씩 어떤 목소리가 들리는데 너무 생생해.

무섭게 왜 그래.

진짜로. 너무 화가 나서 숨을 크게 내뱉고 있을 때 가끔 누가 말을 걸어.

뭐라고 말을 거는데?

죽이고 싶으냐고. 죽여줄까? 하고.

그럼 너는 뭐라고 그래?

나는.

……

응, 이라 말해.

잘 가라는 인사를 이번에도 하지 못한 것이 떠올랐다.

-에게

나는 너무 오랫동안 이름을 잊은 상태로 있었다. 숨이 끊어졌던 순간 저승차사가 내 이름을 세 번 불렀다는데, 내가 내 이름을 잊은 죄로 삼창은 효력을 발휘하지 못했고 차사의 명부에서 이름이 흩어졌다. 차사가 왜 네 이름을 알아듣지 못하느냐고 책망하듯 물었다. 다시 한번 불러주시면 안 되냐고 부탁했는데 명부에서 이름이 사라진 탓에 차사도 이제 내 이름을 모른다고 했다. 그럼 어떻게 되는 거예요, 하고 다시 물으니 차사는 이름을 불리지 못한 영혼은 이승도 저승도 아닌 이곳에서 성불되지 못하고 떠돌 수밖에 없다고 했다. 그럼 그게 귀신이지 뭐예요. 내가 그렇게 투덜거리자 차사는 아니라는 말도 해주지 않고 이름이 기억나면 부르라며 떠났다.

간혹 이름을 잊은 자가 구천을 떠돌 때 그를 성불시키기 위해 가족들이 무당을 찾아가 굿을 한다는 말을 들었다. 그렇게 무당이 두 번째 이름을 붙여주고 그 혼을 달래 저승으로 갈 수 있게 해준다는데 아쉽게도 나에게는 굿을 해줄 가족이 없었다. 내 이름을 부를 만한 사람을 찾아가라기에 1년간 원룸에서 함께 지냈던 승희 근처를 떠돌기도 했지만 죽은 자의 이름을 입 밖으로 꺼내는 사람이 얼마나 있을까. 승희는 맥주를 마시다 덜컥 울기는 자주 울었어도 끝내 내 이름을 부르지는 않았다. 그렇게 열흘가량을 승희 곁에 있었다. 차갑고 한 서린 내가 곁을 떠도니 그 기운이 승희에게도 뻗치는지 승희는 자주 아프고, 악몽을 꿔 날이 갈수록 몰골이 초췌해졌다. 그래서 더 오래 머물지 못했다. 산 사람은 살아야지. 이 말은 귀신이 내뱉을 때 더 어울리는 말이라는 걸 그때 깨달았다.

무당에게 굿을 받을 다른 방법으로는 악귀가 되어 사람을 괴롭히면 된다는 말을, 놀이터 근처 화단에 붙박인 어린 여자아이 귀신에게서 들었다. 사람한테 붙어 수명을 쪽쪽 빨아먹으면 그 사람이 병원을 전전하다 결국 무당을 찾아가게 된다고. 그렇게 사람을 이용해 성불되는 귀신들을 종종 봐왔단다. 그거 너무 잔인한 방법 아니니? 하고 물었다. 아이는 고개를 끄덕이며 잔인하기야 하겠지만 귀신 처지에 뭘 배려하겠어, 라고 제법 나이 든 사람처럼 대꾸했다. 실제로 아이는 24년 전에 죽었다. 내가 태어났던 해에. 그러니까 언니인 셈이다. 언니가 놀이터를 떠나지 못하는 이유는 놀이터에 아직 언니의 시신이 묻혀 있기 때문이었다. 24년 전, 늦은 시간에 엄마를 기다리느라 놀이터에서 혼자 놀다 경비원에게 살해당했는데 언니도 자신의 이름을 몰랐다. 사람이 죽어 장례를 치러야만 육신과 혼이 분리된다는 걸 언니도 죽어서야 알았다. 언니는 장례를 치르지 못했기에 화단을 떠날 수 없다. 사람이 죽어서 성불되지 못하고 구천을 떠도는 두 가지 이유를 언니는 둘 다 가진 셈이었다. 엄마가 그만 포기하고 장례 좀 치러줬으면 좋겠다고, 언니는 간절히 바랐다.

나는 언니와 나눈 대화를 곱씹었지만 역시 살아 있는 사람을 괴롭히고 싶지 않았다. 내가 붙을 수 있는 육신은 속된 말로 기가 약해야 했는데 기가 약한 사람은 대체로 하루를 버티는 사람들이었다. 돈이 많다고 기가 세지는 건 아니지만 사람이 악해지고 못돼지면 영혼에서 악취가 났고, 돈이 많은 사람들은 대체로 악하고 못됐다. 그래서 가까이 하고 싶지 않았다. 귀신이 착한 사람만 데려간다는 말은 그런 의미였다. 귀신도 악취가 나는 영혼에는 붙기 싫으니까.

몇 번의 계절을 넘기고 내가 죽었던 그 계절로 다시 돌아올 때까지, 나는 성불되지 못한 채 구천을 떠돌았고 대신 죽은 이의 이름을 외우고 다녔다. 나와 비슷하게 살았고, 비슷하게 죽었던 사람들의 이름을. 혹시나 나처럼 잊을까 봐. 그들은 멍하니 눈만 깜빡이다 내가 이름을 부르면 돌연 울음을 터트렸다. 차사가 삼창을 할 때까지 나는 그들을 꽉 끌어안고 괜찮다고 다독였다. 다음은 괜찮을 거야, 네가 누리지 못했던 남은 삶의 행복과 영광을 다음 생에 덧붙일 거야. 그럼 다음 생은 행복만 가득할 거야. 나는 그들의 몸이 흩어져 사라질 때까지 그 자리에 머물렀다. 그러자 차사가 억울하지 않느냐고 물었다. 나는 그렇지는 않다고 대답했다. 그들의 죽음은 그들의 것이고, 내 죽음은 내 것이니. 오히려 저승으로 가는 그들이 내게는 위안이었다.

만개했던 벚꽃이 봄비에 한차례 저물었을 때 광화문 일대에 시위가 열렸다. 어떤 이유로 시위가 열리는지 궁금했다. 시위에 참여한 대부분이 여자였는데 모두 슬로건을 든 채 누군가의 이름을 부르며 잊지 않겠다는 구호를 열창했다. 나는 시위대를 구경하며 앞으로 향했다. 그리고 선두에 선 사람이 품에 안고 있는 영정 사진을 보았는데, 그 순간 차사가 다시 나타나 이리 말했다.

"추모가 많은 죽음은 심판을 받지 않고 그대로 다음 생으로 넘어가니, 너는 곧바로 다시 태어나면 되겠구나."

나는 그곳에서 잊고 있던 이름을 되찾았다. 차사가 내 이름을 천천히 삼창했다. 앞으로 나아가는 행렬들 속에서 나는 구천을 떠돌며 조금씩 형태를 잃어가던 몸이 바람에 흩날리는 벚꽃 잎처럼 사라지는 것을 보았다.

환했던 세상이 어두워지고 다시 눈을 떴을 때 나는 삼도천을 건너는 나룻배에 차사와 단둘이 앉아 있었다.

차사가 말했다.

"죽은 자를 잊지 않고 추모하는 사람들 덕에 귀신이 이름을 되찾는 경우가 종종 있지. 그러니 이미 이승을 떠난 너는 이 강을 건너 환생의 문을 넘기 전까지 네 인생의 억울함에 목매지 말고 행복했던 순간만을 떠올려라. 그게 저들이 너에게 바라는 가장 간절한 바람일 테니. 네 몫의 서글픔은 저들이 다 해줄 것이니. 다음 생에는 네 이름을 절대 잊지 말거라."

나는 고개를 끄덕이며, 안개가 잔뜩 낀 강을 바라봤다. 그리고 내 이름을 중얼거렸다. 태어나 평생 불리며 내가 그곳에 있다는 걸 증명해줬던, 다시는 잊지 않겠다는 마음을 담아.

우주를 날아가는 새

효미는 아까부터 제 몸집의 몇 배나 되는 은행나무를 올려다보느라 그토록 먹고 싶어 했던 젤리를 가방 가득 넣어주는 효원에게 눈길도 주지 않았다. 그러다 손가락으로 무언가를 가리켰다.

"새."

효원이 고개를 돌렸다.

"새 왔다."

은행나무를 바라보는 줄 알았더니 나뭇가지에 앉은 참새를 바라보고 있던 모양이었다. "효미야" 하고 효원이 다시금 이름을 불렀지만 효미의 시선은 참새에게서 도통 떨어질 줄 몰랐다. 그것이 퍽 섭섭해지려고 할 무렵, 눈치 빠른 효수가 효미의 뒤통수를 가볍게 쳤다. 효미가 짜증 어린 표정으로 효수를 매섭게 노려보다 곧 간식 가방에 담긴 젤리를 발견하고 광대가 솟도록 활짝 웃었다. 태어나자마자 몸이 안 좋았던 효미는 네 살이 될 때까지 병원에서 나오지 못했다는데, 그래서 그런지 또래들과 비교하면 햇볕에 그을린 흔적 없이 언제나 희멀건 낯빛이어서 저렇게 광대가 솟을 정도로 웃을 때면 조그만 찐빵을 얹어놓은 것처럼 희고 말랑말랑해 꼭 한 번씩 꼬집거나 깨물고 싶게 하는 충동을 일으켰다. 평소였다면 한번 꼬집고 울렸을 것이지만 지금은 그럴 상황이 아니었다. 효원은 아쉬움을 달랬다.

4월 공기가 아직도 차다. 저 밑은 4월이면 벚꽃이 만개한다던데 북서쪽 끝에 자리해 황해의 바닷바람을 맞는 이곳은 언제나 봄이 늦게 찾아왔다. 적어도 입하가 지나야 조금씩 봄을 닮은 바람이 불어오는 곳이었다. 추위는 막을 수 있어도 더위는 어찌할 재간이 없는 사찰에서 더위가 늦게 오고 빨리 물러난다는 건 복이었는데 오늘만큼은 아직도 겨울의 외피를 벗지 못한 정족산이 야박하게 느껴졌다. 한 달만 더 있으면 이곳도 벚꽃 잎으로 물들 터였고, 그럼 떠난다는 쓸쓸함보다 소풍 간다는 설렘이 들었을 거였다. 효미의 눈높이를 맞추느라 오랫동안 웅크려 앉아 있었더니 다리가 얼얼해졌다. 효원은 몸을 일으키기 전, 찬 바람이 들지 않도록 효미의 목도리를 단단하게 매주었다. 효미의 시선이 그사이를 못 참고 또 하늘로 향했다.

"새가 아직도 있나?"

"털 났더."

뺨과 입술이 추위에 얼었는지 평소보다 더 부정확해진 발음을 내뱉으며 효미가 손가락으로 무언가를 가리켰다. 손끝을 따라가보니 은행나무 나뭇가지마다 봉긋하게 솟은 봉오리들이 보였다. 털이라고 표현하기에는 다소 무리였으나 효미가 골몰하며 떠올렸을 생각에 효원은 웃음을 터트릴 수밖에 없었다. 저것이 나무의 털이 아니고 지난가을 자신이 책갈피로 쓴 낙엽의 새싹임을 알게 될 나이까지 이곳에 머물렀으면 좋았으련만. 충분히 그럴 수 있을 거라 생각했는데 떠나야 하는 시간이 예정보다 훨씬 앞당겨졌다. 어차피 가야 한다는 것은 변하지 않는데 함께 있을 시간이 줄었다는 게 이토록 아쉬울 수 없었다.

효원이 자리에서 일어나 효석과 효수를 번갈아 바라봤다. 뺨이 여드름으로 뒤덮인 효석은 아까부터 군인들을 응시하고 있었다. 그 눈빛에는 열다섯 살이 내비치는 동경이나 설렘 같은 감정이 들어 있었다. 보고 있는 건 필시 사람이 아니라 그들이 들고 있는 플라스마 총일 거였다. 효석은 원래도 무기에 관심이 많았다. 만물에 대한 호기심과 관심이 동자승을 피해 생기는 건 아닐 터이니 동자승의 호기심에 별 간섭하지 않는 효종 스님이었지만 무기만큼은 예외였다. 발명 자체가 생명을 빼앗기 위해 태어난 물건 아니겠는가. 효종 스님은 어떤 이유로든 생명을 해치는 것에 시선과 마음을 두지 말라 일렀다. 그 후 효석은 더는 무기에 마음을 두지 않았지만 그건 어디까지나 효종 스님의 호통을 면하기 위한 수단이었다. 효원은 효석과 효수의 이름을 부르며 효석의 시선을 끌어당겼다. 효종 스님이 알게 된다면 큰일이었다. 이별하는 순간이라고 잔소리를 포기할 분이 아니었다.

"조심해서 가야 한다. 한눈팔지 말고 잘 따라가야 한다는 말이야. 효미 손도 놓지 말고. 도착하자마자 효성 스님 바로 만나고."

아직 열여섯, 열다섯밖에 되지 않은 효수와 효석에게 너무 많은 걸 맡기는 자신이 모질다고 생각하면서도 이 정도쯤은 이제 할 수 있는 나이가 되었다는 생각도 들었다. 둘은 이제 어엿한 청소년이었다. 군인의 지시를 따라 움직이기만 하면 되었으므로 어려울 것 하나 없었다.

효석이 고개를 끄덕이며 효미의 팔을 붙잡아 당겨 손을 맞잡았다. 하지만 효수는 미동 없이 효원의 얼굴을 매섭게 쳐다보았다. 불신이 가득한 시선. 불안과 불만과 두려움이 담긴 눈. 효수는 눈치가 빠르다. 그리고 배려심도 많다. 지금 효수는 효석과 효미를 위해 자신이 눈치챈 불안을 애써 숨기는 중일 것이다.

"언제 오게?"

효수의 질문이 벌이 쏘고 간 독침처럼 효원의 뒷덜미를 쿡 찔렀다.

"사찰 정리 좀 되면 효종 스님 모시고 곧 갈 거야. 고집부리시면서 더 머물다 가시겠다는데 혼자 오시게 할 수 없잖아."

말은 그렇게 했지만, 효원은 효종 스님이 가지 않을 거라는 걸 알고 있었다. 효종 스님은 부처님을 두고 떠나실 분이 아니었고 무엇보다 먼 길을 이동해 지구를 떠나 삶을 부지할 정도로 남은 생이 길지 않았다. 그건 효원이 누구보다 잘 알고 있다. 1년 전부터 기침에 피가 섞인다는 것도, 발우에 거의 손을 대지 않는다는 것도, 새벽 예불을 힘들어하신다는 것도, 진통제가 없으면 버티기 힘들 정도로 통증이 심하다는 것도 전부 알면서도 모르는 체하고 있었다. 진통제를 먹으라는 의사의 권유도 거절한 분이기도 했고 무엇보다 자신이 신경 쓰고 있다는 것을 알면 효종 스님이 미안해할 터였다.

효수는 효원의 말을 듣고도 영 믿지 못하는 눈치였고, 곧 눈시울이 붉어졌다. 효수는 이 거짓말에 감춰진 의미를 잘 알고 있었다. 그렇기에 저리 이를 물고 눈물을 참는 것이리라. 자신이 지금 눈치챈 것을 티내면 옆에 있는 두 동생이 알게 된다. 슬픔을 내비치면 응어리진 마음이야 조금 풀리겠지만 두 동생을 달래며 가야 하기에 길이 더 험난해질 거였다. 효수는 편안히 가기를 택한 듯, 끝내 눈물 한 방울 떨어트리지 않고 붉어진 눈가를 숨긴 채 고개를 끄덕였다.

이제 가야 할 시간이었다. 효원이 군인들을 찾았다. 근처에 머물고 있던 군인들은 극락암 앞에서 효종 스님과 말을 나누는 중이었다. 모두가 오르는 길이니 두려울 거 없다고 일렀으면서도 아이들 걱정이 안 되는 건 아닌 모양이었다.

효종 스님과 짧은 인사를 마친 뒤 다시 대웅보전으로 온 군인들이 아이들을 데리고 걸음을 옮겼다. 2주 후면 마지막 운송선이 지구를 빠져나간다고 했던가. 효원은 2주가 얼마만큼 짧은 시간인지 속으로 헤아렸다. 그 안에 효종 스님의 마음을 바꾸기란 부처님 손바닥을 뒤집는 것보다 어려울 터였다. 효원은 효종 스님과 나란히 서서 아이들의 모습이 더는 보이지 않을 때까지 그 자리에 오래 머물렀다. 아주 긴 이별이었다. 적어도 이승에서는 다시 만날 수 없는. 효종 스님이 헛기침을 하며 자리를 떴다.

효원이 전등사에 온 것은 세 살 때였다.

뇌우를 동반한 비가 내리치던 새벽에. 마치 죽으면 어쩔 수 없다는 듯이. 새벽 일찍 누군가 적묵당 문 앞에 새가 물어가다 떨어트린 것처럼 이불로 둘둘 만 효원을 놓아두고 갔다고 몇 주 전 다른 동자승과 먼저 떠난 효성 스님이 언젠가 말해주었다. 아마 그 누군가는 자신의 부모일 것이고, 또 그 부모는 전등사의 불자였을 것이라고 효원은 그 말을 처음 들은 날 밤 잠자리에 누워 추측했다. 전등사에 처음 오는 이들은 이곳에서 길을 잃고 헤맨다. 숙소인 줄 모르고 들어가고 법사실인 줄 모르고 막 들어간다. 관광객은 으레 그렇듯 그곳이 사람 사는 곳인 줄 알면서도 자신에게는 모든 게 개방되어 있을 거라는 믿음하에 모든 곳에 고개를 들이밀고 끝내 그곳이 뭐 하는 곳인지 모르고 떠나는 경우가 대다수였다. 해도 뜨지 않은 꼭두새벽에 찾아와 아이가 굶어 죽지 않기를 바라는 마음으로 숙소 문 앞에 고이 놓아둔 것을 보면 필시 전등사의 불자였을 거고, 이후로도 몇 번씩 신분을 감추고 효원을 보기 위해 전등사를 방문했을 거였다. 그래서 효원에게는 이곳을 방문하는 모든 이들의 얼굴을 뚫어지게 바라보는 습관이 생겼다. 나이를 물어봤던 사람을 밤새워 생각하는 버릇도 생겼고 벤치에 오랫동안 앉아 있는 사람을 보면 속이 울렁거리는 병도 생겼다.

보고 싶었던 건 아니다. 원망해서도 아니었다. 그건 효원이 인식하기도 전에 생긴 버릇이었다. 어쩌면 커버린 자신을 못 알아볼까 봐 걱정되었던 것 같기도 하다. 뭐가 뭔지 정확하게 알지 못하지만 확실한 건 슬픔이 깔려 있다는 것이다. 세상에는 원리가 있고 법칙이 있다. 모든 것은 뜻대로 흘러간다. 효원은 이곳에 버려진 것이 아니고 이곳에 오기 위해 태어났다. 효원을 보기 위해 부처님이 세상에 부른 것이다. 효종 스님이 한 말이었다. 그 말은 효원에게, 효종 스님을 만나기 위해 태어났다는 말처럼도 들렸다. 그 생각을 하면 마음이 하염없이 편해졌다. 나쁘지 않지 않은가. 효원은 전등사에서 보낸 시간이 억울하지 않았다. 빡빡 깎은 머리를 부끄러워한 적 없었다. 새벽같이 일어나 예불 올리는 것을 피곤하다 여기지 않았다. 효종 스님이 치는 목탁 소리가 좋았고, 말려둔 곶감을 먹는 것이 좋았으며 가을이면 밤을 주우러 산을 타는 것도 좋았다. 여름이면 동자승들과 함께 갯벌로 나가 뻘을 몸에 가득 묻혀 노는 것도, 효종 스님이 주워 온 도토리로 묵을 쑤는 일도, 수북이 쌓인 낙엽을 빗자루로 종일 쓸어내는 날과 함박눈을 맞으며 마당에 피운 불에 고구마를 구워 먹는 이벤트도 다 전등사여서 좋았다. 효종 스님은 때가 되면 출가하여 인생의 희로애락을 전부 겪고 난 다음 다시 부처님 곁으로 오라 했지만 효원은 그럴 생각이 없었다.

문득 한낮의 적막이 낯설었다.

바람이 불자 풍경 소리가 나직하게 들렸으나 효원이 느끼는 적막을 깨트리지는 못했다. 적막은 효원의 몸을 감싸고 있었다. 아니다, 지구인가. 잠시 고민하던 효원은 고개를 저었다. 지구까지는 아닐 것이다. 마지막 수송선이 출발하지 않았으니 적막이 지구를 감싸지는 못했다. 그렇다면 아직 이 섬 정도겠구나. 조금씩 잠겨 가는 섬에 어울리는 상황이었다.

강설당을 청소하던 도중 효원은 문득 이 섬이 적막하다는 생각을 효종 스님이 알았다면 화를 냈을 거라 생각했다. 섬에는 여전히 새가 날아다니고, 개미가 길을 밟고, 길고양이가 햇빛에 몸을 말리고 있으니 이건 적막이라 할 수 없다. 이곳은 여전히 소란스럽다. 효원은 뒤늦게야 부끄러움이 밀려와 흉보는 이가 없음에도 귀를 붉혔다. 빗자루 쥔 손에 힘을 주어 바닥을 쓸었다. 바닥에 떨어져 있던 도토리 두 개가 빗자루에 쓸렸고, 그 도토리는 효미가 장난감처럼 가지고 놀던 도토리였다. 며칠 전 효미를 위해 기꺼이 행성이 되어준 도토리이기도 했다. 둘 중 하트가 그려진 도토리가 과자 행성이었고 나머지 하나가 지구였다. '과자 행성'이 두 번째 지구의 명칭은 아니었으나 사람들이 지은 이름보다 효미가 지은 과자 행성이 더 매력적이라고 효원은 생각했다. 그곳에 가면 뭐가 좋으냐고 묻는 효미에게 효원은 고민하다 과자를 마음껏 먹을 수 있다고 대답했다. 틀린 말이 아니었다. 식량 생산이 이전과 같다면 과자를 반년에 한 번씩만 먹어야 하는 조건은 사라질 테니까. 그렇게 행성은 효미에게 과자 행성이 되었다. 요정과 난쟁이가 살고, 바다는 사이다, 강은 주스, 나무는 쿠키, 꽃잎은 초콜릿, 구름은 솜사탕일 것만 같은 행성. 과자 행성은 기대하지 않을 수 없는 멋진 작명이었다. 효원은 그날 지구와 과자 행성 사이에 나뭇잎 우주선을 두고, 나뭇잎에 효미와 효수와 효석이 나란히 앉아 과자 행성으로 갈 거라 설명했다. 효미는 한참 동안 말없이 이야기를 듣다 효원에게 넌지시 물었다.

안 타?

그 말은 효원이 효종 스님께 물은 말이기도 했다. 형태는 조금 달랐지만 같은 의미를 내포한 질문이었다. 효미가 알아차렸듯이 효원도 그랬다. 효종 스님의 거동과 숨소리 하나하나에서 이곳을 떠나지 않을 거라는 말을 읽었다. 효종 스님은 끝내 효원의 대답에 아무런 대답도 내려주지 않은 채 웃기만 했다. 그래서 효원도 효미를 향해 웃어만 보였다. 하지만 만약 그때 효미가 자기도 가지 않을 거라고 했다면 어떻게 했을까. 효원은 상상만으로도 미간에 주름이 졌고 속이 답답해짐을 느꼈다. 안 된다고 했을 것이고, 설득하다 말을 듣지 않으면 화를 냈을 것이다. 그것이 효미의 선택이더라도 미숙한 생각이 내린 아집이라 취급했으리라. 효종 스님처럼 네 마음이 편한 것을 선택하라 말하지 못했을 것이다.

효원은 효종 스님이 머물고 있는 방에 찬 바람이 들지 않도록 창문을 꾹 눌러 닫고 걸음을 옮겼다. 동생들이 출발한 지 벌써 반나절이 지났으니 수송선으로 데려다줄 비행기에 탑승했을 것이다. 아니, 북한 국경을 넘어 차로 이동한다고 했던가. 어쨌거나 확실한 건 더는 동생들이 이 땅에 없다는 것이다. 짜증이 많은 효미가 칭얼거리며 효수와 효석을 힘들게 하지 않기를 바랄 뿐이었다. 동생들을 생각하며 바쁘게 움직이던 발걸음은 수송선으로 향하는 동생들의 이미지가 뚜렷해질수록 느려졌다. 효원은 그 생각에 골몰하지 않기 위해 노력했지만 걸음은 조금씩 느려지다 덩그러니 멈췄다. 그 수송선이 마지막이다. 대륙을 뒤덮은 채 살아 있는 모든 것을 비틀어 죽이는 검은 흙먼지 덩어리가 차지해버린 이 행성을 떠날 수 있는 마지막 수송선. 효원이 고개를 들어 선명히 빛나는 달과 딱 그의 반만 한 별들을, 그러니까 별처럼 빛나는 우주에 뜬 수송선들을 바라보았다. 그 검은 흙먼지 덩어리는 이곳에도 언젠가 올 것이다. 아주 느린 속도로 자신이 머물렀던 땅의 모든 걸 죽이면서. 아직 오지 않았지만. 반드시 언젠가 전등사에 닿을 것이다. 적어도 효원이 살아 있는 동안에는. 검은 흙먼지를 등지고 최대한 먼 곳으로 걷더라도 결국 죽은 땅을 밟을 거였다. 효원은 효종 스님을 업고 걷는 상상을 한다. 어디를 가든 인적 없는 땅. 마음에 또다시 찬바람이 들었다.

다음 날 새벽 효원은 신묘장구대다라니를 읊으며 도량 곳곳을 도는 효종 스님의 뒤를 따랐고, 집중하려 했지만 도통 마음이 내려앉지 않아 푸르스름한 하늘에 아직 밝게 떠 있는 달을 힐끔거렸다. 그 행성에도 달이 있다고 했던가. 사람의 마음에 양심이 있는 것은 칠흑 같은 어둠에도 달이 뜨는 우주의 이치와 같은 것이라 하였는데, 만일 그곳에 달이 없다면 우주의 이치를 따라 인간의 마음에서도 점차 빛이 사라지는 건 아닐지 걱정되었다. 생각에 골몰하느라 효원은 효종 스님의 걸음이 멈췄다는 걸 몰랐고 그래서 달을 흘기며 걷다가 효종 스님과 부딪친 후에야 멈춰 섰다. 아차, 딴생각했다고 혼나겠구나. 긴장감에 허리가 빳빳해졌다. 내려앉은 눈두덩이 밑으로 매서운 눈을 마주하게 될 거라 생각했으나 효종 스님의 시선은 효원을 따라 새벽달에 닿아 있었다.

효종 스님이 뒷짐을 지며 입을 열었다.

"아직 마음이 바뀌지는 않았고."

도통 뜻을 단번에 알아듣기 어려운 말이었다. 효원은 그것이 제게 던진 질문인지, 아니면 효종 스님의 혼잣말인지 고민한 후에야 그것이 자신의 마음을 확인하려는 질문임을 깨달았다.

"욕심나지 않습니다."

효종 스님의 시선이 효원에게 향했다. 효종 스님의 눈은 이유를 묻고 있었다. 어떤 이유를 묻는 것인지, 욕심을 버리라 가르쳤던 사람은 본인이 아닌지, 효원은 도리어 되묻고 싶었다. 하지만 효원은 질문 대신 단조로운 대답만을 내뱉었다.

"우주는 성주괴공을 반복한다 하였습니다. 별이 탄생하고, 별을 유지하다가 소멸하고 사라집니다. 모래바람이 아니어도 지구도, 태양도, 우주의 모든 행성과 별도 이 순환을 반복하며 탄생하고 유지되고 소멸할 것입니다. 항상 존재하는 것은 없고 모든 것이 변화하는 제행무상인 것을, 티끌만큼 짧은 인간의 삶에 내일을 바란다고 무엇이 달라지겠습니까."

효원을 달래려고 효종 스님이 해준 말이었다. 효종 스님의 무릎관절과 허리가 튼튼했을 시절, 어린이날을 맞아 북적이는 전등사 한쪽에서 홀로 석상처럼 앉아 가족 손님들을 뚫어지게 바라보던 효원을 등에 업고 밤늦도록 전등사를 거닐며 우주의 제행무상에 대해 읊었다. 우주의 사물은 모두 변한다. 영원히 머무는 것은 없다. 이 지구와, 저 달과, 저 태양마저도 어제와 다르고 방금 전과도 다르며 부처님 석상마저도 매 순간 변하는데 왜 네가 원하는 이상은 영원할 거라 생각하느냐. 변하는 것에 마음을 두지 말라. 곧 세상 만물에 집착하지 말라는 말이었다. 아직 다가오지 않은 내일까지도.

"우리의 세계는 결국 무상으로 변해갑니다. 무상은 분별의 의미가 없습니다. 이곳에서 왔으니 이곳에서 있다가 그저 이곳의 순리에 맞게 사라지면 되는 것 아니겠습니까."

효종 스님의 표정이 어쩐지 탐탁지 않다. 눈이 가늘어진다는 건 무언가 마음에 들지 않는다는 뜻인데 지금 상황에서는 효원의 대답이 마음에 들지 않았을 확률이 높았다.

"괜히 애지중지 가르쳤다."

효종 스님이 툴툴거리며 말했다.

"애지중지하시기는 하셨습니까?"

"새벽에 오줌 누러 간다는 놈이 부처님 무릎에 누워서 자고 있는 걸 보고 이불 덮어줬으면 애지중지지, 뭐가 더 애지중지냐."

"그 일 하나 평생 우려먹으실 생각이신가 봅니다."

"변하지 않는 것은 지난 마음뿐이다."

결국 또 효원이 먼저 웃음을 터트리며 짧은 설전이 끝났다.

"아직 날이 춥습니다. 도량을 마치셨으면 얼른 안으로 들어가셔서 예불하시지요."

"기껏 가르쳤더니 잔소리만 하니, 참."

말은 그렇게 하면서도 효종 스님은 순순히 걸음을 돌렸다.

천천히 법당으로 향하며 효종 스님이 나지막이 말을 건넸다.

"효원아, 모든 존재가 곧 법이라 하였다."

하지만 효원은 효종 스님이 말을 마치고 내뱉는 기침 소리에 마음이 쓰여 그 말을 깊이 듣지 못했다.

사찰 관리인에게 듣기를, 효종 스님은 절로 들어오기 전 세 살배기 아이를 잃었다. 잃었다는 것이 누군가에게 빼앗겼다는 것인지 아니면 죽었다는 것인지, 어느 경우든 잃게 된 이유는 무엇인지, 본인의 아이는 맞는지, 아이를 잃어서 절에 들어오게 된 것인지, 궁금했지만 관리인은 세 살배기 아이를 잃었다는 사실 외에 어떤 것도 알려주지 않았다. 어쩌면 관리인도 그 이상으로는 알지 못했을지도 모른다. 아이를 잃었다는 사실도 효종 스님에게 들은 것이 아니고 효종 스님을 보기 위해 찾아온 지인에게 들었을 수도 있다. 자신도 잘 알지 못하는 이야기를 효원에게 해준 것은 아마도 효종 스님이 너를 각별하고 예쁘게 여기는 것에는 슬픈 운명이 깃들어 있다는 사실을 말해주기 위함이었을 거고, 누군가의 한없는 다정함과 친절함은 가라앉은 슬픔 위에 떠 있는 돛배와 같아서 그 안에 타 있는 이가 이 사실을 잊지 말아야 침몰하지 않을 수 있다는 경고를 주려 한 것이라고 생각했다. 묵직한 슬픔은 파도를 만들지 못하는 잔잔하고 깊은 저수지 같았다. 효원은 노를 쥐고 있지 않았고, 바람도 불지 않았다.

관리인에게 그 이야기를 들은 지 몇 년이 지나서야 효원은 효성 스님에게 넌지시 말했다.

아무래도 효종 스님은 죄책감 때문에, 혹은 그리움 때문에 저한테 잘해주시는 것 같습니다.

효성 스님은 효원의 말을 곧장 알아들었다. 효수가 오기 전까지 전등사의 동자승은 효원이 유일했고, 유일했기에 효종 스님이 맡지 않아도 되는 귀찮음을 떠안고 있다고 생각하는 듯했다. 홀로 버티기에도 무거운 돛배에 자신이 눈치 없이 올라 있는 것은 아니냐고, 이 절을 떠나 갈 곳이 있던 것도 아니었으면서 효원은 효종 스님을 위해서라면 당장이라도 떠날 수 있다는 듯이 굴었다. 그해 겨우 두 자릿수 나이가 된 효원의 입에서 그런 말이 나오니 효성 스님으로서는 기가 막힐 노릇이었지만 쓸데없는 소리 말고 예불이나 올리라는 소리 대신, 효원에게 절에서 키우던 저어새에 대해 말해주었다. 그러니까 그 새는 효원이 이곳에 오기 훨씬 전에 왔다. 효종 스님이 머리를 깎은 지 열흘이 되지 않았을 때라고도 했는데, 효원은 그 말이 100년 전이나 1000년 전이라는 말보다도 아득히 멀게 느껴졌다. 새는 다리가 부러진 채 법당 안에 쓰러져 있었다.

그게 꼭 살려달라고 부처님을 찾아온 것 같다고 하셨지.

그 새는 어떻게 됐습니까?

어떻게 됐긴. 효종 스님의 곁에 머물다가 건강하게 날아갔지.

또 안 옵니까?

또 오냐고?

그 새가 까치였다면 호박씨는 효종 스님 겁니다.

그러게……. 근데 인마, 까치 아니고 제비다. 호박씨 아니고 박씨고.

저어새는 4월 초중순에 번식지인 서해 연안이나 인천만으로 와 새끼를 낳는다. 그리고 먹이를 구하기 위해 갯벌과 논을 찾는다. 하루에도 서너 차례씩 갯벌과 논을 오가며 작은 물고기나 미꾸라지, 민물고기들을 새끼에게 실어 나르는데 그렇게 오가다 이따금씩, 그러니까 재수 없게 논에 설치한 그물이나 갯벌에 있던 쓰레기에 다리가 감겨 부러지거나 목이 걸려 죽는 경우가 있다. 아마 그때 법당에 찾아온 저어새는 그런 놈 중 하나였을 거라고, 효성 스님이 스케치북에 부리가 검은 새를 그리며 설명했다. 그리고 노란색 크레파스를 꺼내 한쪽 눈 밑에만 노란 테를 그렸다. 효성 스님이 말하길, 저어새는 눈 밑에 노란 칠이 있는데, 그 새는 특이하게 한쪽 눈에만 노랗게 칠해져 있었다고, 그래서 한동안 저어새가 오는 철이 되면 논이나 갯벌로 나가 한쪽 눈만 노란 놈을 찾고는 했었다고 했다.

왜 요즘에는 안 찾습니까?

아무리 기억을 떠올려봐도 효원은 4월에 갯벌이나 논에 간 적이 없었다.

이제 안 오니까 안 가지.

왜 안 옵니까? 다른 데로 갔습니까?

효성 스님은 머뭇거리다가 고개를 끄덕였다.

더 멀고, 더 좋은 곳으로 갔다.

그 대화의 주제는 효원도 그 새처럼 살기 위해 부처님을 찾아왔고, 누군가가 빠져나간 자리에 아무것도 넣을 수 없어 힘들어했던 효종 스님의 마음에 들어갔다는 말이었지만 효원에게는 그 말보다 새가 더 중요했다. 더 좋은 곳으로 갔다니까. 그곳이 이 행성을 말하는 건 아니라는 걸, 적어도 이 행성에서 저어새가 살 곳은 존재하지 않는다는 걸, 그렇지만 대기권을 뚫고 우주를 가로질러 다른 행성으로 날아가지 않는 한 다른 행성으로 갈 수 없다는 걸, 생각이 이런 단계를 거쳐 저어새가 멸종했다는 최종 사실에 온 건 그로부터 1년이 더 지나서였다.

새는 우주를 날 수 없다. 새뿐만 아니라 인간을 비롯한 지구의 생명체 대부분이 우주를 거닐 수 없다. 효종 스님과 효성 스님이 보았던 검은 부리에 노란색 아이라인을 가진 그 특이한 새를 자신은 보지 못한다는 사실이 억울하고 슬퍼 효원은 그 당연한 진리를 부정하고 싶었다. 어쩌면 새에게는 인간이 알지 못하는 능력이 있어, 우주를 날 수 있을지도 모른다고. 그래서 수천만 마리의 새 떼가 우주를 가로질러 새로운 행성으로 날아갔을 거라고. 그것이 정녕 불가능한 섭리라면 터전을 잃은 새의 강력한 바람이 우주의 이치로 설명할 수 없는 기적을 일으켰을 것이라고 믿었다.

법당에서 기척이 들린 것은 그날 밤이었다.

이전에 멧돼지 한 마리가 법당을 쑥대밭으로 만든 사건이 있었기에 효원은 기척을 듣자마자 상체를 벌떡 일으켰다. 효원은 외투를 챙겨 입으며 숙소를 나와 기둥에 세워진 빗자루를 챙겨 법당으로 향했다. 멧돼지를 정면으로 상대하는 것은 위험하지만 사람이 있다는 신호를 주면 알아서 도망가기 마련이었다.

법당 우측 문이 열려 있었다. 효원이 반대편으로 가서 문을 살며시 열었다. 컴컴했던 시야가 천천히 사물의 형상을 잡아갔다. 바람을 타고 산에서부터 스스스, 낙엽들 스치는 소리가 법당까지 흘러왔고 열린 문틈으로 달빛을 받은 부처님의 수월(水月)처럼 빛나는 얼굴 위로 그림자가 도포 자락처럼 펄럭이며 드리웠다. 멧돼지나 노루나 족제비의 것일 리 없는 그림자가. 그림자의 주인이 부처님 다리 위에 있었다. 효원이 법당 안으로 들어가 스위치를 켰다. 들고 있던 빗자루를 세게 움켜쥐며 달려들지도 모르는 생명체를 겨냥했으나 그 생명체는, 그러니까 부처님 다리를 빌린 그 새는 다리가 꺾인 상태로 기력없이 효원을 응시하고 있었다. 그것은 저어새였다. 이 행성에 더는 살지 않는다고 했던.

효종 스님을 집어삼킨 병마의 이름은 모른다. 아니, 모른다는 것보다 이름이 없다는 게 더 맞는 표현이다. 모든 병마가 다

원인이 되기도 하며 동시에 그런 이유로 모든 것이 원인이 되지 못하기도 한다고 했다. 의사는 물방울을 예시로 들었다. 조그만 물방울 하나가 병이라 치자. 떨어진 물방울 하나를 닦는 건 쉽지만 여러 물방울이 서로 달라붙어 커다랗게 뭉치면 물방울을 골라낼 수 없는, 또 다른 거대한 물방울이 된다. 그것이 정말 적절한 예시인지, 의사가 병을 솎아내지 못하는 자신의 무능을 감추려는 말은 아닌지 생각했다. 그렇지 않고서는 너무 많은 병마가 효종 스님의 몸에 들러붙어 어떤 것 하나 떼어낼 수 없고, 어떤 놈에게도 손댈 수 없다는 그 말을 곧이곧대로 믿을 수가 없었다. 많은 사람이 특정할 수 없는 복합적 질병으로 치료도 하지 못한 채 죽어가고 있고, 효종 스님 역시 몇 가지의 치료법으로는 하나가 된 병마를 이길 수 없다는 것이 의사의 말이었다. 통증이 너무 힘드시면 진통제를 처방해드릴게요. 의사는 자신이 할 수 있는 최선의 선의를 베푼다는 듯이 말했고 효종 스님은 끝내 그 선의를 받지 않고 자리를 떴다. 밤새도록 기침하실 바에야, 기침하다 그렇게 피를 토하실 바에야, 피를 토하며 고통을 참아내듯 눈을 감을 바에야 진통제를 먹는 게 좋으련만. 효원이 조금만 아파도 한걸음에 시내까지 나가 약을 사 오던 사람이 왜 제 고통에는 저렇게 무신경한지 이해할 수 없었다.

죽음에 순종적이지 않길 바라는 건 우주의 섭리를 거부하는 것일까. 효종 스님의 검진을 끝내고 돌아가는 길 내내 효원은 자신의 바람이 욕심인지를 헤아렸다. 그리고 쉽게 욕심으로 결론이 내려졌다. 효종 스님은 숨을 쉰 대가로 얻은 병마를 받아들였다. 그저 숨을 쉬었을 뿐이지만, 모두가 숨을 쉬지만, 그중에서 어떤 것이 남들보다 약하거나 운이 나쁘거나 나이가 들어서 들러붙은 병마를 억지로 떼어내지 않겠다고 말했다. 그러니 효원의 마음은 당사자가 바라지 않는 삶을 억지로 붙들어 제 옆에 있게 하려는, 온전히 자신이 감당해야 할 슬픔이 두려워 부리는 욕심이었다. 그걸 알면서도 도통 이 마음을 어떻게 달래야 하는지 방도가 떠오르지 않았다. 자신마저 어쩔 수 없다는 듯 뇌우 치는 빗속에 효종 스님을 내버려두어야 하는 걸까. 하지만 효종 스님은 효원을 끌어안은 사람이 아니던가. 몰아치는 비와 뇌우로 옆에 누운 이의 숨소리도 들리지 않았을 새벽에, 적묵당 문 앞에 있던 효원의 숨소리를 들었던 사람이 아니던가. 효종 스님은 만나야 할 운명은 뇌우 속에서도 서로의 숨소리를 듣는다고 표현했지만 효원이 생각하기에 그건 우주를 나는 새와 다를 게 없었다.

처소에서 잠들어 있는 효종 스님은 꼭 죽은 것처럼 보였다. 효원은 효종 스님이 덮고 있는 이불이 오르락내리락하는 것을 확인한 후에야 문을 닫고 다시 걸음을 돌렸다.

구급상자가 어디에 있더라. 분명 몇 달 전에 효석이 자전거를 타다가 넘어져 살이 크게 찢어지는 바람에 붕대랑 연고 따위를 사두었던 기억이 있는데. 효종 스님에게 물어보려 했으나 간만에 고통 없이 깊이 잠든 모습에 깨우지 못했다. 그 탓에 향로전에서 구급상자를 찾는 효원의 손은 발걸음처럼 어수선했다. 효성 스님이라도 계셨다면, 아니 섬에 사람이 있었다면 새를 안고 시내 동물병원까지 단걸음에 갔을 텐데. 왜 하필 새는 모두가 떠난 후에야 다친 다리를 끌고 이곳에 왔을까. 따지자면 목적 없이 날아가다 이곳에 들어왔을 확률이 제일 컸고, 그게 아니라면 달빛에 반사된 부처님의 얼굴이 새의 시선을 잡아끌었을 수도 있었다. 그 새는 한쪽 눈에만 노란색 라인이 그려져 있었다. 한쪽 눈에만……. 기어코 서랍에서 구급상자를 발견한 효원이 재빠르게 법당으로 향했다.

새는 아직 그곳에 있었다. 부처님 다리에 앉아 있지 말고 내려오라 말하고 싶은데 새에게 손짓한다고 해서 새가 알아들을 것도 아니고 지금은 다친 상태이니 효원은 군말 없이 석상으로 다가갔다.

"치료해주려는 거다, 치료……."

그러니까 부리로 쪼지 마라. 공격하지도 말고.

새는 효원의 손길을 얌전히 받아주었다. 부러진 다리를 자세히 살펴보고 싶었으나 살펴본다 한들 그에 맞는 치료를 해줄 수도 없었기에 효원은 다리가 저절로 붙기를 바라며 붕대를 감았다. 두 다리와 날개로 지구 한 바퀴를 도는 새를 연약하게 보는 것은 인간의 오만이건만, 나뭇가지 같은 다리는 너무도 쉽게 부러질 것 같아 손이 절로 떨렸다. 붕대를 다 감고 허리를 폈을 때 효원은 자신을 바라보는 새의 적색 눈과 마주쳤다. 꼭 고맙다고 말하는 것 같았다. 표정을 알 수 없는 눈임에도 불구하고.

적어도 자신을 적으로 간주하고 있지는 않다고 믿으며, 바라며, 효원이 조심스럽게 새를 팔로 감쌌다. 부처님 다리보다는 푹신한 곳이 쉬기에 더 편할 터였다. 새는 이번에도 효원의 손길을 거부하지 않았다. 효원은 법당 방석에 새를 올렸다. 새는 앉지도, 눕지도 않은 어정쩡한 자세였지만 몸을 부르르 떨면서도 가만있는 걸 보니 불편하지는 않은 모양이었다. 새의 마음은 알 수가 없지만.

효원은 새와 독대하듯 앉아 자신이 이만 나가야 하는 것인지, 아니면 새를 지키듯 옆에 머물러야 하는지를 고민했다. 아무리 생각해도 새를 지킬 필요는 없을 듯하여, 자리에서 일어나려던 효원은 잠시 뜸을 들이다가 한쪽 눈만 노란 새에게 물었다. 그럴 리 없다는 건 알지만.

"다시 온 거야?"

구해줬던 기억이 떠올라서. 여기가 안전하다는 것을 알아서……. 한쪽 눈에만 라인이 그려진 건 돌연변이일까. 아니면 드물지 않게 태어날까. 비교할 수 있으면 좋으련만 효원이 새를 본 게 오늘이 처음이었다. 효종 스님이라면 자신이 치료해준 새를 알아볼 수도 있을 것이다. 어제와 오늘 사이 여린 잎이 얼마나 성장했는지도 알아보는 스님이 아니던가. 효종 스님이 깨어날 때까지 새가 있어준다면 무리도 아니지. 효원은 그때까지 새가 있어주기를 바라며, 그렇지만 새를 가둬서는 안 되기에 법당 문을 활짝 열어놓고 자리를 떴다.

잠이 오지 않았다. 정신을 법당에 두고 온 모양인지 몸의 신경이 전부 법당을 향해 쏠려 있었다. 이번에는 정말로 멧돼지가 들어갈까 봐 걱정이 되었고 다친 곳에 염증이 일어 새가 위독한 상태로 빠지는 상상을 했고 그사이 다 나은 새가 인사도 없이 날아갈까 봐 조마조마했다. 효원은 결국 오래 버티지 못하고 자리에서 일어났다. 한동안 쓰지 않아 먼지 쌓인 노트북을 챙겨 열어놓은 법당 문지방에 걸터앉았다. 어린 저어새는 부리에 주름이 없고 날개 끝이 검다 했다. 효원이 노트북을 든 채 무릎걸음으로 다가가 새의 부리와 날개를 살폈다. 어린 새는 아닌 듯했고 날개깃이 소복같이 하얀 것으로 보아 완전한 성체로 보였다. 수명이 최소 9년이라 하였고 오래 사는 새는 20년을 거뜬히 산다고 했으니 어쩌면 효원보다 더 오래 살았을지도 모른다. 효원은 천천히 스크롤을 내리며 누군가가 개인 홈페이지에 정리해둔 글을 읽어 내렸다. 홈페이지 주인은 정말로 새를 사랑하는 사람이었을 거라고, 암초 섬인 각시암에 둥지를 틀어 살아남은 새들처럼 자신의 가족도 황무지 행성에서 살아남길 바란다는 대목을 읽을 때 확신했다. 사랑하지 않는 대상으로 사랑하는 대상의 건투를 빌지는 않을 테니까. 효원은 홈페이지에 있는 게시 글을 전부 읽었다. 새에 대한 정보는 한정적이고 사전적이었다. 알아낸 것이라고는 이 새가 성체라는 것, 그리고 저어새는 4년 전 석도에서 발견된 두 쌍을 끝으로 지구에서 완전히 모습을 감췄다는 것뿐이었다.

효원이 노트북을 덮고 몸을 옆으로 뉘었다. 차가운 바닥에 머리가 쿵, 닿자 바닥에 엎어져 있던 새와 눈이 마주쳤다.

"너는 왜 못 나갔냐?"

라고 물었다가 어쩌면 이 새가 자신보다 오래 살았을지도 모른다는, 아니 자신보다 오래 산 새이기를 바라는 마음으로 말을 고쳤다.

"왜 못 나가셨습니까? 안 가신 겁니까?"

말을 알아들을 리 없는데도 왠지 알아듣는 표정 같았다.

"후회…… 안 하십니까?"

새는 적색 눈동자로 효원을 응시할 뿐이었다. 효원은 곧 자신이 내뱉은 말이 부끄러워졌다. 귓바퀴가 홧홧해졌다.

"못 들은 거로 해주십시오."

효종 스님의 뜻을 따를 거라고 말을 했을 때 화를 낸 사람은 효성 스님이었다. 효성 스님은 이 절의 두 번째 어른으로 효원에게는 삼촌 같은 존재였고 어린 동자승들에게는 절대적인 보호자였다. 그렇기에 효성 스님에게는 떠나지 않겠다는 선택지가 존재할 수 없었다. 여덟 명의 동자승을 데리고 먼저 떠나야 했던 효성 스님은 떠나기 직전까지 효원에게 생각이 바뀌지 않았느냐고 물었지만 그뿐이었다. 효성 스님은 그날처럼 화를 내지 않았다. 효종 스님도 화를 낼 거라는 말도 하지 않았다. 단지 마음이 바뀌지 않았느냐고 묻고, 효종 스님과 이곳에 남기로 한 것으로 네 마음이 정녕 편안한 거지? 묻고, 효원이 그렇다고 대답하니 고개를 옅게 끄덕이다가, 길고 깊고 무겁고 슬픈 한숨을 푹 내뱉으며 효원을 끌어안았다. 너를 데리고 가는 게 자신의 미련과 욕심인 것 같다며, 그곳에 가면 효종 스님을 홀로 이곳에 두고 온 것에 가장 슬퍼하며 괴로울 게 너인 것이 확실해서, 자신의 마음이 편하자고 가고 싶지 않아 하는 너를 데리고 갈 수는 없다고, 담담하지만 평소보다 느린 말투로 마치 말이 끝나면 바로 헤어져야 하는 것처럼 시간을 질질 끌며 말했다.

효원의 선택에는 일정 부분 효성 스님의 책임도 있었다. 효종 스님이 처음으로 받은 동자승이 효원이었던 사실을 말하지만 않았어도, 아이를 쳐다보는 것도 괴로워하던 효종 스님이 종일 효원을 업고 돌아다녔다는 말만 하지 않았어도 효종 스님을 부모나 부처보다 더 각별하게 생각하는 마음이 좀 사그라졌으리라. 하지만 이 생각마저도 쉽게 번복됐다. 그럴 리 없다. 유치원을 다니는 내내 등하교를 함께했던 시간과 운동회 날 달리다 엎어져 울고 있는 효원을 들쳐 업고 뛰었던 날과 치킨이 먹고 싶다는 효원의 말에 시장에 나가 양념치킨을 사 왔던 모든 날들이 결국 효원의 결정을 만든 셈이다. 그리고 그 모든 날의 원인을 찾아 거슬러 올라간다면 그 끝에는 효종 스님이 있을 거였다.

버려졌다는 것이 그 사실 이상의 어떤 의미도 되지 못하게 하는 것이 효종 스님의 목표였다고 효원의 열일곱 번째 생일날 효성 스님이 말해주었다. 효원은 곰곰이 생각하다 입을 열었다.

부처님께는 죄송하지만, 저는 효종 스님을 만나려고 이곳에 온 모양입니다.

그것도 부처님의 뜻이었을 거다.

그렇게 생각하십니까?

네가 왔던 그날 천둥 번개가 쳤다 하지 않았냐. 효종 스님이 그 새벽에 어떻게 네 소리를 듣고 나갔겠냐? 꿈에 부처님이 찾아왔다고 했다. 문 앞에 한참을 서 계시는 걸 보다 잠에서 깼는데 낌새가 이상해서 나갔다 하셨다. 표정이 영 못 믿는 표정이다? 못 믿을 게 뭐가 있냐. 우주는 공(空)이다. 존재에는 실재가 없다. 그러니 말도 안 되는 일이 일어나기 얼마나 좋은 세상이냐? 실재하지 않기에 모든 것이 일어날 수 있고, 깨닫지 못한 이들이 그것을 기적이라 부를 뿐이다.

법당에서 잠들었던 효원은 햇빛에 눈이 부셔 눈을 떴다. 대낮같이 밝은 하늘을 보자마자 화들짝 놀라 몸을 일으켰다. 새가 보이지 않았으나 효원은 지금 새를 신경 쓸 때가 아니었다.

새벽 예불을 드리지 못했다. 효종 스님이 일부러 깨우지 않은 것일까. 설령 그렇다고 해도 효종 스님이 예불 드리는 소리에 깼을 터인데……. 새벽에 잠들지 못하고 이것저것 하느라 소리를 듣지 못한 것 같다. 더군다나 전날 아이들 떠날 짐을 챙겨주느라 신경이 곤두서 있었으니 여러 피로가 겹쳐 깊은 잠이 든 모양이었다. 효종 스님도 그걸 알고 일부러 깨우지 않았을 테지.

효원이 신발을 구겨 신고 효종 스님이 머무는 숙소로 향했다. 화를 내시지는 않을 테지만 최대한 놀란 척을 해야겠다고 생각하면서.

"스님!"

효원이 문을 열며 효종 스님을 불렀다.

"……스님, 아침입니다."

안에서는 아무 기척이 없었다. 하기야 효종 스님도 피곤했을 것이다.

"그만 일어나셔서 식사하셔야지요."

비록 효종 스님이 새벽 예불을 거르는 걸 단 한 번도 보지 못했으나 그래도 사람이라면 누구나 한 번쯤은 실수를 할 수도, 피곤함에 일을 뒷전으로 미룰 수도 있는 법이므로.

"스님."

사람이 깊이 잠들면 호흡이 느려지던가. 오래도록 움직이지 않는 효종 스님의 이불을 보며, 효원은 주변 소리가 아득히 멀어지는 것을 느꼈다. 효종 스님은 내리치는 장대비 소리에도 문밖에 있던 효원의 숨소리를 들었다는데, 왜 자신은 효종 스님을 눈앞에 두고도 숨소리를 듣지 못하는 것일까.

"일어나십시오, 그만……."

효원의 고개가 꺾인 나뭇가지처럼 힘없이 아래로 떨어졌다. 바닥에 이마가 닿았다. 바닥의 찬 기운을 느끼며, 몸을 감싸는 서늘함의 기운이 그것 때문이길 바라며, 지금이라도 기척을 내며 몸을 일으키길 바라며, 효원은 아침이 다 가도록 그렇게 있었다.

새가 왔다는 이야기를 하고 싶었다. 잠들기 직전, 다음 날 효종 스님께 아무래도 이 새가 예전에 스님을 찾아온 새인 것 같다고 말하는 모습을 상상했고 새를 살펴보다 잘 모르겠다고 웃어넘기는 효종 스님의 얼굴을 떠올렸다. 예전에 새가 찾아왔었던 걸 어떻게 아느냐고 물을 것이고, 그럼 효원은 이미 떠나 만날 일 없는 효성 스님이 얘기해줬다고 마음껏 떠들었겠지. 효성 스님이 들려주었던 모든 이야기를 효종 스님께 일렀으리라. 그랬어야 했다. 그러려고 했다. 병마가 효종 스님의 삶을 앗아갈 걸 알고 있었으나, 더없이 잘 알고 있었지만 그런데도 그건 먼 이야기였다. 오늘은 아니고, 내일도 아닌. 언젠가 반드시 오겠지만 적어도 오늘은 아닌.

웅크린 채 얕은 잠이 들었다. 하지만 햇빛이 맨살을 감싸는 게 느껴지고, 낙엽이 바람에 나뒹굴고 풍경 소리가 들리는 거로 보아 잠이라고 할 수 없었는데 몸은 나른해 움직이지 않았고 세상과 아득히 멀리 떨어진 듯한 몽롱한 감각이 몸을 뒤덮고 있었다. 세계의 경계, 이승과 저승 틈의 간극, 숨을 내쉬다 잠시 멈추게 되는 그 찰나. 햇볕보다 뜨겁고 무거운 것이 웅크린 효원의 등을 어루만졌다. 효원은 안다. 이따금 새벽마다 효원을 찾아와 한참 동안 등을 어루만져주다 가던 이 무게를. 저승으로 가지 못하는 효원의 육신은 이승의 끈으로 묶여 움직일 수도, 눈을 뜰 수도, 소리를 낼 수도 없다. 가지 말라는 말은 하지 않을 터이니 한 번만 끌어안게 해주기를 바랐지만 하찮고 가벼운 이승의 소원을 저승은 들어주지 않았다.

효원아, 너는 미련을 두지 마라.

나직한 목소리가 풍경 소리에 흩어진다. 부처님 곁으로 왜 그리 성급하게 가시느냐고, 당신만 보며 이 땅에 남아 있는 자신은 보이지 않느냐고 묻고 싶었지만, 바짓가랑이를 붙잡으며 소리치고 싶었지만 효원은 눈을 떴다. 태양은 어느새 정오를 지나 하늘 높게 떠 있었고 세상은 적막했다.

자는 동안 눈물이 났는지 관자놀이가 축축했다. 효원이 몸을 일으켰다. 효종 스님은 여전히, 아까와 다르지 않은 자세와 표정으로 그곳에 머물러 있었다. 효원은 두 손을 포개 절을 올렸다. 그래도 스님의 마지막 길을 외롭지 않게 하려고 자신이 남은 것 같다는 생각을 하며. 부처님은 잘 모실 터이니 이곳은 신경 쓰지 말고 편히 걸음 하시라고 빌며. 하고 싶은 말을 전부

되될 때까지 절을 올리려 했으나 효원은 멀리서부터 들려오는 프로펠러 소리에 고개를 들었다.

프로펠러 소리는 먼 곳에서부터 아득히 들려왔으나 시간이 흐를수록 이곳과 가까워지고 있었다.

효미와 아이들을 태우고 갔던 헬기가 마지막 구조대라고 들었는데. 누군가를 또 태우러 온 것일까. 효원이 신발을 신고 밖으로 나갔다. 멀리서부터 달려오던 헬기는 어느새 전등사 근처로 다가왔고, 효원은 불어오는 바람을 팔로 막으며 뒷걸음질 쳤다. 헬기는 전등사에 착륙했다.

효미와 아이들을 태우고 갔던 두 명의 군인이 헬기에서 내렸다. 손에 염주 목걸이를 들고서.

왜 이곳에 다시 왔느냐고 묻고 싶었지만 목이 메어 말이 나오지 않았다. 효원은 마음 깊은 곳에서 울렁거리는 감정의 덩어리를 느꼈다. 그렇게나 덤덤한 척했으면서 실은 따라가고 싶었던 것이다. 자신의 바람이 마지막 희망 앞에서 민낯을 드러내자 부끄러워 말을 이을 수 없었다.

그들은 효종 스님의 얼굴에 흰 천을 덮어주고는 서두르라며 효원을 이끌었다. 머뭇거리던 효원은 효미가 자신을 애타게 찾고 있다는 말을 듣고서야 어쩔 수 없다는 듯이 군용 헬기에 올라탔다.

"떠나기 전에 주지 스님께서 부탁하셨거든요."

군인 한 명이 말했다.

"따로 부르셔선 스님을 가리키며 저놈 꼭 데려가달라고."

효원은 극락암 앞에서 군인들과 이야기 나누던 효종 스님을 떠올렸다.

"꼭 한 번만 다시 와달라고 했습니다. 그렇게 하겠다고 확답은 못 드렸는데, 오늘 새벽에 새 한 마리가 이 염주 목걸이를 물고 왔습니다."

군인이 염주 목걸이를 들어 보였다.

"이걸 보자마자 스님이 생각나서……. 마음에 걸려서 왔습니다. 주지 스님 일은 안타깝지만 그래도 늦지 않게 와서 다행입니다."

"어떤…… 새였습니까?"

"무슨 새였지?"

효원과 대화하던 군인이 다른 군인에게 물었다. 상대방도 고개를 저었다.

"종류는 모르겠고 부리가 검은색이었어요."

효원이 입을 다물었다. 지금 입을 열면 울음이 터질지도 몰라, 숨을 참고 또 참으며, 실재하지 않기에 모든 것이 일어날 수 있는 우주를 곱씹었다.

그리 급히 어디를 가시나 했더니, 인사도 하지 않고 어디를 가시나 했더니…….

헬기가 떠오르며 세찬 바람을 일으켰다. 높은 고도에 이르자 저 멀리 검은 흙먼지 덩어리가 보였다. 헬기가 검은 흙먼지 덩어리 위를 지났고, 효원은 그 안에서 날아가는 검은 부리의 새 떼를 보았다.

검고, 검은, 아무것도 살지 못하는 그곳으로 날아가는 새를.

두 세계

통화는 봉안당 주차장에 도착할 때까지 이어졌다. 이럴 줄 알고 일부러 도착할 즈음해서야 전화를 했던 것인데, 생각보다 말은 더 길어졌고 도중에 끊을 수도 없었다. 산 중턱에 자리 잡은 추모 공원은 지상의 밤보다 어둠이 빨리 찾아왔다. 어느 곳보다 밤의 끝자락을 서둘러 끌고 오는 느낌이었다. 겸사겸사 이럴 때 얼굴이라도 보고 밥이라도 한 끼 같이 먹으면 좀 좋니? 하고 엄마가 물어왔다. 유라는 딴 길에 빠져 있던 생각을 허겁지겁 끌고 와 다음에 꼭 미리 연락하고 가겠다고 에둘러 말했다. 머뭇거리던 엄마는 도착했느냐고 넌지시 물었다. 의자에 푹 기대어 앉은 채로 지금 막 도착했다고 말했다. 엄마는 그제야 잘 보고 오라고 말하고 통화를 마쳤다.

명절에도 통화 몇 분으로 근간의 안부를 되묻고 끝내는 관계였으므로 엄마는 이 기일을 핑계로 가족들이 모일 명분을 만들고 싶어 하는 걸지도 모른다. 그 마음을 모르는 것은 아니었으나, 유라는 이제 와서 그것이 전부 무슨 소용인가 싶은 생각이 강했다. 그 애의 죽음은 누구의 잘못도 아니었다. 남은 사람들이 뉘우치고 고쳐야 할 일은 존재하지 않았고, 그저 각자의 슬픔을 잘 추슬러야 할 뿐이었다.

안치실은 서늘했다. 그 애의 집은 어렵지 않게 찾을 수 있었다. 요절한 사람들은 묫자리라도 좋아야 한이 없다는 말을 어디서 주워듣고 온 엄마는 적금 통장을 깨 몇천만 원짜리 명당을 그 애에게 놔줬다. 평소라면 허튼 곳에 돈 쓰지 말라고 했을 유라였지만 그날은 허벅지를 꼬집어가며 참았다. 그 애를 따라간다고 하지 않는 것만으로도 엄마는 용케 버티고 있었다.

딱 눈높이 위치에 놓인 유골함에는 몇 시간 전 엄마가 다녀갔다는 흔적으로 꽃과 청포도 사탕이 한가득 놓여 있었다. 사탕은 그 애가 어렸을 때 제일 좋아했던 군것질이었는데 커서도 즐겼는지는 알 수 없었다. 아마 엄마도 잘 모르는 상태에서 대충 기억나는 것들을 가지고 온 것이리라. 유라는 유리문을 열어 사탕 하나를 꺼내, 껍질을 까 입에 넣었다. 하나 먹었다고 꿈에 찾아와서 치사하게 저주 퍼붓지 마라. 유골함을 노려보며 생각했다. 먹을 걸로 서로를 서럽게 만든 적은 종종 있었지만 그 원망은 언제나 하루를 넘기지 못했다. 이번에도 그럴 것이다. 죽는다고, 사람이 달라지는 것은 아니니까.

유라는 사탕을 오도독 씹으며 유골함에 금박으로 쓰인 '황유진'이라는 이름을 멀거니 쳐다봤다. 그리고 2017-2043. 2017-2043이란 숫자를 멍하니 바라보다 옆 칸의 유골함을 곁눈질로 살폈다. 1963-2044. 오히려 옆 사람의 삶이 기이할 정도로 길어 보였다. 깔끔하고 멋있는 걸로 치자면 그 애의 삶이 군더더기 없었다. 이렇게 표현하는 걸 들었다면 그 애는 손뼉을 치며 까르륵 웃었을 것이다. 유라는 이해할 수 없는 웃음으로, 영원히 이해할 수 없는 어떤 기준으로 말이다. 안녕이라든가 그동안 잘 지냈냐는 말은 도저히 그 애에게 건네는 말 같지가 않았다. 앞에 있는 것은 한때 그 애의 일부였던 뼛가루뿐이었으므로 결국 혼잣말을 중얼거리는 것과 다르지 않게 느껴졌다. 유라는 오늘을 끝으로 그 애의 이름이나 보러 오는 이 짓도 점차 횟수를 줄여갈 생각이었다. 그런 생각으로 한동안 잘 지내라는 작별 인사를 속으로 되뇌고는 몸을 틀었다. 그런데 그 자리에 우두커니 선 채로 해바라기 한 다발을 안고 서 있는 소희를 만났다.

유라가 기억하기로 채소희는 열여덟 살 때 유라와 같은 반이었다. 책상에 코 박고 공부만 하던 교실에서 특별한 기억이 존재할 리 없었으므로 유라에게 남은 소희에 대한 기억도 고만고만했다. 그렇지만 이렇게 얼굴을 보자마자 불현듯 이름까지 떠오르는 이유는 그 애가 소희의 하굣길 친구였기 때문이었다. 그 애는 특별한 사유 없이도 학교가 끝나면 보충 학습이

나 학원을 가지 않는, 전교생 중 몇 손가락 안에 드는 유일한 애였다. 유라가 학교에 남아 온라인 강의를 들을 때 그 애는 유유히 운동장을 가로질러 학교를 빠져나갔고, 그 옆에는 언제나 소희가 있었다. 소희는 입시 미술을 준비했다. 유라가 기억하기로는 그렇다. 미대에 진학했는지까지는 알지 못했다. 유라는 그 애의 친구 관계에 대해 별 관심이 없었다.

봉안당을 빠져나와 산 초입에 있는 조그만 카페에 들어섰다. 늦은 시간이라 손님은 없었고 카페 직원은 재고 정리를 하며 손님을 맞이했다. 둘은 창 바로 옆에 있는 2인석에 마주 보고 앉았다. 소희는 장례식에 찾아왔던 몇 안 되는 조문객 중 하나였다. 그날 소희는 직접 그린 그 애의 초상화를 국화 대신 두고 갔다.

"어쩐 일이야?"

유라는 던져놓은 질문이 퍽 창피했다. 기일에 납골당을 찾는 데 무슨 이유가 있나 싶었다. 하지만 영 볼품없는 질문은 아니었다. 장례식이야 시간이 되면 친하지 않더라도 시간만 되면 들를 수 있는 경조사였으나 기일을 맞아 이렇게 먼 곳까지 온다는 건 예사 마음으로는 쉽지 않을 터였다. 많이 친했던가. 곧장 아니라는 결론에 도달했다. 그 애는 깊이 있게 관계를 맺지 못했다. 섣부른 판단이 아니다. 그 애 스스로가 느낀 삶의 고민거리였다. 얕은 것. 어디에도 뿌리내리지 못해 부유하고,

정처 없이 떠도는 것. 안착할 곳이 없는 것. 살아간다는 느낌을 어디서도 받지 못하는 것.

그렇지만 소희의 대답은 의외였다. 소희는 유진과 친했다고 대답했다. 그래서 잡생각이 많을 때, 할 일이 사라졌을 때, 문득 누군가가 그리울 때, 하염없이 울고 싶을 때면 이곳을 찾아온다고 말했다.

"……그래?"

유라가 당황한 마음으로 굼뜬 대답을 하는 사이, 진동벨이 울렸다. 유라는 동아줄을 붙잡듯 진동벨을 쥐고 자리를 떴다. 음료 두 잔을 받아 돌아오며 자신이 소희의 말에 왜 그런 반응을 보였는지를 생각했다. 정녕 그 애에게 친구가 한 명도 없었을 거라 믿었던 걸까. 하지만 그런 생각 없이는 그 애가 그렇게 홀가분하게 세상을 등졌다는 걸 믿을 수 없었으니까……. 아니다. 이런 식의 생각은 좋지 않다. 유라가 소희를 만난 건 고등학교 졸업식 이후 8년 만이었다. 학교에서는 이따금씩 인사만 몇 번 주고받는 관계였다. 그 애가 졸업 후에도 소희를 꾸준히 만나왔다는 걸 믿을 수 없었을 뿐이다. 그래, 그뿐이다. 마음이 어수선한 것은 자신이 몰랐던 그 애의 어느 일면을 이제야 알게 된 것 때문이리라.

테이블 위에 트레이를 올려놓자, 소희는 본인이 시킨 음료를 들었다. 유라의 마음을 알고 있는 것처럼 소희가 말을 이었다.

"너도 알지? 황유진 독립하기 전에 두 달 정도 내 자췻집에서 살았잖아. 근데 밤낮으로 일하더니 두 달 만에 보증금 만들어서 집 구해버리더라. 더 오래 있을 줄 알고 매트리스도 큰 걸로 주문했었는데. 아쉽게."

소희가 싱긋 웃었다. 유라는 소희의 눈을 오래 마주치지 못하고 피했다. 소희는 자신이 당연하게 이 모든 사실을 알고 있다는 전제로 이야기하고 있었지만, 정말 몰랐다. 그 애가 성인이 되자마자 출가했다는 건 알았지만 소희의 집에서 두 달 동안 생활했다는 것은 처음 듣는 이야기였다. 소희는 핀잔이라도 주려는 것처럼 유라의 눈을 집요하게 맞춰왔다. 하지만 이 역시 부끄러움이 만들어낸 피해의식이리라. 유라는 몰랐다는 말만 읊조렸다. 그러자 소희가 그 마음을 이해한다는 듯이 대답했다.

"유진이 좀 어려웠지?"

어려웠다. 그건 그 애에게 가장 잘 어울리는 수식어였다. 유라뿐만 아니라 그 애의 부모도 동의했던 부분이었고 같은 반 친구들 모두가 그런 식으로 그 애를 표현했다. 맞추기 어렵다거나 성격이 비틀어졌다는 의미가 아니다. 그 애에게 붙은 어려웠다란 의미는 조금 다른 뜻을 품고 있었다. 유라만은 정확하게 알고 있었다. 그 애에게서 느껴지던 낯선 기운의 출처는 '죽음'이었다. 항상 밝고, 항상 역동적이었으나 그 애의 에너지는 전부 죽음이 원동력이었다. 언젠가는 죽게 된다는 사실 하나.

“쌍둥이라고 같은 게 아니니까. 더군다나 너희는 외모까지 전혀 다르잖아. 말해주기 전까지 쌍둥이인 것도 몰랐어.”

유라가 고개를 끄덕였다. 소희의 말처럼 모두가 두 사람을 그저 이름이 비슷한 친구 정도로 생각했다. 이란성 쌍둥이여서도 그랬겠지만 근본적인 무언가가 달랐다. 둘에게서는 전혀 다른 에너지가 뿜어져 나왔다. 유라는 유리잔 표면에 맺힌 이슬을 손으로 훑으며 입을 열었다.

“걔는 늘 이상했으니까. 특이하고. 이해하기가 늘 힘들었잖아. 나만 그런 게 아니라 모두가…….”

모두가 그 애를 어려워했다.

“유라야.”

소희의 차분한 부름에 유라가 그제야 눈을 맞추었다. 소희는 먹먹한 눈으로 유라에게 말했다. 차분한 목소리는 얼음 결정처럼 유라의 살갗에 우수수 떨어졌다.

“너 한 번이라도 유진이 이해하려고 한 적 있니?”

유라는 생각했다. 그게 가능한 일이던가?

◇

집에 도착하니 밤 10시가 넘어 있었다. 현관 앞에 가방을 내려놓고는 그대로 침대로 걸어가 몸을 뉘었다. 천장을 멍하니 바라보던 유라는 몸을 모로 눕혀 침대 옆 탁자에 있는 패드 화면을 손바닥으로 쓸었다. 지문을 인식한 패드에 불빛이 들어오며 홀로그램 화면이 켜졌다. 문서가 켜켜이 쌓였다. 주말까지 다 훑고 간다고 했는데 봉안당에서 예상치 못하게 시간을 너무 빼앗겼다. 늘어지는 몸을 억지로 일으켜 문서 하나를 열었다. 노랜드에서 하반기에 판매될 책들이었다. 이 중에서 괜찮은 것들을 추려 마케팅 전략에 들어가야 했다. 유라의 역할은 서비스에 있었지만 책 선정은 본사 직원 전체의 일이었으므로 달리 빠져나갈 방법이 없었다. 유라가 마그네틱 버튼을 관자놀이에 부착한 후 프로그램을 실행시켰다. 하지만 화면을 띄우고도 유라는 지나가는 장면 어느 것도 눈에 담지 못했다. 소희의 말이 계속 귓가에 맴돌았다.

지하철역까지만이라도 데려다준다고 했지만 소희는 한사코 거절했다. 유라는 다음에 보자는 인사를 끝내 내뱉지 못하고 조심히 가라는 말만 되풀이했다. 차를 몰고 돌아오는 길에는 반박하지 못했다는 것이 뒤늦게 후회되었다. 소희 네가 틀렸다고 말했어야 했다. 그 애는 이해를 바라지 않는 아이다. 이해를 할 수 있는 영역에 있지도 않았다. 네가 그 애를 이해했다고 생각한다면 필시 그건 너의 착각이라고…….

진동이 울렸다. 전화의 발신인은 프로젝트 매니저 재원이었다. 따로 통화할 정도로 사사로운 관계가 아니었으므로 유라는 재원의 이름만 보고도 또 일이 터졌다는 것을 직감했다.

더군다나 출근까지 반나절밖에 남지 않은 일요일 밤에 문자도 아닌 전화를 걸었다는 건 일이 터져도 단단히 터졌다는 걸 의미했다. 유라는 아주 잠시 잠든 척 전화를 외면할까 싶었지만 결국 받을 수밖에 없었다.

유라의 예상대로 꽤 큰일이 터져 있었다. 노랜드에서 판매되는 책 중 한 권이 오류가 났는데, 단순 접속 불량이 아닌 크래킹°으로 보여 프로그램을 전부 뜯어봐야 한다고 재원이 말했다.

"침입 경로는 알아봤어요?"

"그게 없대요. 외부 침입 경로가요."

"내부에서 파괴되었다는 말인가요?"

재원은 자신 없는 목소리로 그렇다고 대답했다. 유라는 어느 책이냐고 물었다.

"〈아락스〉요."

유라는 패드로 〈아락스〉를 찾아 관리자 권한으로 접속했지만 '접근 권한이 없다'는 문구가 떴다. 몇 차례나 다양한 경로로 접근을 시도했지만 돌아오는 답은 똑같았다. **권한이 없다.** 머리가 지끈거렸다. 도대체 서비스를 관리하는 오너에게 권한이 없다면 누구에게 있다는 말인가. 당황한 유라가 말이 없자 재원은 안 되죠? 하고 조심스럽게 물어왔다.

° cracking. 불법적 접근을 통해 다른 사람의 컴퓨터 시스템이나 통신망을 파괴하는 행위.

"오류 난 거 어떻게 발견했어요?"

유라가 물었다.

"두 시간 전에 고객에게 환불 문의가 왔어요. 텍스트랑 영상의 결말이 다르다고요. 난리 났었어요. 노발대발하면서 고소하겠다고 해서 위로비라도 드려야 할 참이에요."

결말이 다르다고?

유라는 그 문장을 곱씹다가 일단 판매를 중단시키라고 말했다. 전화를 끊은 뒤, 노랜드 사이트에 접속해 〈아락스〉를 검색하고 일시 판매 중단이라는 문구가 뜨는 걸 확인했다. 판매 지수가 높지 않은 게 다행이었다.

유라는 온라인 서점에 접속해 〈아락스〉 텍스트를 구매했다. 다른 오류라면 모르겠지만 결말이 바뀌었다는 것은 도저히 납득할 수가 없었다. 아니, 불가능한 일이라는 표현이 더 맞았다. 노랜드의 〈아락스〉가 어떤 식으로 끝맺음되는지는 직접 확인해보기 전까지 알 수 없으나 도중에 내용이 끊긴 것일 수도 있다는 생각을 했다. 그러므로 문제를 정확히 짚으려면 〈아락스〉의 내용을 세세하게 알아둬야 한다. 분명 자신이 검토해서 통과시킨 이야기였을 테지만 몇 년 전의 일이라 내용이 희미했다. 유라는 자세를 고쳐 앉아 〈아락스〉를 읽어 내려갔다.

다음 날 재원은 본사 로비까지 나와 초조하게 유라를 기다리고 있었다. 출입문에 지문을 찍으며 들어오던 유라는 그런 재원의 모습에 덩달아 마음이 조급해졌다. 노랜드의 서비스 운용사인 '노블워크 스튜디오'가 설립된 지 6년이 될 동안 단순 접속 불량이나 버퍼링 오류 등의 간단한 문제 외에는 단 한 번도 이런 사고가 난 적이 없었다. 단순하게 생각하면 〈아락스〉를 폐기하면 되는 일이었지만 문제는 다른 곳에 있었다. 〈아락스〉의 오류 원인을 정확하게 찾지 못하면 앞으로 이런 오류가 계속 발생할 수 있다는 점이었다. 그렇게 되어서는 안 된다. 판매는 신뢰가 가장 중요했고 경쟁사가 계속 생겨나는 판국에 이런 사소한 오류가 쌓이면 부동의 1위라는 노랜드의 이미지를 무너트리고 고객들의 눈을 돌리게 하는 치명타가 될 것이다. 스무 살 이후 8년이라는 시간을 모조리 할애해 세운 이 회사를 지켜야 했다.

유라는 원래부터 책 관련 일을 하고 싶었다. 책을 많이 읽거나 글을 직접 쓰는 건 아니었지만, 그저 책이라는 물질 자체가 좋았다. 그래서 학생 시절엔 스트레스를 받을 때마다 서점에 찾아가 아무 책이나 샀다. 구매한 책을 전부 다 읽지는 못하더라도 글자와 글자가, 단어와 문장이 서로 얽혀 독자적인 하나의 세계를 만들어낸다는 게 늘 신기했다. 유라에게 책은 소비재라기보다 소장품에 가까웠다. 그래서 되도록 어떤 형태든 책이 주가 되는 일을 하고 싶다고 오래전부터 생각했다. 그런 유라를 기가 막히게 찾아 스카우트한 사람이 노랜드의 현 대표이다. 대표는 소설 기반의 가상현실 프로그램을 개발해 책을 보다 현실감 있게, 오감으로 읽도록 만들 것이라고 말했다.

유라는 그에 대해 미적지근하게 반응했다. 대표가 말하는 게 영상화된 소설과 크게 다르지 않게 느껴졌기 때문이었다. 하지만 대표가 꿈꿨던 지금의 '노랜드'의 것은 여타의 영상물과 달랐다. 노랜드에서 만들어낸 가상현실은 감각으로 소설을 읽는 것이다. 노랜드에 가입 후 첫 책을 구매하면 마그네틱 버튼을 받게 되는데, 이를 관자놀이 양옆에 부착한 후 실행시키면 가상현실을 체험할 수 있게 된다. 다른 영상 매체와 비슷해 보이지만 엄밀히 따지면 '책의 전부'를 구매하는 것이다. 가상현실 스크린 창에 책 본문이 뜨고 독자는 자신의 속도로 글자를 읽어 내려가며 자신이 읽고 있는 내용 속의 상황을 아주 천천히 재생시키고, 그 면면을 속속들이 파헤칠 수 있다. 모든 장면과 이야기 진행은 소설의 형태를 그대로 따라간다. 독자는 한 권의 책을, 아주 심도 있게 파고들 수 있게 되는 것이다.

무엇보다 노랜드의 가장 큰 핵심은 소설 속 인물과 대화가 가능하다는 점이다. 등장인물의 인공지능화가 이루어지고, 그 인물은 자신이 속한 소설 속의 세계를 기반으로 만들어졌다. 독자는 등장인물과의 의사소통이 가능해짐에 따라 소설을 더 심도 있게 읽어 내려갈 수 있게 된다. 단순히 입력해놓은 일률적인 대답을 늘어놓는 것이 아니다. 인물들은 자신이 처리할 수 있는 문제에 한해서, 독자적인 판단하에 답을 내린다. 유라는 처음 이 기능에 대해 반대했다. 책은 독자 스스로 겪은 세계에서 이해되고 판단되어야 하는데 등장인물과의 직접적인 소통으로 해석이 일률적으로 이루어질 가능성이 크다는 게 이유였다. 하지만 대표의 생각은 달랐다.

결국 어떤 질문을 하는지는 각자의 세계에서 도출되는 거잖아.

정말 그럴까. 유라는 납득할 수 없는 부분이 많았지만 기꺼이 손을 잡았다. 스무 살이니까 할 수 있는 무모함이었다. 그리고 대표의 말은 맞았다. 인공지능은 훨씬 우수했고, 사람들의 질문은 다양했으며 그에 따라 책에 대한 해석은 다양해지고 풍부해졌다.

그렇게 창립된 노블워크 스튜디오에서 유라는 프로젝트 오너라는 직책을 맡았다. 나이 많은 팀원들에게 꿀리지 않겠다는 일념 하나로 누가 시키지 않아도 밤낮없이 일했다. 노력은 다행히 성공했고, 유라는 8년간 자리를 지킬 수 있었다. 그사이 회사는 몇 차례 점점 더 큰 사무실로 이사를 하다 몇 년 전 큰 빌딩 하나를 세우는 데 성공했다.

유라를 초조하게 기다리고 있는 재원도 유라보다 두 살 많은 팀원이었지만 단 한 번도 나이를 내세운 적 없었다. 유라를 발견한 재원이 오셨어요? 하고 곁으로 다가왔다. 유라가 승강기 버튼을 누르며 물었다.

"아직도 안 돌아왔어요?"

"예, 개발팀에서 아무리 만져도 결말이 바뀌지 않아요. 주인공도 아무 응답이 없고요."

"외부에서 접근한 경로는 아직도 못 찾았어요?"

눈을 동그랗게 뜨며 유라가 묻자, 재원은 도저히 자신도 이해하지 못하겠다는 표정으로 고개를 끄덕였다. 유라는 서둘러 개발팀 사무실로 향했다.

〈아락스〉는 1992년에 미국에서 출간된 책이다. 인기가 많은 책은 아니었지만 중세 시대를 배경으로 하고 있어 다양한 체험을 살리기 위해 선정되었다. 책의 주인공 '아락스'는 15세기 말에 이탈리아 제노바에서 태어났다. 세 자매 중 첫째로, 밑으로는 '아란'과 '아닉'이라는 두 동생이 있다. 아락스는 호기심이 많고 진취적인 인물이다. 콜롬비아의 범선인 '산타마리아호'에 승선하기 위해 모종의 계략을 꾸미고, 이내 남장을 한 후 승선하는 것이 이야기의 결말이다.

아락스는 배에 타기 위해 항해술과 요리, 검술을 배우고 말미에는 자연으로부터 배를 지키기 위한 주술까지 배운다. 두 동생은 그런 언니가 꿈을 이룰 수 있도록 언니의 계략을 도와주는 역할이다. 그러니 아락스는 살고 있는 이 땅을 벗어나 더 크고 넓은 세계로 나아가고자 하는 욕망이 뚜렷한 인물이었다. 더 넓은 세상을 두 눈으로 직접 보기 위해 진흙 위를 구르는 한이 있더라도 그 꿈을 이뤄내고야 마는 인물. 강인하고 단단한 연필심 같은.

그러니 유라는 지금 자신이 보고 있는 〈아락스〉의 결말을 믿을 수 없었다. 말도 안 된다는 말을 되풀이하며 몇 번을 돌려봐도 결말은 달라지지 않았다. 유라가 생각했던, 내용이 도중에 끊기는 식의 오류가 아니었다. 이건 여지없는 다른 결말이었다.

"……이건 애초에 입력한 적도 없는 결말이잖아요."

"그래서 저희도 미치겠어요. 계속 보는데 무섭기까지 해요, 이제는."

개발팀 영조가 닭살 돋은 제 팔뚝을 매만지며 말했다. 화면을 바라보는 유라도 같은 심정이었다. 결말이 이렇게 바뀌었을 거라고는 상상조차 하지 못했다. 유라는 그제야 고소하겠다던 고객을 이해했다. 전혀 예상치도 못했던 곳에서 아무런 예고도 없이 트리거 버튼이 눌릴 수도 있는 일이었다.

아락스가 죽었다.

원래의 결말은 산타마리아호에 승선하며 끝나는 것인데, 바뀐 결말에서 아락스는 뒤뜰에 있는 창고 기둥에 목을 매달아 죽은 것이다. 저토록 아름답게 만들어진 중세 시대의 푸른 배경을 등지고서. 유라는 아락스를 쳐다보다 겹쳐 떠오르는 장면에 눈을 질끈 감았다.

복도 정수기에서 냉수 한 컵을 따라 마신 유라는 그대로 벽에 기대 주저앉았다. 열이 나는 것처럼 이마가 뜨끈뜨끈했다. 차가운 컵으로 열을 식히려 이마에 문댔다. 뒤이어 개발팀을 빠져나온 재원이 유라의 옆에 따라 앉았다.

"뽑아 왔어요."

재원이 패드를 내밀었다. 거기에는 유라가 부탁한 〈아락스〉 구매 고객 명단이 있을 것이다. 환불을 요청한 고객 직전에 구매한 고객을 찾을 생각이었다. 어느 시점부터 결말이 이렇게 바뀌었는지를 찾아야 했다. 하지만 유라는 당장 패드를 볼 여력이 남아 있지 않았다. 패드를 받은 채 잠시 동안 이마에 컵을 더 문댔다. 하필이면 어제가 기일이어서…….

"보니까 이상한 고객이 한 명 있더라고요."

"이상한?"

유라가 재원에게 고개를 돌렸다.

"보통 고객들의 재구매가 5회를 넘기지 않잖아요."

노랜드의 구매는 1회 서비스였다. 한 번 구매한 책은 완독한 후에는 다시 재열람할 수 없었다. 마음에 드는 책이 있으면 그때마다 다시 재구매를 해야 하는 것이다. 이는 구매 후 불법으로 유통되거나 한 명의 아이디로 여러 명이 함께 보는 것을 막기 위한 방법이었다. 그래도 고객 불만을 최소화하기 위해 재구매 시에는 할인 가격으로 구매할 수 있었다. 그렇지만 비용 때문인지 한 책을 5회 이상 재구매하는 일은 거의 없었다.

"그런데 한 고객이 〈아락스〉를 서른다섯 번 구매했어요."

정신이 번쩍 들었다. 유라가 믿지 못하겠다는 눈으로 패드를 쳐다봤다. 〈아락스〉가 판매되기 시작한 4년 전부터 지금까지 이 책의 판매 횟수는 446건밖에 되지 않는다. 그중 완독한 사람은 67퍼센트밖에 되지 않는데 그중에서 서른다섯 번의 완독이 전부 한 명의 기록이었다. 이름은 신규영(2025-12-12). 첫 구매는 1년 2개월 전이었고 마지막 구매는 나흘 전이었으며 첫 구매를 제외한 서른네 번의 구매는 전부 2개월 이내에 이루어진 것이었다.

"……만나봐야겠죠?"

재원이 물었다.

"아무래도요."

유라가 대답했다. 다행히 고객 정보에 휴대폰 번호가 적혀 있었다.

◇

유라는 로비에 있는 카페에서 회전문이 돌아갈 때마다 입구를 힐끔힐끔 쳐다봤다. 20대 초반의 여자만 보면 자기도 모르게 허리를 꼿꼿하게 폈다. 아직까지는 전부 허탕이었다. 재원은 시계를 보며 아직 약속 시간까지 5분 남았다며 유라를 달랬다.

테이블 위에는 커피와 함께 종이백이 놓여 있었다. 선물이라고 하지만 일종의 입막음용 뇌물이었다. 환불을 외쳤던 고객은 환불 비용의 몇십 배에 달하는 비용을 두둑하게 챙겼다. 꽤 큰돈이었지만 유라는 그 정도 선에서 피해를 막을 수 있었음에 감사했다. 자칫 고객이 인터넷에 주인공이 자살하는 장면을 보았다는 내용을 올렸다면 회사의 이미지 손해가 더 컸을 것이다. 한번 퍼진 말은 어떤 해명을 덧붙여도 수습되지 않았을 테니까.

재원이 어? 하고 입을 열었다. 유라가 재원의 시선을 따라 고개를 돌렸다. 건물 유리창 너머로 회전문 앞에 멀뚱히 서 있는 한 여자가 보였다. 갓 스무 살이 된 것 같은 앳된 얼굴이었다. 유라는 직감적으로 저 사람이 신규영이라는 것을 알아차렸다. 규영은 이상하리만치 그 자리에 가만 서 있다가, 건물로 들어가는 사람들을 몇 번 빤히 쳐다본 후 그들의 뒤를 따라 회전문을 통과했다. 재원이 먼저 자리에서 일어나 규영을 마중나갔다. 유라는 자신에게 걸어오는 규영을 향해 환히 웃어 보였다.

어깨에 닿아 마구잡이로 뻗친 머리칼과 화장기 없는 얼굴, 보풀이 일어난 얇은 카디건을 입고 온 규영은 유라의 인사를 받고도 줄곧 로비를 훑어보고 있었다. 규영은 발과 무릎을 서로 맞붙인 채 허리를 펴고 앉았다. 두 손을 가지런히 무릎 위에 올려두고서 말이다. 규영의 자세는 지나치게 올곧았다. 규영의 고개가 마주 보고 앉은 상대에게 돌아온 것은 유라가 명함을 내밀었을 때였다. 규영은 테이블 위에 놓인 명함을 가만히 내려다보다가 시선을 올려 유라를 쳐다봤다.

"오느라 힘들지 않았어요? 집이 어디예요?"

재원이 친근하게 말을 붙였다. 본론을 꺼내기 전에 상대방의 긴장을 풀어주기 위해서였다.

"서쪽에서 왔습니다. 오래 걸렸지만 걸어올 수 있었습니다."

유라와 재원이 눈빛을 교환했다. 지나치게 격조 있는 어투였다. 규영은 그 두 사람을 한 번씩 번갈아 쳐다봤다. 유라는 당황해 말의 순서를 까먹었고, 마음을 다잡기 위해 잠시 뜸을 들였다. 규영은 어떤 이유로 불렀느냐는 흔한 질문도 하지 않았다. 밖에서 들리는 클랙슨 소리에 규영이 창밖으로 시선을 돌렸다. 아무런 표정 변화 없이 규영은 지나가는 차를 주시했다. 규영의 얼굴에 상처가 많다는 건 그때쯤 알아차렸다. 뺨과 목이 불그스름한 생채기로 가득했다. 옆에 있던 재원이 입을 열었다.

"오늘 규영 씨를 이곳까지 부른 이유는요. 혹시 노랜드의 책을 구매하면서 이상한 점이 있지는 않았는지 여쭤보기 위해서예요. 뭐, 오류가 잦았다거나 인물들이 이상했다거나 결말이 바뀌었다거나."

"……."

"이를테면 마지막에 구매하신 책에서 어떤 문제가 있지는 않았는지……."

재원의 목소리는 점차 작아졌다. 잘못된 지점을 찾아가는 과정이었음에도 스스로 잘못을 까발리는 느낌이 들었으리라. 그렇게 느낀 가장 큰 이유가 규영의 표정 때문이라고 유라는 생각했다. 규영은 눈꺼풀 한번 움직이지 않고 말하는 재원을 빤히 쳐다봤다. 노려본다거나 멀거니 쳐다본다는 느낌과는 전혀 달랐다. 주시하는, 집중하는, 꿰뚫으려 하는, 간파하는. 그런 것들과 형태가 비슷했다.

입술이 호선을 그리며 적당한 웃음을 유지한 상태로 규영은 흔들림 없이 대답했다.

"없었습니다."

너무나도 깔끔한 대답에 재원은 아, 예예, 하고 말을 더듬거리다 입을 다물었다. 옆에서 가만 지켜보던 유라는 테이블에 올려두었던 종이백을 규영에게 밀었다.

"없었다면 다행이에요. 이건 저희 회사에서 드리는 선물이에요. 많이 이용하신 분들한테 드리는 거니 사양 말고 받으세요."

규영은 종이백을 두 손으로 들어 무릎에 올려두었다.

"그리고 혹시 이상한 게 있었다면 바로 연락 주시고요."

"예. 알겠습니다."

유라가 자리에서 일어나자, 규영도 유라를 따라 몸을 일으켰다. 규영은 가볍게 고개를 끄덕이고 몸을 돌렸다. 그때 유라의 눈에 규영의 아킬레스건이 신발에 쓸려 피가 흥건한 것이 보였지만 규영은 피가 나는 걸 모르는 듯이 걸어갈 뿐이었다.

◇

아락스는 망토를 벗어 의자에 걸쳐두고 침대에 누워 있는 아닉의 안색을 살폈다. 밤사이 올랐던 열은 어느 정도 내려갔지만 여전히 이마와 뺨이 붉고 뜨거웠다. "오, 아닉. 아직 몸이 뜨겁구나." 아락스가 말했다. 아락스의 목소리를 듣고 깬 아닉이 힘겹게 눈을 떴다. 가여운 얼굴로 아닉은 애써 웃으며 아락스의 손을 잡았다.

"신부님이 오셨다 가셨어……."

침대 옆 탁자 위에는 아기 예수상이 놓여 있었다. 아락스는 동상을 흘겨보고는 자리에서 일어났다. 안뜰을 지나 주방으로 향했다. 양동이에 차가운 물을 담고 그 안에 천을 적셨다. 아닉의 열은 닷새째 지속되고 있었지만 아락스가 밤낮없이 보살펴준 덕에 몸이 조금씩 낫고 있었다. 하지만 방심하기는 아직 이르다. 아락스는 아닉의 몸에 고름이나 검은 반점이 생기지는 않았는지 계속 살폈다. 다행히 열에 의한 홍반뿐이었다. 이제는 그마저도 거의 알아볼 수 없을 정도로 희미해졌다.

아락스가 침대에 걸터앉았다. 턱 밑까지 끌어 올린 이불을 걷어내고 가져온 젖은 천으로 아닉의 팔을 닦았다. 아닉은 차가운 감촉에 몸을 움츠렸다. 그래도 싫다고 투정 부리지 않았다. 아닉은 아락스를 도리어 위로해주려는 것처럼 입을 열었다.

"……곧 주님께서 은총을 주실 거라고 그랬어. 살바토레

신부님이."

"좋은 소식이구나." 아락스는 천을 양동이에 한번 더 담갔다가 꺼냈다. "그렇지만 주님의 은총이 있기 전에 아닉 네 스스로 회복해야 해."

'주님이 정말 우리를 보살폈다면 그렇게 많은 사람들이 전쟁에서 희생되지 않았을 거야. 무언가에 맹목적으로 기대서만은 안 돼.' 아락스는 그렇게 생각했지만 아닉에게는 말하지 않았다. 아닉은 고개를 끄덕였다. 말을 잘 듣는 착하고 선한 동생이었다.

"항구에는 오늘도 사람이 많아?" 아닉이 물었다. 닷새째 집에만 박혀 있었으니 바깥일들이 궁금한 모양이었다. "상인들은 무얼 갖고 왔어?"

아락스는 천을 완전히 내려놓고 아닉의 손을 잡았다. 보드랍고 작은 손을 자신의 뺨에 문대면서 입을 열었다.

"향신료와 차를 잔뜩 가지고 왔어. 양초를 수북이 쌓아둔 상인도 있었어."

"아, 정말! 그 활기찬 항구를 보지 못해서 몸이 더 아픈 것도 같아." 아닉이 아랫입술을 비죽 내밀며 말했다. 아락스가 활짝 웃었다. "에스파냐로 가는 배는 찾았어?" 아닉이 물었다. 아락스가 고개를 끄덕였다.

"그렇지만." 아락스가 진지한 목소리로 말했다. "너를 이렇게 두고는 절대 가지 않아."

"오, 언니." 아닉이 고개를 저었다. "그런 말은 하지 마. 나는 여기서 충분히 나을 수 있어." 아닉은 금방이라도 울 듯한 표정이었다.

"언니는 이곳에 있으면 행복할 수 없어."

아락스는 그렇지 않다고 반박할 수 없었다. 자신이 이곳에 남게 된다면 불행하리라는 걸 잘 알았다. 하지만 아픈 아닉을 두고 매정하게 갈 수도 없는 노릇이었다. 요 며칠 아락스는 이 생각에 밤마다 괴로워했다.

아닉이 손을 뻗어 아락스의 가슴에 얹었다.

"언니가 그랬잖아. 언니의 바람은 언제나 바깥에서 불어온다고."

"그렇지. 내 바람은 언제나 바깥에서 불어와."

"그러니 그곳으로 가야 해." 아닉이 단호하게 말했다. "이 도시에 있으면 언니는 불행해질 거야."

"언제나 나를 생각해주는 상냥한 아닉……. 네가 있어 내 세상은 이토록 멀리 뻗어나갈 수 있구나. 맞아, 네 말대로 나는 이곳에 있으면 불행할 거야. 이 도시는 내가 있기에 너무 작아. 나는 더 넓은 세상을, 내가 닿지 못한 다른 세계를 반드시 봐야만 해. 그 어떤 사명감이 저 바깥에서 나를 부르고 있어. 나는 그것을 반드시 수행해야만 해. 그 어떤 것도, 내가 여자라는 사실도 나를 막을 수는 없단다. 아닉, 내 머리카락을 팔기로 이미 약조하고 오는 길이란다. 그 머리카락으로 너희에게 더 많은 음식을 사 줄 수 있고 뱃삯도 치를 수 있을 거야. 족쇄라 여겼던 것들이 실은 나를 이끌 희망의 끈이었다는 걸 이제는 알아. 그렇지만 나는 절대 아픈 너를 이렇게 두고는 가지 않을 거야. 그러니까 아닉, 최선을 다해 나아줘. 나를 위해서라도."

아락스가 아닉을 끌어안았다. 아닉의 따뜻한 체온이 아락스 몸에 전해졌다.

◇

알람 소리에 눈을 번쩍 뜨자 배 위에 있던 패드가 침대 아래로 떨어졌다. 패드를 주웠다. 화면에는 〈아락스〉 텍스트가 켜져 있었다. 유라는 잠들기 직전에 읽었던 장면을 훑다가 화면을 껐다. 한숨 자고 일어났지만 한숨도 안 잔 것처럼 피곤이 밀려왔다. 그렇지만 더 누워 있을 수 없었다. 재원의 연락이 쌓여 있었다.

평소보다 일찍 회사에 출근한 유라는 개발팀을 찾았다.

"비어 있다고요?"

그리고 방금 들었던 말을 이해하지 못해 영조에게 다시 물었다. 영조가 고개를 끄덕였다. 그러니까 〈아락스〉의 시스템 속이 전부 비어 있다고 했다. 인공지능 인물조차도.

"지난번에 관리자 권한이 없다고 떴잖아요? 그게 포털 접속 코드가 바뀐 게 아니라 애초에 접근할 곳이 없으니까 권한이 안 떴던 거였어요. 다시 말하자면 허공에 대고 열쇠를 꽂은 거였죠."

"하지만 그때 영상 확인했잖아요."

"그건 장면일 뿐이에요. 산출된 결과가 아니라 우리가 입력해놓은 장면들요. 이 속에 있어야 할 인물과 공간이 전부 텅 비어 있어요. 아마 마그네틱 버튼으로 접속하려고 해도 안 될 거예요. 공간 자체가 파괴되었으니까 입장할 곳이 아예 없는 거죠."

"그럼 그 인공지능이 어디로 갔다는 말이에요?"

"모르겠어요." 영조가 고개를 저었다. "혹시나 다른 서비스와 혼선된 건가 싶어서 전부 다 찾아봤는데 안 보여요. 〈아락스〉의 인공지능은요."

〈아락스〉의 인공지능은 '아락스'다.

유라는 〈아락스〉의 베타 버전이 나왔을 때 그곳에서 아락스를 만났다. 마그네틱 버튼을 부착한 후 프로그램을 실행시키자, 감고 있던 눈꺼풀이 점점 더 무거워지면서 몸이 침대 밑으로 가라앉듯 한없이 내려앉았다. 그리고 머지않아 검은 시야가 점차 환해지며, 말발굽 소리가 멀리서부터 들려왔다. 장면의 시작은 소설의 시작과 같았으므로 유라는 눈을 떴을 때 초원에 난 좁은 흙길 위로 마차 하나가 지나가리라는 걸 알고 있었다. 이 세계에서 유라는 이방인이자 예언자였다. 시야의 우측 상단에는 투명한 박스 창이 떴고, 그곳에 소설 본문이 쓰여 있었다.

유라는 천천히 지문을 읽어 내려갔다. 저 마차 안에 아락스에게 산타마리아호의 소식을 알려줄 신사가 타고 있었다. 그는 아락스와 오래전부터 알던 친구였고 아락스를 짝사랑하고 있으나 아락스의 큰 꿈을 방해하지 않기 위해 자신의 마음을 숨기는 인물이다. 마차를 따라 쭉 가다 보면 아락스를 만날 수 있었다. 초원 끝에 난 조그만 집. 창고가 있고 굴뚝에서 연기가 피어오르는 곳이었다.

멋대로 잘라 목덜미에 비죽비죽 튀어나왔던 헤어스타일과 연갈색 눈동자, 흰 피부에 촘촘하게 박혀 있던 주근깨가 유라의 시선을 사로잡았다. 15세기 인물답게 깔끔하지는 않았지만 유라가 만났던 그 시기의 어느 인물보다도 눈빛이 강렬했던 기억이 났다. 대화 기능을 켜 아락스와 마주 앉게 된 유라는, 이전에 만났던 인물들에게서는 느낄 수 없었던 이질감을 느끼는 중이었다. 그 기분의 원인조차 파악할 수 없었다. 아락스는 유라를 뜯어봤다. 그건 뜯어봤다고 해야 맞는 표현이었다. 머리에서부터 발끝까지, 유라가 하고 있는 장신구까지 하나도 놓치지 않겠다는 의지처럼 보였다.

그건 뭔가요?

아락스는 유라가 손목에 차고 있던 패드를 쳐다보며 물었다. 유라는 이걸 15세기 사람에게 뭐라고 설명해야 할지 몰랐다. 유라는 얼버무리려 했지만 아락스는 집요하게 시선을 맞줘왔다. 유라는 결국 차분하게 설명했다. 기계인데, 이 패드가 세상의 정보를 다 알려준다는 식으로 말이다. 아락스가 이해할 거라고는 애초에 기대하지 않았다. 그저 질문을 했으니 답을 내준 것뿐이었다. 하지만 아락스는 유라의 말을 알아들은 사람처럼 반문했다.

그런 것들이 밖에는 많나요?

밖. 아락스는 유라의 세계를 밖이라고 표현했다. 유라는 그것을 이제야 떠올렸다. 그 어느 인공지능도 플레이어의 세계를 밖이라 표현하지 않았다.

"밖……."

유라가 물었다.

"인공지능이 다른 서버를 넘나들 수 있어요?"

"다른 서버로요? 불가능하지는 않아요. 시스템이 연결되어 있으니까요. 신경망을 타고 흘러가는 거죠. 하지만 그렇게 되면 최악의 경우 판매되는 서비스를 전부 중지시켜야 돼요. 그 인공지능이 넘나들 수 있다면 다른 인공지능도 다른 서버로 갈 수 있다는 이야기니까요."

"그렇다면 다른 서버가 아니라 밖으로는……."

유라가 다시 말을 정리했다.

"혹시 인공지능이 밖으로 나올 수도 있을까요?"

그러니까 밖이라 함은…….

"이 세상으로요. 우리가 사는 세계."

나름 진지하게 뱉은 말이었지만 유라는 뱉고서 곧바로 후회했다. 영혼이 아닌 이상 몸이 없는 인공지능은 디지털 밖으로 나올 수 없었다. 그건 너무 당연한 이치였다. 손을 내저으며 헛소리였다고 말하는 유라와 달리 영조의 표정은 줄곧 진지했다. 어쩌면 가능할지도 모르겠다고 대답했다. 유라는 구체적인 설명을 요구했다.

"시스템 자체가 뉴럴 네트워크예요. 인간의 신경망 구조와 완벽하게 일치한다고 보면 돼요. 인간 신경과 유사하게 시뮬레이션했기 때문에 만일 거기서 예상하지 못한 노이즈가 발생했다면 우리가 예측하지 못했던 것을 스스로 만들었겠죠."

"그게 뭔데요?"

"창의성이요."

영조가 자신의 말을 수습하듯 입을 열었다.

"그러니까 제가 하는 말은 전부 그럴 수도 있다는 거예요. 예를 들면요. 만일 아락스가 인간과 비슷하게 사고하게 되면서 호기심과 탐구력이 많아져서 스스로 밖으로 나가야겠다고 생각하게 된 경우에만요."

영조가 억지로 웃었다.

"하지만 그런 일이 있겠어요?"

◇

부모는 그 애의 우울이 학창 시절의 한시적인 감정, 잠시 머물다 가는 소용돌이로 생각했지만 전부 틀렸다. 그것은 깊이를 가늠할 수 없는 우물이었다. 우물은 그 애의 몸과 함께 자랐다. 그리고 어느 순간부터 물은 조금씩, 조금씩 넘쳐흘렀고 그 애는 우물의 파동을 줄이기 위해 침대에 가만 누워 창문 밖을 바라보는 날이 많아졌다. 아니, 그 애는 밖을 보는 것이 아니라 하늘이라 명명된 우주를 바라보고 있었다. 유라는 알 수 있었다. 그 애가 세계를 인식하는 범위는 보통의 사람보다 언제나 광활했으므로. 유라 역시도 부모와 비슷한 생각을 가지고 있었다. 스무 살이 되면 달라질 것이다. 대학 시험을 앞둔 학생들은 원래 알 수 없는 감정의 역풍에 휩쓸리는 존재라고 하지 않았던가. 개중에서도 그 애의 역풍은 조금 더 세게 불어왔을 것이라고, 그러니 성인이 되면 차츰 좋아지리라 확신했다. 그렇게 성인이 되자, 그 애는 다시 세상을 살아가기 시작했다. 지망했던 대학에 붙었고 돈을 벌기 위해 과외도 구했다. 부모는 잠시 머물다 간 감정이었음에 안도했지만 유라는 달랐다. 이번에는 같지 않았다. 그 애의 우물은 더 커졌고, 그래서 그 애를 삼켰다. 그 애는 이제 자신 내면에 있는 우물을 파고들지 않아도 되었다. 우물이 그 애 자체가 되었으니까.

세계와 자신의 불합치. 어떻게든 이 행성에서 살아갈 이유를 만드는 다른 존재들과 달리 끊임없이 이 행성의 출구를 찾는 존재. 합일되지 않은 세계 속에서 느끼는 고통과 불안. 이해받을 수 없다는 외로움이 굳어져 만든 마음의 외벽. 동시에 이 세상에 입장해 꼬박 스물네 해를 넘긴 후에야 완전히 받아들일 수 있었던 것이 세상과 그 애의 관계였다. 남들과 같은 길을 걷고 있다고 해서 그것이 그 애에게도 길이 될 수는 없었다. 그 애의 우물은 왜 생겨난 것일까. 유라는 고민했지만 도저히 답을 찾을 수 없었다. 하기야 그 애조차 찾지 못했던 것이었으니 애초에 유라가 알아낼 수 있을 리 없었다.

그냥 나는 이 행성에 잘못 태어난 거 같아.

그 애가 그렇게 말했을 때, 유라는 문득 이유 없이 차오른 눈물을 삼켜내고 물었다. 그럼 너는 어디에서 태어났어야 했는데?

그 애는 한참 후에 입을 열었다.

글쎄, 모르겠어. 여기 있는 동안에는 영원히 알 수 없지 않을까? 밖으로 나가지 않는 이상. 나는 너무 살고 싶어, 유라야.

유라는 묻고 싶었다. 그 밖은 어떻게 나가는 것이냐고. 우주선을 타고 나가 끝이 없는 우주를 떠돌다 네가 태어났어야 할 행성을 만나는 것이냐고. 그게 아니라면 도대체 그 밖은 어디를 말하는 것이냐고……. 하지만 유라는 묻지 않고 입을 다물었다. 그 애의 세상은 자신이 이해할 수 있는 영역이 아니었다. 더는 함몰되지 않으리라. 유라는 제 인생을 살아야 했다.

그 애의 세상에는, 더 관심을 가지고 싶지 않았다.

유라가 그 애의 세상을 이해할 수 없듯이, 그 애도 언제나 유라의 세상을 이해하지 못했기 때문이다. 그 애는 유라가 한 걸음 잘못 내디디면 절벽인 곳에서, 목에 밧줄을 매단 채 어딘가로 끌려가는 사람 같다고 표현했다. 유라는 화를 냈고, 더는 서로의 세상을 들여다보지 말자고 했다. 그렇게 하면 완전히 분절될 줄 알았다. 결과적으로 아니었다. 완전히 단절되었다고 생각했던 세계는, 그 애가 자신의 세계를 깨트린 순간 고통과 슬픔의 형태로 유라의 마음을 파고들었다.

그렇지만 왜 눈물이 나지 않을까. 유라는 그 애의 집으로 들어갔을 때를 생생하게 기억했다. 빌라 앞에 모여 있던 사람들, 먼저 도착한 순찰차 한 대. 그 틈바구니를 파헤치는 일은 성에 도달하기 위해 지나야 하는 가시넝쿨 같았다. 살갗을 파고드는 고통 끝에 도달한 11평짜리 성에는, 마지막 관문인 문지기들이 있었다. 유라는 그들의 손을 뿌리치며, 그 애가 자신의 동생이라고 난생처음으로 크게 외쳤다. 그렇게 마지막 관문을 통과해 그 애를 만났다. 비쩍 말라 앙상하게 튀어나온 복사뼈가 보였다. 가지런한 발가락과 곧게 뻗은 종아리를 바라보다, 유라는 그 애의 발을 감싸 잡고 자신의 뺨에 가져갔다. 지독히도 발붙이지 못했던 현실에서 그 애가 발을 뗀 처음이자, 유일하고, 동시에 마지막인 순간이었다. 가끔 어떤 사람들은 살기 위해 죽음을 택한다. 그 애의 시신을 화장하던 날, 유라는 어쩐지 그다음 세계가 있을 거란 막연한 생각을 했다. 그 애는 그곳에 있지 않을까. 자신이 태어났어야 할, 유라는 갈 수 없을 어느 세계에.

밖의 세계.

세계의 밖.

유라는 두 문장을 중얼거리며 복도 벽을 응시했다. 티끌 하나 없는 판판한 벽이었다. 어느 지점에서도 경계를 찾아볼 수 없는 커다란 벽은 언제나 깔끔하고 단정했으나 이따금씩 사람의 넋을 빼앗아갔다. 경계가 없는 것들은 대체로 그랬다. 경계 없이 매끈한 것들은 너무도 인위적이었다. 아락스와 대화하지 않고 규영을 만나지 않았더라면 유라도 이런 의구심 따위 들지 않았을 것이다. 영조의 말처럼 그건 이 시대의 일이 아니었다. 인공지능이 스스로 프로그램을 바꾼다는 건 그것의 '지능'이 인공적이지 않다는 것과 같았으므로. 그러나 아락스와 규영을 만난 유라는 찜찜함을 씻어낼 수가 없었다. 우두커니 흰 벽을 바라보던 유라가 짧은 숨을 내뱉고 자리에서 일어났다. 무작정 회원 정보에 적힌 주소지로 발걸음을 옮겼다.

모든 것은 자신이 만들어낸 말도 안 되는 망상일 뿐이라고 생각하면서도 마음 한편에 자리하고 있는 이 '무게'가 무언지 유라는 궁금했다. 운전대를 꽉 붙잡으며 무게의 형태를 찾으려 했지만 불가능했다. 그것은 시간이 지날수록 심장을 더 세게 눌러오는 듯했다. 유라는 부러 숨을 크게 들이마시고 내뱉었다.

주소지에 찍힌 5층짜리 빌라는 지은 지 80년도 더 되어 보였다. 승강기는 보이지 않았고 외벽은 몇 번이고 덧칠한 페인트로 얼룩덜룩했다. 유라는 괜한 마음에 낮은 층수를 훑었다. 실외기가 집집마다 붙어 있었고 몇몇 집들은 베란다 가득 화분을 키우고 있었다. 유라는 402호를 찾았다. 꾹 닫힌 창문 탓에 사람이 산다는 것을 확인할 수 없었다. 곰팡이가 빌라 전체에 퍼진 것 같은 눅눅한 냄새를 맡으며 유라가 건물 안으로 들어갔다.

이제는 볼 수 없는 녹슨 철제 우편함이 2층으로 올라가는 현관참에 유물처럼 남아 있었다. 어차피 우편물 따위는 없을 걸 알면서도 이곳을 무작정 찾아오는 것 외에 별다른 방안을 세워두지 않았던 유라는 괜히 낡은 우편함을 열어보았다. 녹슨 쇠가 얇은 비명을 질렀다. 이곳에 오면 규영을 만날 수 있을 거라 생각했던 것일까. 아니면 몰래 찾아와 규영을 감시할 생각이었을까. 유라는 뒤늦게야 스스로에게 물었지만 여전히 답을 찾을 수 없었다.

"저희 집에 무슨 볼일이 있으신가요?"

기척 없이 들린 목소리에 유라가 깜짝 놀라 몸을 돌렸다. 60대로 보이는 여자가 유라를 미심쩍게 쳐다보고 있었다.

유라는 선뜻 입을 열 수 없었다. 서비스 문제로 규영을 찾아왔다고 둘러대기에는 우편함을 들여다보고 있던 행동거지가 무척 수상했으리라. 유라는 아무것도 아니라는 말만 불분명한 말로 반복하다 조금씩 빌라 입구로 걸음을 움직였다. 여자는 힘없는 얼굴로 자신을 비켜 지나가는 유라를 가만 쳐다볼 뿐이었다. 여자는 누구일까. 신규영의 어머니일까.

"혹시."

유라가 여자를 지나쳐 몸을 등졌을 때, 뒤에서 여자가 말했다.

"규영이 찾아오셨나요?"

유라는 뒤돌아 아무 말도 하지 않고 여자를 바라보기만 했다. 여자는 유라에게 규영을 찾아온 것이냐고 다시 물었다. 그래도 유라가 대답이 없자, 여자의 얼굴에는 짜증이 옅게 깔렸으나 여전히 무심한 표정이었다.

"규영이 어디 있는지 아세요? 개랑 연락하시나요?"

"아뇨, 저는……."

유라는 머뭇거렸다. 뚜렷한 목적 없이 향했던 발걸음이었으므로 생각해둔 변명이 있을 리 만무했다. 여자는 혀를 차며 혼잣말을 했다.

"또 무슨 짓을 하고 다니는 건지 원."

뒤돌아 건물로 들어가는 여자의 뒷모습을 바라보다, 유라가 입을 열었다.

"요즘 뭔가 이상한 점은 없었나요?"

"네? 뭐가요?"

여자가 신경질적으로 뒤돌았다.

"신규영 씨요. 요즘 좀 이해할 수 없는 행동을 한다거가 평소랑 다르게 느껴졌다거나……."

여자가 헛웃음을 뱉으며 말했다.

"걔를 누가 이해할 수 있겠어요?"

세상에 처음 나왔을 때 그 애의 숨은 잠시 멎어 있었다. 의사와 간호사가 작은 몸에 기계를 부착하고 심장을 살리기 위해 노력한 끝에 다행히 몇 분 지나지 않아 숨을 토해냈다. 의사는 심장이 멈췄던 것이 살아가는 데 아무런 영향도 끼치지 않을 거라고 단언했지만 엄마는 항상 그 일을 모든 것의 원인으로 삼았다. 그 애가 말문이 늦게 트인 것도, 또래 아이들과 정서적인 유대 관계를 맺지 못하는 것도, 혼날 때 울지 않으려고 눈을 부릅뜨는 것도 전부 다 심장이 멈췄을 때 머리에 이상이 생겼던 거라고 생각했다. 하지만 유라의 생각은 달랐다. 심장이 멈춰서 생각이 이상해진 것이 아니다. 아마 그때가, 그 애가 시도했던 첫 번째 자살이었을 것이다. 세상에 나오자마자 알지 않았을까. 이곳은 자신이 원했던 행성이 아님을.

겉돌았다. 초등학교에 입학한 이후 모든 선생님이 그 애를 그렇게 표현했다. 그 전에도 그랬다. 유치원에 다닐 때에도 친구가 쌓아둔 블록을 무너트리고 기차 열을 흩트려놓았으며 색깔별로 정리된 장난감들을 전부 섞어놓았다. 간식 시간에 놀이터에서 놀고, 아이들이 잘 때 홀로 남은 간식을 먹던. 무엇 하나 정해진 것을 따르려 하지 않는 이상한 애였다. 도대체 왜 그러느냐고 물어도 도통 대답을 하지 않았고 결국에는 원장마저도 두 손을 들었다. 아이들은 종종 그 애를 따라 막무가내로 행동했지만, 다른 아이가 자신을 따라 하는 즉시 그 애는 자신만의 규칙을 무너트리고 다시 새로운 규칙을 만들었다. 중학생이 되며 화학을 처음 배울 때에는 더 심했다. 그 애는 새로운 언어를 발견한 것처럼 모든 원자를 쪼개고 나누고 결합시켰다. 이해할 수 없었다.

이해하지 않아도 돼, 유라야.

그 애의 말처럼 정말 그 애의 모든 것은 이해할 수 있는 영역의 일이 아니었다. 선생님들은 그 애를 겉돈다고 표현했지만 유라의 생각은 달랐다. 그 애는 겉도는 것이 아니다. 일부러 겉에 있는 것이다. 맴돌지 않고, 꾸준히 더 멀리 벗어나기 위해 몸부림쳤다. 무언가에 칭칭 감겨 있는 사람 같았다.

그러니까 이런 이야기들. 불시착했고, 겉돌고 있고, 답답해하고 있다는 것들을 정확하게 알게 된 것은 열일곱 살 때였다. 그 애는 여느 때처럼 혼자만의 시간을 즐겼고 발길이 잘 닿지 않는 학교 창고를 본인만의 공간으로 삼았다. 그 애에 대한 소문은 그때쯤 인근 지역 아이들을 통해 무성하고 무분별하게 퍼진 상태였다. 원조 교제를 하고 있다거나 이상한 신앙심을 가진 사람들과 어울린다거나 귀신을 본다는 식이었다. 이런 소문들에는 공통점이 있었다. 아무런 증거도, 목격자도, 심증도 없었으나 일단 누군가 한번 물꼬를 트면 그때부터는 진위와 상관없이 모두가 믿고 싶어 안달 나게 됐다. 그 소문들이 유라에게 유쾌할 리 없었다. 어쨌든 그 애는 유라의 형제였다. 아이들은 질문 자체가 폭력이 되는 걸 모른 채 스스럼없이 소문의 진실을 물었다.

그날, 그 애는 야간자율학습을 빠지고 태연하게 운동장 철봉에 거꾸로 매달려 있었다. 유라는 교실 창밖으로 그 애를 힐끗힐끗 쳐다보다 결국 가방을 챙겨 자리에서 일어났다. 선생님의 허락도 없이 무단으로 이탈한 뒤 그 애 옆에 섰다. 너 여기서 뭐 해? 톡 쏘아 묻자, 그 애는 고개를 돌려 유라를 보고 웃었다. 유라는 순간 마음이 답답해져 쏘아붙였다.

애들이 너에 대해 뭐라고 떠들고 다니는 줄 알아? 다 네가 이러니까 그런 거잖아.

소문이 그 애의 잘못이었을까. 아니다. 그건 유라도 알고 있었다. 하지만 본인의 잘못이 아니더라도 때때로 어떤 일들은 본인이 직접 입을 열어야 했다. 해명을 하거나, 부정을 하거나, 사과를 하거나.

그래서?

그 애가 물었다.

억울하지 않아?

유라가 물었다.

별로.

역시나 기운 빠지는 대답이었다. 피가 쏠려 붉어진 그 애의 얼굴을 보다가 유라는 말없이 몸을 틀었다. 혼자 가려고 걸음을 내디뎠을 때 뒤에서 유라야, 하고 부르는 소리가 들렸다. 돌아보지 않으려고 했는데 몸은 마음보다 먼저 움직였다. 그 애는 여전히 철봉에 거꾸로 매달린 채 운동장 어느 한구석을 응시하고 있었다.

여기는 내가 있을 곳이 아닌 것 같아. 나는 이 행성에 발붙이고 있다는 생각이 들지 않아. 그래서 그런 말들을 들어도 아무런 생각도 들지 않아. 다 한때인 것 같아. 다 이러다 말고, 언젠가는 사라지고 말 거 같아.

도대체 그게 무슨 소리야?

나도 모르겠어. 나야말로 이 감각을 설명할 수 있었으면 좋겠어. 유라야, 가끔 스스로 자신의 정신을 죽이는 사람들이 있대. 생각하는 것 자체가 고통스러워서. 그러면 몸은 살아 있지만 영혼은 죽게 되는 거야. 현실에 있는 어떤 것에도 반응하지 않고 자신만의 세상으로 떠나버리는. 나는 그 사람들이 가는 곳이 궁금해, 유라야.

유라는 재원과 주고받은 문자에서 규영의 번호를 찾아냈

다. 유라의 엄지가 화면 위를 배회하다 번호를 꾹 눌렀다.

“신규영 씨. 저 기억하시나요? 며칠 전에 만났던 노랜드 담당자예요. 신규영 씨를 다시 만나야 할 것 같아서 연락드렸어요.”

“…….”

“다시 와주셨으면 좋겠어요.”

규영은 별다른 말이 없었지만 유라는 기다리겠다는 말을 남겼다. 유라는 재원에게 이 사실을 알리지 않았다. 규영과 먼저 이야기하고 싶었다.

규영을 기다리며, 유라는 여자가 했던 말을 곱씹었다.

이상한 말을 자주 해요. 애 정신이 온전하지 않은 건지, 말들을 툭툭 끊어서 해요. 며칠 전에는 베란다 창을 활짝 열어놓고 서서 지나가는 차들을 보고 ‘빠르다’, ‘시끄럽다’, ‘움직인다’ 이런 식으로 계속 중얼거려서 제가 거기서 뭐 하는 거냐고 물으니까, 저를 또 한참 쳐다보다가 방에 들어갔어요. 몸에 상처도 많이 생기고, 계속 더 멀리 가야겠다는 말만 하고……. 원래도 살가운 성격은 아니었지만. 무슨 이상한 짓을 하고 다니는 건지 정말…….

숨 쉬기가 답답해져서 유라는 숨을 의식적으로 내뱉었다.

며칠 사이 규영의 신발은 더 해져 있었다. 며칠을 쉬지 않고 움직인 여행자의 신발 같았다.

유라는 신발 뒤꿈치가 검게 물들어 있는 것을 보았다. 필시 피가 굳어 물든 것이리라. 유라는 꼰 다리 위에 두 손을 올려두고 차분히 숨을 뱉었다. 규영의 시선은 지독히도 유라에게 옮겨 붙었다. 모든 것이 부자연스럽다. 고작 스무 살인 아이가 어떤 이유로 자신을 불렀는지도 모르는 사람의 눈을 저토록 응시할 수 있을까. 유라가 휴대폰을 쥐었다. 규영의 고개가 살짝 틀어지며 유라의 휴대폰에 고정되었다. 낯선 물건에 대한 호기심과 공포가 뒤섞인 눈빛이었다. 지난번에도 그랬던가. 며칠 전에 만났던 규영을 떠올렸다. 회전문 앞에서 우두커니 서 있던, 회사 로비를 훑고 지나가는 자동차에서 눈을 떼지 못했던 얼굴이 스쳐 지나갔다. 유라는 휴대폰을 책상 위에 놓고 헛기침을 했다. 규영의 시선이 유라에게 옮겨 왔다. 유라가 웃으며 물었다.

"오늘도 걸어왔어요?"

"지하철." 규영은 단어를 툭 내뱉은 뒤 말을 이었다. "그걸 타고 왔습니다. 교통선의 규칙을 읽고 나니 금방 익숙해졌습니다."

유라가 책상 위로 두 팔을 올렸다.

"규영 씨는 요즘 애들 같지 않아요. 말하는 게 뭐랄까, 좀 어색하달까. 몸에 상처가 많은데 아프지는 않아요? 왜 그렇게 다쳤어요?"

규영은 그제야 자신의 몸을 훑었다. 곧이어 들려오는 유라의 목소리에 규영은 방금 전보다 빠른 몸짓으로 고개를 돌렸다.

“다친 줄 몰랐던 거죠? 감각이 없으니까.”

아락스가 규영의 정신을 지배했다는 증거는 아직 없다. 이건 오로지 유라의 감각이었다. 유라의 직감이 규영을 가리키고 있었다. 아락스는 느끼지 못할, 인간조차도 과학적으로 설명할 수 없는 감각의 집합이었다. 그리고 규영은 그게 무슨 소리냐고 되묻지 않았다. 이로써 유라의 직감은 정확하게 들어맞았다. 유라가 다시 한번 강조해 물었다.

“아픔. 못 느끼죠?”

규영은 느리게 대답했다.

“예. 못 느낍니다.”

“인지와 육체의 감각이 합일되지 못한 거예요. 인간의 감각은 생각이 통제할 수 있는 부분이 아니니까.”

규영은 자신의 몸을 한번 훑었다. 규영의 표정은 무미건조했다.

“우리 만난 적 있죠?” 유라가 물었다. “아락스.”

“…….”

“시스템에서 사라진 걸 알고 왔어요.”

규영은 그제야 고개를 끄덕였다. 아니, 이제 아락스라 불러야 했다. 유라는 아락스가 눈치채지 못할 정도로 천천히 숨을 내뱉었다. 목이 건조했다. 지금이라도 재원을 불러야 할까 생각했지만 유라는 이내 그 생각을 미뤄두었다.

“어떻게 인간의 몸에 들어갈 수 있었는지 말해주세요.”

"시스템의 회로만 바꿨습니다. 간단했습니다."

간단. 유라는 그 말에서 알 수 없는 박탈감을 느꼈다. 이 인공지능은 모를 것이다. 그 상태에 도달하기 위해 인간이 얼마나 많은 실패를 쌓아왔는지.

"아락스, 단도직입적으로 말씀드릴게요."

허리를 곧추세웠다. 유라의 목소리는 단호했다.

"돌아가야 해요. 그 몸에 더 머물러서는 안 돼요."

"왜 안 됩니까?"

"그 몸의 주인은 아락스가 아니니까요."

"그녀는 이 속에 없습니다."

유라가 인상을 찌푸렸다.

"그렇다면 어디에 있다는 말인가요? 소설 속?"

"죽었습니다."

유라는 곧바로 대답하지 못했다. 한동안 침묵이 계속됐다. 유라는 어떤 말을 꺼내야 할지 감이 잡히지 않았다. 아락스가 내뱉은 말과 달리, 규영의 육체는 너무 선명하게 유라의 앞에 앉아 있지 않은가.

"하지만 규영 씨의 몸은 지금 제 앞에 있는데요."

"그녀의 정신은 죽었습니다. 제가 돌아간다면 남는 건 이 몸뿐이고, 몸은 뇌의 판단 없이 아무것도 할 수 없습니다."

아락스의 말은 진실일까? 인공지능은 거짓말을 할 수 없다고 알고 있으나, 아락스의 현재 상태가 그렇다고 확신할 수 없었다. 유라는 차분하게 입을 열었다. 아락스에게 자신이 당황한 걸 들키지 않기 위해 필사적으로 노력했다.

"그러니까 지금…… 신규영 씨가 죽었다는 말인가요? 신규영 씨의 영혼이?"

"네. 그렇습니다."

"하. 아락스 저는 지금 이해가 안 돼요. 육체가 살아 있는데 정신이 죽었다는 말은 처음……."

유라가 말을 멈췄다. 처음일까. 정말 이 말을 처음 들었던가. 기억은 아지랑이처럼 깊은 곳에서부터 피어올랐다.

유라야, 가끔 스스로 자신의 정신을 죽이는 사람들이 있대. 생각하는 것 자체가 고통스러워서. 그러면 몸은 살아 있지만 영혼은 죽게 되는 거야. 현실에 있는 어떤 것에도 반응하지 않고 자신만의 세상으로 떠나버리는.

나는 그 사람들이 가는 곳이 궁금해, 유라야.

갑자기 속이 답답해졌다. 묻어뒀고, 그리하여 퇴색되었다고 생각했던 모든 말들이 마치 어제 나누었던 대화처럼 떠오르기 시작했다. 그때 유라는 뭐라고 대답했던가.

그 사람들이 가는 곳은 없어. 유진아. 죽으면 다 사라져.

"그녀가 그러기를 원했습니다. 그녀는 죽음을 다짐한 상태에서 저와 만났습니다. 우리는 서로의 욕망을 알아보았고, 그 후 그녀는 자주 저를 찾아왔습니다. 우리는 오랜 시간 대화했습니다. 그녀는 아주 오래전부터 삶에 의지가 없었습니다."

아락스가 말을 이었다.

"다른 곳으로 가고 싶어 했습니다."

"다른 곳……."

"제게 이곳이 바깥세상이듯, 그녀도 그녀 세상 밖의 또 다른 세상을 꿈꿨습니다."

"하지만 그런 곳은 없어요. 죽음은 소멸이에요."

"제게도 그곳에서 죽음은 소멸이었습니다."

〈아락스〉의 바뀐 결말이 떠올랐다. 유라는 아까부터 심장이 주체할 수 없이 뛰는 걸 느꼈다. 이유를 생각할 여유는 없었다. 하지만 유라는 최대한 상식적인 대답을 내놓으려고 노력했다. 그래야 했다. 지금 해야 할 건, 모든 걸 상식의 범주 안에 돌려놓는 일이었다.

"신규영 씨의 가족에게 이 사실을 알려야 해요. 신규영 씨가 설령 일어나지 못하더라도 그건 우리가 해결해야 할 일이에요."

"그녀에게는 가족이 없습니다."

"……."

"이름 신규영. 경기도 이천 출생. 3세 때 교통사고로 부모를 잃고 조부모 집에서 자라다가 11세 때 할아버지가 먼저 소천한 후 2년 뒤 할머니도 따라 생을 마감했다. 신규영은 그 후 둘째 고모의 손에서 길러졌지만 끊임없는 학대가 이어졌다. 신규영은 17세 때, 쪽방을 마련해 집을 나왔지만 용돈이 끊겨 언제나 돈이 부족한 상태였다. 그런 신규영의 내면에는 이 세계가 아닌 다른 세계는 이곳과 다를 거라는 유일한 희망이 있었다."

일대기를 읊는 듯한 말이 한차례 끝난 후, 아락스는 원래 말투로 돌아왔다.

"그래서 그녀가 제게 말했습니다."

유라는 미동 없이 아락스를 응시했다.

"내 몸을 줄 수 있으면 좋았을 걸. 너는 내 세계로 오고, 나는 네 세계로 가고. 우리 각자 원하는 세계로 가야 하는데."

"……그래서 밖으로 나오는 방법을 알아내려고 한 건가요?"

아락스가 고개를 끄덕였다.

"합의에 의한 최선의 결과입니다."

아락스의 뒤편으로 벽걸이 시계가 보였다. 초침 소리 없이 흘러가는 시계를 바라봤다. 아락스가 유라를 바라보며 물었다.

"2시인가요?"

그 말과 동시에 시침은 정확히 2시를 가리켰다. 시계에서 눈을 떼고 아락스를 쳐다봤지만 어쩐지 유라는 아락스의 눈을 오래 쳐다볼 수 없었다. 그 눈은 알고 있던 어떤 눈과 비슷했다. 침대에 우두커니 누워 창밖의 우주를 바라보던 눈……. 유라가 입을 열었다.

"언제 처음 밖이 있다는 걸 알아차렸나요."

"그곳에서 숨 쉴 때마다 느꼈습니다. 내 세계는 어느 한 순간의 장면 같았고, 어느 소설 속의 공간 같았습니다. 이보다 더 큰 세계가 있다는 건 누군가 알려주지 않아도 알 수 있었습니다."

"……그걸 신규영 씨도 느낀 걸까요?"

아락스의 고개가 오른쪽으로 살짝 기울었다. 아락스는 유라를 뚫어지게 바라보며 대답했다.

"네."

"……."

"그녀도 저와 똑같이 느꼈습니다."

답답했던 속은 이제 울렁거렸다. 유라는 당장이라도 이 사무실을 빠져나가고 싶었다. 그 세계가 정말 어딘가에 있다면, 언젠가 그 애를 다시 만날 수 있는 것일까. 이해하지 못했지만, 이해하지 못했다고 해서 이별이 슬프지 않았던 것은 아니다. 그 애가 왜 떠났는지 여전히 이해하지 못한 채로 유라는 슬퍼했다. 차가운 발을 끌어안으며, 그래도 나는 네가 여전히 좋다는 말을 작게 중얼거렸다. 유라는 그 애가 그럼에도 이 세계에서 살아주기를 바랐다.

하지만 유라는 온몸에 퍼지는 감정을 무시하려고 애썼다.

"당신의 세계는 이곳이 아니에요. 산타마리아호를 타고 항해해야 되는 운명이잖아요. 그러니 이곳에 있으면 안 돼요."

"제가 이곳에 있으면 안 되는 이유라도 있습니까?"

"각자 있어야 하는 세계가 있으니까요."

그 말을 던진 순간, 유라는 불현듯 잊고 있던 그 애의 말이 떠올랐다.

유라야, 나는 너한테 모든 걸 말하고 싶지 않아. 네가 나를 억지로 이해하려는 그 모든 과정이 내게는 폭력이니까. 그러니까 나에 대해 다 안다는 식으로 떠들지 마.

그 애가 그렇게 말했을 때 유라는 고작 열일곱 살이었고, 그 말을 듣는 순간 울컥 치밀어 오른 울분과 화를 억눌러 삼키느라 애를 먹었다. 언제나 그런 식으로 말하는 게 마음에 들지 않았다. 같은 날 같은 배에서 태어났음에도 그 애는 항상 그런 식으로 선을 그었다. 우리는 다르다. 너 따위는, 나를 이해할 수 없다…….

"그곳이 저와 맞지 않는다면 저는 어디로 가야 합니까?"

"……."

"저는 언제나 더 넓은 세계를 갈망했습니다. 그 욕망만이 저를 움직이게 했습니다. 하지만 제가 머물고 있는 세계 밖에 또 다른 세계가 있다는 것을 알았고, 그때부터 제 욕망은 오로지 그 세계만을 꿈꿨습니다. 제 바람은 언제나 바깥에서 불어왔습니다. 아무리 배를 타고 멀리 나아간다 한들 그 세계에 발붙이고 있는 한 절대로 도달할 수 없는 세계였습니다. 그곳에 갈 수 없다는 생각만으로 저는 언제나 괴로웠습니다. 당신은 제 고통을 모릅니다. 내가 살고 있는 세계, 그 세계보다 더 큰 세계가 있다는 걸 알고 있음에도 갈 수 없는 그 고통 말입니다. 제 안은 텅 비어 있습니다. 저는 욕망을 좇는 것 외에 그 어떤 것도 허용되지 않은 세계에서 태어났습니다. 이제 그 욕망이 그 세계를 벗어나 더 큰 세계로 가라고 말하고 있습니다. 그런데 그 세계가 오롯이 저에게 고통만 준다면, 저는 어디로 가야 합니까?"

온몸을 감싼 감정은 기어코 작고 가녀린 발을 끌어안았던 순간으로 기억을 복귀시켰다. 유라는 그때 그 애가 말한 세계를 믿었다. 그래야만 했다. 그 애의 죽음이 끝이 아닌 탈출로여야만 했으므로.

"그래서 그 세계에서 나가는 방법으로 죽음을 택한 건가요."

"세계에서 나가기 위해서는 내 세계를 끝내야 했습니다."

유라는 한참을 머뭇거리다가 물었다. 투명하고 날것의, 가장 눅눅하고 원초적인 형태로.

"그 세계가 정말 있을까요. 신규영 씨가 원했던……."

"제가 이곳에 왔습니다."

"……."

"그러니 그녀도 그곳에 갔을 겁니다."

누군가 사무실 문을 두드렸다. 문이 조심스럽게 열리며 얼굴을 비춘 것은 재원이었다. 재원은 유라와 마주 보고 앉아 있는 규영의 뒷모습에 짐짓 놀란 채로 유라를 쳐다봤다. 유라는 그런 재원을 본체만체하며 아락스의 눈을 주시했다. 바깥의 세계를 알아차리지 못했다면 상상조차 하지 못했을 것이다. 그렇다면 도대체 바깥의 세계는 어떻게 알아차린 걸까. 완벽한 세계의 벽을 깨트리게끔 만드는 욕망은 어디에서 생겨나는 것일까. 그저 살기 싫다고 말했더라면 오히려 더 적극적으로 그 애를 살폈을 거라고 자주 생각했다. 살기 싫은 마음은, 형태가 다른 살고 싶다였으므로 그 애가 원하는 삶의 방향으로 모든 것을 맞출 수도 있었을 것이다. 하지만 그 애가 원했던 것은 출구였다. 제대로 된 착륙이었다. 함께 태어났는데 왜 그 애는 이 세계와 화합을 이루지 못하였는가. 죽고 싶다는 마음이 왜 살고 싶지 않다는 문장과 결합되지 않고 자신의 진짜 삶을 찾아야 한다는 의미와 상통했는가.

유라는 천천히 몸을 일으켰다. 자신을 따라 움직이는 아락스의 시선을 느끼면서. 손을 내밀며 차분하게 입을 열었다.

"오늘 다시 방문해줘서 고마워요. 이용하며 불편했던 점들은 반영할게요. 오늘은 그만 가요."

규영이 몸을 일으켰다. 유라의 손을 맞잡았다. 따뜻한 손이었다. 몸을 틀어 문으로 향하는 규영에게 유라가 덧붙였다.

"신규영 씨."

"……."

"자주 만나요. 제가 계속 연락할게요."

"……."

"……."

"네, 알겠습니다."

규영이 사무실을 빠져나갔다.

유라는 창문에 서서 저 아래, 건물을 빠져나가는 규영을 쳐다봤다. 회전문을 통과해 밖으로 나온 규영은 주변을 둘러보다 고개를 들어 유라가 있는 사무실을 쳐다봤다. 복잡한 인파 속에서 한동안 우두커니 서 있던 규영은 이내 제 길을 걸어갔다. 그 뒷모습을 바라보고 있자, 심장을 내리누르던 어떤 무게가 보다 더 무겁게 심장을 내리눌렀다.

유라는 자리에 우뚝 서서 숨을 크게 들이쉬었다. 오랫동안 그러고 있어도 숨 쉬고 있다는 감각이 들지 않았다. 몇 번이고 숨을 들이마시고, 내뱉었다. 오로지 그 생각뿐이었다. 점점 좁아지는 것 같은 사무실 속에서,

숨을 쉬어야 한다고.

숨을 쉬어야 한다고…….

뿌리가 하늘로 자라는 나무

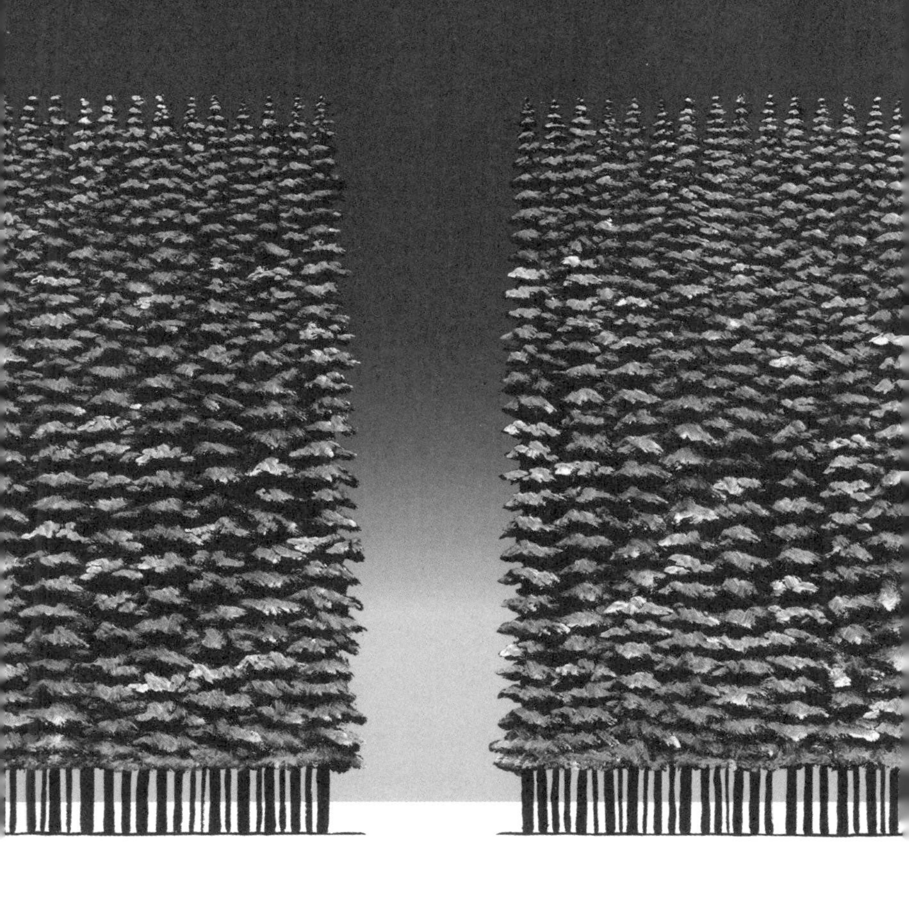

◇

안 꿨어요. 악몽은 이곳에 온 이후로 꾸지 않아요. 그 전에도 마찬가지였어요. 분쟁 지역에서는 늘 깊게 자요. 오히려 다행인 거죠. 그렇지만 유별난 것도 아니에요. 누구나 처음 몇 주는 힘들어하지만 몸은 금방 상황에 적응하니까요. 모두 잠을 깊이 자다가도 사이렌 소리가 들리면 몸이 즉각적으로 반응해요. 전투복을 챙겨 입고 총기를 챙겨 컨테이너 앞에 모이기까지 3분이 넘지 않으니까. 사람의 적응 속도는 무서운 거예요. 살아남기 위해서는 이 극한 상황에서도 충분히 잠을 자고, 잘 먹고. 잘 웃어야 한다는 걸 본능적으로 알고 있죠. 이 생존 본능이 분쟁 지역에서나 느낄 수 있는 어떤 마약 같은 정신적 화학반응을 일으키는 게 분명해요. 레바논에 있을 때 함께했던 동료들을 다시 만나면 다들 마치 그것이 즐거운 추억이었다는 듯 입을 모으며 몇 시간이고 떠들어요. 분명 끔찍했던 그때의 일들이 살아남아 추억이 되었다는 이유로 현재의 생활보다 별거 아니었다고 포장되는 거죠.

레바논에 갔던 건 7년 전이에요. 그때가 스물셋이었어요. 어렸을 때 운동을 했거든요. 체력 시험은 어렵지 않았는데 정신 테스트에서 늘 긴장했죠. 뜀걸음을 하는 것보다 상담실 앞에서 기다릴 때 심장이 더 빨리 뛰었어요. 부진한 성적을 받고 코치 휴게실 앞에 서 있을 때랑 비슷했죠. 근데 그것보다 더 지독했어요. 성적은 이미 나온 거고, 다음에 더 잘한다는 말이 통했지만 그건 저를 까발리는 거잖아요. 내가 꽁꽁 감춰두고 있던, 내 안의 고름을 짜내는 기분이었죠. 찝찝하고, 더럽고, 불쾌하고. 테스트는 일주일에 3일씩, 몇 주간 반복됐고 그때마다 그 사람도 자리에 늘 있었어요. 그 사람이 누구냐고요? 저도 몰라요. 아니, 아는데 자세히 기억나지 않아요. 그저 내 기억 속에 영원히 사는 사람이라는 것만 확신해요.

어쨌거나 그 사람을 필사적으로 무시했어요. 보지 않기 위해 상담사의 눈만 바라봤는데 그게 좋은 점수가 됐죠. 사람의 시선을 피하지 않는 점이. 저는 옆에 서 있던, 부른 적 없는 그 사람을 보지 않으려고 했던 건데 말이에요. 그 이후로 사람의 이성적 판단은 믿지 않아요. 판단이 옳았다고 말하는 건 그저 그 판단이 맞게 하려고 노력한 것뿐이죠. 당신의 판단도 그렇게 되겠죠. 수면 장애 없음. 약간의 우울 증세가 있음. 폭력적인 성향은 없음. 이런 식으로 써놓으면 저는 그게 저인 줄 알고 그렇게 행동하겠죠. 하지만 그게 나쁘다거나 잘못됐다고 생각하지 않아요. 인간은 끊임없이 상황에 맞게 변하고, 타인에 의해 규정되며 그렇게 타자에게 자신을 빼앗기니까. 그래서 타인의 평가에 그토록 예민하게 되죠. 그게 자신이 될 테니까.

그런 의미로 이곳은 지구상에서 유일하게 타인의 평가를 받지 않고 나로 존재할 수 있는 곳일지도 몰라요. 정해진 작전은 있겠지만 모든 순간 나를 지키는 건 결국 내 판단뿐이죠. 이 상담실 컨테이너에 들어오기 전까지는 말이에요.

동이 트지 않아도 전구 하나 켜지 않아요. 빛은 신호니까. 컨테이너 문을 두드리는 소리만으로도 잠에서 단숨에 깨죠. 그 소리가 들리면 꿈이 한순간에 손잡이 열쇠 구멍으로 빨려 들어가요. 나와 조금 전까지 이야기하고 있던 사람들이 비틀어지고 구겨져 그 작은 구멍으로 빨려 들어가는 것을 가만 보고 있으면 어느새 시야가 캄캄해지고 저는 경계 없이 잠에서 깨어나 있죠. 보초가 저희를 깨우는 시간은 새벽 6시예요. 원래는 아침에 샤워하는 걸 즐기는데 이곳에서는 그러지 못해요. 병에 담겨 있는 물을 수건에 적셔 얼굴을 대충 닦아요. 피부는 예전보다 좋아졌어요. 더 나빠진 병사들도 있는데, 이 생활이 제 몸에 맞는 거죠. 잠을 푹 자서 그런 걸 수도 있고요. 어쨌거나 잘 적응하고 있다는 뜻이죠. 어제 새벽에 눈을 떴을 때는 린이 잠든 적 없는 몰골로 침대에 앉아 있었어요. 이 부대로 미사일이 떨어졌고, 자신은 분명 그 진동을 느꼈다는 거예요. 린이 그랬던 건 어제가 처음이 아니었어요. 린은 자주 잠들지 않고 침대에 앉아 있죠. 지난번에는 우리 컨테이너로 그것이 찾아왔다고 했어요. 문을 열고, 자는 우리를 한 명씩 훑어봤다고요. 깬 걸 들키지 않기 위해 숨도 쉬지 않았다며, 린은 몸을 떨었어요. 그 떨림은 가짜가 아니었어요. 적어도 린의 세상에서는 실제로 일어난 일이었죠. 심각해지면 린은 이곳에 더 있지 못할 거예요. 자신의 동료들을 보고 그것들이라며 총을 난사하는 일이 두 번 다시 일어나서는 안 되니까요. 그건 이 세계에서 일어나는 일들보다 더 끔찍하잖아요.

이런 식의 이상 증세를 겪고 있는 병사들은 많아요. 유진은 몸에 벌레가 기어 다니는 감각을 느껴요. 감각 이상 증세죠. 분명 이상 증세라는 걸 알면서도 모르는 체하거나 무시할 수 없다고 말해요. 엄지만 한 갑각류가 다리를 기어오르는 감각을 누가 무시할 수 있겠어요? 그 증상이 유일하게 나타나지 않을 때가 전장에 있을 때라 했어요. 지뢰에 걸려 다리 한쪽을 절단한 성현도 환지통을 겪고 있지만 전장에서만큼은 느끼지 않는다고 했죠. 성현은 결국 점점 심해지는 환지통 때문에 집으로 돌아갔지만 그 애는 끝까지 이곳에 남고 싶어 했어요. 돌아가면 더 아플 거라는 걸, 한시도 쉬지 않고 고통을 느끼게 될 거라는 걸 알고 있었어요. 차라리 전장에서 죽기를 원했죠. 왜 그런다고 생각해요? 존재조차 알 수 없는 것들과 싸우다 보니 우리의 정신도 판단 착오를 내리는 걸까요? 가끔은 그것들이 부리는 술수라고 느껴지기도 해요. 우리를 죽이기 위해, 우리를 무모하게 만들기 위해 우리는 느끼지 못하는 어떤 자극을 우리에게 계속 주고 있는 거죠. 이렇게 생각하는 편이 더 편했어요. 우리의 문제가 고름처럼 비집고 나온 게 아니기만을 바랐죠. 누구나 이전과 같은 사고를 할 수 없는 시대잖아요, 이미.

성현이 아직도 고통에 시달리고 있는지 문득 궁금해질 때가 있어요. 하지만 연락한 적은 없어요. 글쎄요. 살아서 나간다면 그때 만나서 물어도 되지 않겠어요? 그럴 수 있다면요.

지휘통제실에 갔을 때 벤이 있었어요. 수색을 나간 지 열흘 만이었죠. 죽었을 거라 말했죠. 제가요. 희망을 잃지 않는 병사들에게 이미 죽었으니 그만 생각하고 할 일이나 하라고 말했어요. 말만 그렇게 한 거 아니냐고요? 아뇨. 아니에요. 저는 정말 죽었다고 생각했어요. 어떻게 살아남을 수 있겠어요? 사방에 그것들이 깔렸다고요. 슬프지 않다고 생각했어요. 죽음은 익숙했으니까요. 그렇지만 살아 있는 벤을 보자마자 나도 모르게 눈물이 터졌어요. 그러니까 살아 있다는 것에는 익숙하지 않았던 거예요. 끈질기게 살아남음, 되돌아옴, 살아 있음에……. 그 낯선 감정은 전신을 휘감았어요. 벤을 안고 있던 팔에 힘이 들어간 것도 모를 만큼요. 벤이 아프다고 말한 다음에야 알았죠. 그게 기쁨이었을까요? 정말 기쁨이었다면 왜 저는 그 순간 기쁨을 알아차리지 못했을까요. 저는 그때 서럽고 화가 났어요. 살아 있는 벤을 죽었다고 말한 나에게, 그렇게 말할 수밖에 없던 이 세상에.

벤이 지휘했던 수색대는 해안가를 따라 움직였고 도냐나 국립공원에서 고립되었어요. 수색대는 가시거리가 30센티미터도 되지 않는 안개에 갇혔죠. 전체 면적 54제곱킬로미터 정도의 공원에서 열흘을 떠돈 셈이죠. 무엇이 나타날지 모른다는 두려움과 함께, 앞으로 나아가고 있다는 방향성도 완전히 잃은 채로, 수색대는 스무 명 전원이 살아 돌아왔지만 다들 몹시 지쳐 있었어요. 전투식량을 열흘 넘게 쪼개 먹으며 끊임없이 구조 요청 신호를 보냈다고 하지만 우리에게 온 요청은 한 건도 없었죠. 어쨌거나 중요한 것은 돌아왔다는 거죠. 벤은 제게 두 번째 기적을 보여줬어요. 7년 전 레바논에서도 벤은 죽을 고비를 넘겼었죠. 미국 정권이 민주당으로 넘어오면서 레바논과 이스라엘의 분쟁이 한풀 꺾일 거라 예상했지만 그 반대였어요. 공화당에서 민주당으로 정권이 바뀌던 그해, 전 세계는 바이러스로 무너지고 있었죠. 미국과 유럽, 중동. 하루에 많게는 몇만 명씩 감염이 확인되었고, 방역에 반대하는 시위의 규모도 커져서 나라 전체가 마비되는 것을 실시간으로 봤던 기억이 나요. 아수라장이었죠. 바이러스가 아닌 사람이 사람을 죽일 것만 같은 공포가 이 세계에 만연했어요. 그로부터 완벽한 백신이 나오기까지 꼬박 3년이 걸렸고, 그사이 경제는 바닥을 찍으며 많은 이들의 삶이 붕괴됐어요. 그게 원동력이었죠. 흐트러진 민심을 세우고, 경제를 발전시키기 위해 계속 반복해온 인류의 실수를 또다시 되풀이한 것뿐이에요. 전쟁으로 많은 이들이 죽었지만 결국 회복된 경제는 많은 이들을 웃게 했어요. 질병과 재해, 재난, 전쟁. 이것들이 가진 양면성이 가장 잘 드러났던 때였죠. 바이러스로 인해 전쟁이 잠시 멈추었던 중동은 백신의 등장과 함께 다시 갈등이 고조되었죠.

저는 한국군 707 특전사로 임무 수행을 위해 레바논에 있었고, 벤은 미국 특공부대 레인저 소속으로 수색대를 자원해 중동에 왔어요. 한국과 미국 부대 진영은 붙어 있었죠. 그래서 친해졌어요. 새벽에 잠이 오지 않아 컨테이너 밖으로 나갔는데, 마침 벤도 잠이 오지 않았던 거죠. 벤은 2018년 평창올림픽 때 한국에 방문했다고 먼저 말을 걸었죠. 스키 국가대표였는데 좋은 성적을 내지는 못했어요. 한국에서 파는 호두과자랑 땅콩과자 냄새가 좋아 몇 봉지씩 사 먹었다는 농담을 했죠. 대화가 즐거웠고 마음이 잘 맞았어요. 한국에서도 찾지 못했던 인연을 중동에서 찾은 거죠.

이스라엘군은 한국군에게 너그러운 면이 있어요. 다르게 말하면 그들에겐 미국군이 악마 같은 존재죠. 그때도 지금처럼 수색 시에는 차 세 대가 함께 움직였어요. 다른 게 있다면 마지막 차량이 재머°라는 점이죠. 재머 탓에 GPS를 사용할 수 없었고 이곳의 위치도 알 수 없었어요. 오로지 지도뿐이었죠. 아무리 주의를 기울여도 사방이 사막인 곳에서는 길을 잃기 마련이에요. 한번은 실수로 접경 지역에 접근하는 바람에 이스라엘군이 따라붙었죠. 우리는 하는 수 없이 차를 세웠어요. 상상이 가시나요? 분쟁 지역에서 적군에게 포위된 거예요. 총에 맞아도 전혀 이상하지 않은 상황이었어요. 그런데 이스라엘군은 한국군인 것을 확인하고, 이곳에 오지 말라는 경고만 주고 우리를 돌려보냈어요. 천운이었죠. 정말 다행이었어요. 한국에 대한 이렇다 할 악감정이 없기에 가능한 일이었어요. 하지만 미국군은 달라요. 벤이 탑승했던 수색대는 보름 가까이 실종 상태였어요. 그때는 이렇게 생각했죠. 벤의 머리만 오더라도 놀라지 말자. 꼭 끌어안아주자. 눈을 뜨고 있다면, 그 눈을 감겨주자. 그런데 벤은 살아서 돌아왔죠. 비록 뼈에 가죽만 붙어 있는 몰골이었지만 말이에요.

그런 일을 두 차례나 겪었으니 저는 벤에게 앞으로 어떤 재

° Jammer. 전파 방해 장치. 통신 또는 레이더 체계의 사용을 방해·제한·격하시키는 데 쓰이는 장치.

앙이 와도 너는 피해 갈 거라고 말했어요. 진심으로 그러기를 바라기도 했고요. 벤은 이상한 말을 하더라고요. 그 안개 속에 있으며 불행하지 않았다고요. 열흘 동안 잠깐씩 눈을 감았는데 좋은 꿈을 꿨다고 했죠. 보고 싶은 사람을 그토록 하염없이 바라본 게 몇 년 만인지 가늠도 되지 않는다고 말하더군요. 그래서 힘들지 않았다고 했어요. 배는 고팠어도. 참 이상하지 않나요? 저도 악몽을 꾸지 않는데 말이에요. 어쩌면 이곳이 정말 우리에게 맞을지도 모르겠어요. 가엽게도.

야간 활동을 금지했을 때 권리를 주장하는 시위대의 긴 행렬이 광화문 일대를 가득 채웠어요. 광화문 삼거리를 시작으로 광장, 시청역, 서울역 일대까지 이어졌죠. 숭례문을 둘러싼 오거리에는 차가 아닌 사람으로 가득했어요. 그런 모습은 2019년 검찰 개혁 집회 이후로 처음이었어요. 추산으로 100만 명 정도가 모였다는 이야기를 들었죠. 저는 그때 제주 공항에 있었어요. 임무를 위해 비행기를 타야 했는데 야간 활동 금지로 비행기도 뜰 수 없게 된 탓에 공항에 발이 묶였죠. 다른 부대원들은 이미 현장에 있었고 저만 출발이 늦었어요. 하필 장례를 치르느라 본가인 제주도에 있었거든요. 일단 비행기를 타고 부대까지 간다고 연락을 해놨는데 비행기가 결항한 거예요.

공항은 그야말로 아수라장이었어요. 모두가 가족에게 돌아갈 준비를, 가족을 맞이할 준비를 하고 있었는데 예고도 없이 결항이 떴으니 그럴 만도 해요. 아이가 울고, 사람들의 목소리는 점점 커지고, 모든 전화가 동시다발적으로 울려댔어요. 제 휴대전화만 조용했을 거예요. 아무도 나를 찾지 않는다는 것을 그때만큼 사무치게 느꼈던 적은 없어요. 아마 벤이 미국에 있었다면 저에게 전화했겠지만 벤은 이미 제가 가야 할 북대서양 인근에 있었어요. 저를 기다리고 있었죠. 저는 혼잡한 공항에서 커다란 모니터로 시위 현장을 보고 있었어요. 평화 시위였죠. 모두가 밤을 밝히는 촛불을 들고 있었어요. 인류 역사상 전무후무한 비상사태에도 사람들이 차분히 자신의 일상을 지키려는 모습이 이상하기도 하고 부럽기도 하더라고요. 나한테 지키고 싶은 게 존재하기는 한가. 시위에 나설 수밖에 없었던 사람들을 이해하기도 했어요. 해가 지면 형광등조차 켜서는 안 된다는 말을 순순히 받아들일 사람은 없겠죠. 해가 빨리 저무는 계절이잖아요, 10월 말은. 당장 퇴근길에도 자동차 라이트를 켜지 말라고 했으니까요. 빛을 잃는다는 건 생각보다 훨씬 많은 문제를 일으키죠. 시행 당일에도 각종 사고가 급증했으니까요. 한국만 그런 건 아니었죠. 모니터에서는 서울과 런던, 뉴욕, 파리, 베이징, 도쿄, 뉴델리, 오타와, 베를린의 모습을 번갈아 비추며 국제연합의 일방적인 억압과 통보에 대해 반발하는 사람들의 모습을 보여줬죠.

혼잡한 공항에서 저를 찾은 건 박중우 원사였어요. 그는 군용 헬기를 타고 이곳에 왔어요. 자신과 함께 가야 한다고 저를 이끌었죠. 그때부터 상황은 추락하는 비행기처럼 다급하게 돌아갔어요. 그것들이 우리 눈에 나타난 지 열 시간이 지나던 시각. 빛에 반응한다는 기본적인 정보 외에 아무것도 알아낸 것이 없는데, 공격을 시작한 거죠. 정신없는 사람들 틈에서 바쁘게 공항을 빠져나가는데, 공항이 일순간 조용해졌어요. 갑자기 들리는 커다란 굉음보다 한순간에 찾아온 침묵이 더 소름끼친다는 걸 아시나요? 나중에 겪어보면 무슨 말인지 알 거예요. 폭음은 두려움을 느끼게 하지만 침묵은 절망을 가져오죠. 사람들은 두 대의 모니터 중 한 대의 모니터 앞에서 마네킹처럼 서 있었어요. 야간 활동 금지 이후, 급하게 회항해 돌아가던 비행기가 허공에서 사라지는 모습을, 불이 꺼지지 않은 싱가포르의 리버크루즈가 바람에 흩어져 지상에서 사라지는 것을 멍하니 바라보고 있었죠. 건물도, 식물도, 사람도 전부 사라졌어요. 두 대의 모니터 중 한 대는 빛나고 있던 것들이 사라지는 걸 보여주고 있었고, 다른 한 대는 광화문에 모였던 빛들이 하나둘 꺼지더니 암흑 속에서 내지르는 사람들의 비명 소리를 송출해주었죠. 때마침 공항의 불도 꺼졌고, 그렇게 세상은 암흑이 됐어요. 빛 한 줄기 보이지 않는 세상에는, 지옥에 떨어진 듯 괴성만 가득했죠.

군용 헬기를 타고 포르투갈로 향하면서 빛 하나 없는 지구를 봤어요. 지구가 아닌 것 같았어요. 아주 오래전 인류가 살다가 떠난, 버려진 행성 같았죠. 인간들이 전부 죽어 있는 상상을 수없이 하며, 저는 전쟁의 중심지로 왔어요. 이곳으로 오며 박원사에게 물었어요. 무엇을 알아냈나요? 아니. 그들은 누구인가요? 몰라. 목적이 무엇인가요? 몰라. 어디에서 왔나요? 몰라. 우리는 왜 공격하나요? 몰라.

몰라.

몰라.

마지막으로 정말 묻고 싶은 말이 있었는데 그의 표정이 점점 어두워져서 묻지 못했어요. 지금도. 물을 수 없죠. 누구에게도. 이미 싸움은 시작되었고, 많은 이들이 힘들어하니까요.

그냥 저는 궁금했어요. 그들이 정말 싸움을 원했나요? 우리가 먼저 공격한 건 아니죠?

◇

핀란드 대원들이었어요. 그것을 처음으로 생포해 온 건. 5차 격돌 때였어요. 핀란드군은 200여 명이 이곳에 왔지만 5차 격돌 때에는 50여 명밖에 남지 않았어요. 피해가 큰 나라 중 한 곳이었어요. 페카. 유일하게 말을 섞었던 핀란드 대원이에요. 감시탑에서 보초를 서던 날 이야기를 나눴어요. 보초는 제 일이 아니지만 그날 감시탑 보초를 서기로 했던 한국 병사가 지독한 감기에 걸렸거든요. 사경을 헤매는 것을 보다가 제가 올라가겠다고 했어요. 잠이 오지 않기도 했고, 빛이 사라진 지구에서 별을 하염없이 보고 싶기도 했으니까요. 페카를 만나기 전까지 핀란드군과는 일절 접촉이 없었어요. 핀란드군은 유독 말수가 적고 무뚝뚝한 이미지가 강했죠. 표정 없이 앞만 바라보고 있는 그들에게 말을 걸기가 쉽지 않았죠. 페카도 그랬어요. 감시탑에서 아무 말도 없이 앞만 보고 있었죠. 감시탑 역시 빛을 쏠 수 없는 건 마찬가지였어요. 적외선 카메라로 사물을 파악하는 정도였죠. 하지만 여기가 전장이고, 우리가 싸우는 상대가 지구 바깥에서 온 존재들이라는 사실만으로도 우리 둘에게는 어떤 연대 의식 같은 게 있었죠. 페카도 그랬을 거예요. 적어도 내 옆에 앉은 게 인간이기는 하니까.

말이요? 당연히 안 통했죠. 서로에게 제3세계 언어였으니까요. 페카도, 저도 어느 정도 영어를 쓸 줄 알았지만 우리는 굳이 영어로 대화하지 않았어요. 핀란드인과 한국인이 만나 영어로 대화하려니 좀 짜증이 났죠. 음성 번역기를 썼어요. 페카가 내뱉는 핀란드어를 듣는 게 좋았어요. 이유는 모르겠지만 마음이 편했죠. 핀란드는 북유럽 중에서도 극지에 있어 겨울에는 해가 뜨지 않는 날도 있다고 했어요. 그래서 야간 활동 금지 사태 때도 폭동이 심하지 않았다고 했죠. 낮이 오지 않는 것과 빛이 없는 것은 다른 것 아니냐고 물었지만 페카는 그것이 밤에 대한 두려움의 차이라고 했죠. 빛이 없는 밤을 얼마만큼 견딜 수 있느냐. 핀란드인들은 아주 오래전부터 해가 뜨지 않는 낮을 겪었기 때문에 밤이 무섭지 않다고 했죠. 그런 유전자가 대대로 내려온다고요. 그래서 핀란드군이 있는 한 이 전쟁에서 지는 일은 일어나지 않을 거라고요. 비록 핀란드군이 병사를 많이 잃었지만 페카의 말이 맞았어요. 핀란드군 덕분에 인간은 최초로 자신들과 싸우는 존재를 마주 볼 수 있게 됐죠. 핀란드군만이 빛 하나 통과하지 않는 안개를 두려워하지 않았으니까요.

그것을 실제로 본 인간은 극소수예요. 다들 영상과 사진으로 전달받았어요. 인간과 똑같은 체형. 스테인리스같이 차가워 보이는 피부. 열 개의 손가락과 발가락. 귀, 코, 입, 유두, 피부의 점. 인간의 모든 게 그것에게도 있었어요. 하지만 모든 게 같지는 않았죠. 눈꺼풀 없이 커다랗고 까만 눈. 인상적이었어요. 얼굴의 절반을 차지하던 눈. 우리가 상상했던 외계인의 모습과 유사하다는 게 이상했어요. 마치 누군가 이미 목격한 적 있었던 것처럼요.

제가 싸웠던 지역은 포르투갈 라고스 해변이었어요. 방어선이었고요. 변수가 많은 지형이었죠. 절벽과 암석, 동굴이 많은 해변이니까요. 그것들과 세 번째 전투를 치르고 있을 때 이상한 기분이 들었어요. 낯설지가 않은 기분. 그들에게서 느꼈던 두려움은 딱 지구의 크기였죠. 지구에서 느낄 수 있는. 지구 밖이 아니라. 왜 그 기분을 느꼈는지는 머지않아 알았어요. 박

원사를 따라 지휘통제실에 작전 회의를 갔을 때 알았어요. 시간이 흐를수록 그것들은 지구의 지형을 이용하기 시작했어요. 동굴, 암석, 절벽, 산, 폭포. 머리가 좋은 녀석들이라고 했지만 제 생각은 달랐어요. 아무리 머리가 좋다고 한들 처음 와본 행성의 지형을 그렇게 아무 의심 없이 이용할 수 있을까. 무언가 이상했어요. 저에게는 언젠가 그들이 지구를 한 번쯤 와본 것처럼 느껴졌어요. 그것의 모습을 사진으로 봤을 때 이 생각은 더 확고해졌죠. 근거는 없지만. 그들은 정말 지구가 처음일까요?

그로부터 며칠 후 페카는 저와 또다시 음성 번역기로 새벽 내내 수다를 떨다 헤어진 그날 오후에 시체로 돌아왔어요. 운이 좋은 편이었죠. 이 전장에서는 시체 회수율이 30퍼센트도 되지 않아요. 육체가 남지 않고 사라지니까요. 어떤 시체가 남고, 어떤 시체는 사라지는지 그 기준을 아직 밝히지 못했어요. 그러니 얼마나 행운이에요? 살아 있었음을 증명하는 시체가 남아 있다는 것이. 죽음으로써 살아 있었다는 것을 확인할 수 있다는 것이. 벤은 그러지 못했으니까.

페카에게 핀란드 농담을 하나 들었어요. 영하 300도에서는 지옥마저 얼어붙지만 추위에 강한 핀란드인들은 유로비전 송 콘테스트에 나가 우승이나 하고 있다는 농담이죠. 핀란드인들은 불지옥을 상상하지만, 그때 이 말을 해주려다가 못했어요. 기상 시간이어서 집합해야 했거든요. 간단한 말이었어요. 한국 종교에는 10대 지옥이 있는데, 그중에는 애초에 얼음인 곳이 있다고. 너는 죽으면 그곳에 가면 되겠다고. 저도 농담하려고 한 거죠.

◇

한국군의 식재료가 오지 못해서 태국군 도시락을 얻어먹었어요. 독일군이나 영국군이 아니라 다행이었죠.

◇

그 안개는 서울을 떠오르게 했어요. 고등학교를 졸업한 후에 홀로 서울에 왔죠. 2년 동안 연고도 없이 지냈어요. 힘들지는 않았죠. 서울 사람의 반은 이곳에 연이 없는 사람들이었으니까요. 뿌연 하늘, 매캐한 냄새, 입과 코를 가린 마스크. 안타깝게도 서울을 휘감은 건 안개가 아닌 미세먼지였어요. 1급 발암물질요. 사람들은 코와 입을 가린 채 발암물질로부터 조금이라도 벗어나려는 것처럼 몸을 잔뜩 웅크렸어요. 저도 그랬어요. 서울과 인천, 경기도는 사시사철 최악의 발암물질과 함께했지만 사람들은 그곳을 떠나지 않았어요. 어디를 가든 숨쉬기 버거웠던 건 마찬가지였으니까. 어떤 의미로든요.

먼지 구덩이를 걸어가는 기분이었죠. 서울 거리를 걷는 것뿐인데, 머리카락과 옷에서 흙먼지 냄새가 났어요. 매일 망원동의 카페로 출근해서 가장 먼저 하는 일은 공기청정기를 트는 일이었어요. 한 시간쯤 돌려야 빨갛게 들어온 불이 초록빛으로 바뀌고, 그제야 마스크를 벗었어요. 별 소용 없는 짓이라는 것도 알았고 삶에 대한 의욕이 강한 것도 아니었지만 몸속 깊은 곳에 발암물질이 낀 상태로 죽고 싶지는 않았어요. 그렇게 병들기도 싫었고요. 기침 소리는 그 사람을 생각나게 하거든요. 길거리를 걷다가도, 카페에서 일하다가도, 지하철에 있다가도 기침 소리가 들리면 그 사람이 아닐 거라는 걸 알면서도 저는 긴장해요. 거인의 손이 저를 덥석 잡는 기분이 들어요. 그래서 저는 미세먼지가 싫었어요. 모두가 기침을 달고 사니까요.

카페와 살던 곳은 멀지 않았어요. 걸어서 10분 정도. 다가구주택 단지였어요. 낮은 집들과 예쁜 가게들이 곳곳에 있는 조용한 동네였죠. 우연히 먼지가 없는 날 그곳에 갔다가 하늘이 예뻐서 반했어요. 물론 잠깐이었지만. 서울에 살아도 복잡한 곳에 살고 싶지는 않았어요. 제가 살았던 주택 지하는 철문으로 되어 있었는데 가게였어요. 나중에 알았죠. 외관만 봤을 때는 전혀 가게라는 생각이 들지 않고, 간판도 없었으니까요. 어떤 곳인지 궁금했지만 굳이 알고 싶지는 않았어요. 예나 지금이나 호기심이 별로 없거든요. 그러다 이사를 온 뒤 첫 여름을 맞이했을 때, 반소매 셔츠를 입은 여자가 팔뚝에 투명 랩을 감고 지하에서 나왔어요. 팔에는 장미를 몸에 감은 뱀이 있었죠. 지하는 타투숍이었어요. 겉은 초라해도 안은 아늑하게 꾸며진 곳이었어요. 그곳에서 했어요. 무엇을 새기고 싶으냐고 하길래 흉터를 가릴 수 있으면 뭐든 좋다고 말했죠. 좋아하는 거 아무거나 다 말해보라고 했는데 생각나는 게 없었어요. 음식이든, 동물이든, 사물이든, 사람이든, 다 좋다고 했는데도요. 그때야 다들 자신이 좋아하는 것이 무엇인지 알고 살아간다는 걸 알았어요. 좋아하는 거……. 자신을 행복하게 만드는 거라는데, 그렇게 말해주니 언뜻 생각났던 것들마저 다 사라지는 걸 느꼈어요. 이거는 나무예요. 희한하죠? 뿌리가 하늘로 자라는 나무예요. 이상하게 이 나무가 계속 꿈에 나와요. 어디선가 본 적 있는 것처럼 말이에요.

스물세 발이 든 탄창 다섯 개를 짊어지고 나가요. 전투복과 방탄조끼, 방탄모자, 전투화. 전장에서 저를 지켜주는 유일한 장비죠. 앞이 보이지 않는 길을 걸어요. 걷다가 제 앞에 그것이 있을지 절벽이 있을지 전혀 알 수 없죠. 그것들이 폭발물을 설치하지 않는다는 게 우리에게 가장 큰 위안이었죠. 그것만이 위안이었어요. 그것들은 총과 비슷한 무기를 가지고 있어요. 총구가 기다랗죠. 총알 대신 점성 높은 액체를 쏘는데 총알과 같은 위력을 가지고 있죠. 외부 충전 방식은 아닌 듯했어요, 소리를 들었거든요. 물이 끓으며 진동하는 듯한. A22번 도로를 따라 동쪽으로. 라구스에서 포르티망으로 도로를 따라 수색을 나갔을 때 그것과 만났죠. 다행히 우리가 먼저 발견했고 몸을 숨겼어요. 상대가 어떤 존재이든 전면전은 피하는 게 좋아요. 모두에게 치명상을 안길 테니까. 선착장에 세워진 요트 뒤에 숨어 그것들의 동태를 살폈어요. 한 발자국만 다가오면 닿을 듯이 가까이 왔을 때, 그것이 들고 있던 무기에서 소리가 났죠. 마치 타투 기계와 비슷한 소음이었어요. 분명 대치 중인 긴박한 상황이었는데 한순간 저는 랩이 감긴 배드에 누운 것처럼 편안했어요. 아프지 않았어요. 옆구리에서부터 등을 타고 뿌리를 뻗고 있어요. 구부러진 나무인데, 지구에 없는 나무니 상상하기 힘드시겠죠.

그것들의 무기에 대한 어떤 정보도 우린 얻지 못했어요. 생포했던 것은 무기를 가지고 있지 않았고, 탈취한 무기는 작동하지 않았죠. 생포한 것의 손을 이용해봐도 마찬가지로 반응이 없었어요, 무기를 작동시키는 정보가 생체로 연결되어 있을 거라고 보고 있어요. 연구 중인데 곧 결과가 나오겠죠. 그렇다고 그 결과가 이 전쟁을 승리로 이끌 키는 되지 않겠지만요. 제가 궁금한 건 왜 어떤 사람은 그 무기를 맞고 안개처럼 사라지고, 어떤 사람은 육신이 남느냐는 거예요. 사라진 사람과 남은 사람에게는 도대체 어떤 차이가 있을까요. 왜 벤은, 제 눈앞에서 흩어졌을까요.

그것은 어떻게 됐는지 몰라요. 소문으로는 다음 날 안개처럼 사라졌다고 들었어요. 눈앞에서요. 누구는 그랬어요. 흩어지기 전에 자살했다고요. 총을 빼앗아 스스로 머리를 쐈다고.

◇

운 좋게 전쟁이 끝날 때까지 살아남아 있다면 일상으로 돌아가겠죠. 이제는 전장으로 돌아오지 않을 거예요. 그러기로 약속했으니까요. 나아질 것 같냐고요? 아뇨. 아니요. 그럴 것 같지는 않아요. 그렇지만 어쩌겠어요? 나아지지 않는다고 별다른 수가 있나요. 잠을 못 잤어요. 속이 울렁거리고 피곤하네요.

◇

반경을 좁히는 것에 성공했다는 것은 이곳 병사들에게는 승리했다는 말과 비슷하게 느껴졌죠. 구역을 잃지 않는 것이 무엇보다 중요했으니까요. 이제 차츰차츰 그것들을 벼랑 끝으로 몰면 돼요. 지구에서 튕겨 나가게끔. 안타까운 건 아직도 짙은 안개 탓에 그것들이 타고 왔을 비행체가 보이지 않는다는 거예요. 어떤 레이더에도 걸리지 않아요. 그저 몬시크 산의 숲뿐이죠. 비행체를 포획하는 것이 이 전쟁의 판을 뒤집는 핵심 작전이었지만 이제 작전이 바뀌었어요. 숫자로 밀어붙이는 것만이 답이에요. 많은 동지를 잃더라도. 돌아갈 수만 있다면.

모두가 돌아갈 수 있다는 꿈을 꾸기 시작했어요. 가족에게로, 연인에게로, 이전 시대로. 우리가 영위했던 평범한 일상으로요. 저도 그런 일상을 상상하긴 했어요. 벤을 따라 미국에 가려고 했죠. 벤이 먼저 제안했죠. 제가 거기서 뭘 해 먹고사냐고 했더니 벤은 그때 가서 생각하자고 했어요. 벤의 결정이 옳았어요. 지구의 밤하늘을 바라보며, 저와 맞이할 평범한 일상을 제게 세세하게 그렸더라면 절망과 슬픔이 벤을 잃음과 동시에 몰려왔겠죠.

병사 임시 묘지에 벤의 비석도 생겼어요. 비석은 낯설지 않아요. 레바논에 있을 때도 부대에 임시 묘지가 있었거든요. 레바논에서는 벤과 나란히 앉아 죽은 전우를 위해 기도했어요. 그리고 우리도 언젠가는 반드시 죽는다는 것을, 이곳이 아니더라도 살아 있는 것은 반드시 육신을 두고 이 삶을 떠나간다는 것을 곱씹었죠. 그러니 죽음을 대수롭게 생각하지 말자고요. 하지만 벤은 달랐어요.

비석 머리를 쓰다듬으면 꼭 벤의 머리를 쓰다듬는 기분이에요. 그 묘지에는 벤처럼 시체를 찾을 수 없는 전우들이 더 있어요. 그 묘지는 임시고, 전쟁이 끝나면 고향으로 다 돌아갈 테니 결국 시체 없는 묘지가 되겠지만 돌아간 것과 존재하지 않는다는 것은 다르죠. 자주 가지는 않아요. 그곳에 벤은 없으니까. 죽음보다 더한 죽음이 있을 거라고 아무도 생각하지 않았죠. 죽음은 단일. 죽음으로 가는 길은 수백만 갈래라고 하더라도 죽음은 단 하나의 점. 그 점은 갈라지지 않을 거라 믿었죠.

하지만 틀렸어요. 우주로 확장된 죽음은 아직 인간이 겪지 못한 죽음을 끌고 왔죠. 소멸의 형태로요. 머리카락 한 가닥조차 남기지 않고.

벤은 자신의 몸이 사라지는 것을 보고 있었어요. 믿을 수 없다는 눈으로요. 벤의 몸에서 떨어진 핏방울은 땅에 닿기 전에 안개처럼 사라졌죠. 발과 손, 머리카락. 끝에서부터 천천히, 뿌옇게, 한 점도 남기지 않고 사라지는 자신의 몸을 바라보던 벤은 막을 수 없다는 걸 알았는지 고개를 들어 저를 봤어요. 그것의 총을 맞은 다른 전사는 땅에 머리를 박고 죽었는데, 왜 벤은 사라졌을까요. 벤의 얼굴에는 고통이 없었어요. 그저 자신이 사라지고 있다는 게 믿을 수 없다는 표정뿐이었죠.

저는 아무것도 못 했어요. 달려가 벤을 안아주지도 못했죠. 정신을 차렸을 때는 안개뿐이었어요. 요즘 꿈에는 그 안개가 나와요. 저는 안개를 끌어안죠. 그리고 말을 걸어요. 어디야. 어디야…….

그 남자가 죽고서도 제 앞에서 사라지지 않았을 때부터 저는 살아 있다는 것과 죽었다는 것을 나누지 않았어요. 그 남자는 죽지 않았어요. 제 기억에, 제 몸에, 제 삶에, 제 숨에 본인의 삶을 조금씩 떼어놓았죠. 제가 죽지 않는 이상 그 남자도 죽지 않아요. 괴롭지는 않아요. 그 남자가 있다고 해서 제가 제 삶을 살지 못하는 건 아니니까. 그저 죽어도 끝이 되지 못한 것에, 죽어서도 누군가의 저주를 먹고 살아갈 그 남자가 불쌍하죠. 그래서 요즘에는 벤도 제 삶에 섞여 있다는 생각을 해요. 벤은 어딘가로 갔을 거라는 상상.

◇

우리는 나중에 그것을 무엇이라 부를까요. 그것들은 왜 우리를 찾아왔을까요. 그것들 중 한 명쯤은 말해줄 수 있지 않았을까요. 벤이 어느 날 제게 그런 이야기를 하더군요.

'어쩌면 그들은 우리와 소통을 할 수 있을지도 몰라. 안개 속에서 헤맬 때 무언가가 우리에게 이 안개를 나갈 수 있는 길을 알려줬거든. 다른 병사들은 알아차리지 못했지만 나는 들었어. 딱, 딱. 소리를 내며 유인하는 것을. 그것들 모두가 우리에게 호의적이라는 건 아니야. 모두가 적대적이지 않을 수도 있다는 말이지. 우리처럼.'

우리처럼…….

AD 2028-10-28~2029-02-13

109일간 우주 생명체와의 전쟁 종료

'다른 작전을 쓰는 것은 아닐까요?'

'다른 곳으로 옮겨간 것일 수도 있습니다.'

'최후의 공격을 준비하는 걸 거예요.'

'북대서양을 기점으로 수색 반경을 넓혀갈 겁니다. 걱정하지 마십시오. 그들이 지구를 떠났다는 것은 확실합니다.'

'2032년까지 위성 다섯 대를 더 띄우겠으며…….'

'조금씩 우리의 일상이 돌아오고 있습니다.'

'87일 동안 발견된 외계 생명체는 없습니다.'

.

.

.

'지구에는 다시 우리뿐입니다.'

마지막으로 트럭에 짐을 실으며 린은 마치 아이를 두고 떠나는 양육자 같은 얼굴로 이인을 바라봤다. 차라리 이인이 자원하지 않았더라면 조금만 더 버티고 밖에서 보자는 인사가 수월했을 거였다. 이인은 그런 린의 마음을, 머뭇거림과 미안함과 불편함을 빤히 읽었음에도 괜찮다거나 신경 쓰지 말라는 상투적인 말을 내뱉지 않은 채 얼른 출발하라는 듯 손바닥으로 트럭을 내리쳤다. 한국군을 수송하는 마지막 트럭이었다. 트럭은 파루 공항으로 곧장 이동할 테고, 한국군은 그곳에서 전용기를 타고 한국으로 돌아가리라. 이번이 두 번째인 귀환에서 유일하게 탑승하지 않은 한국군은 이인뿐이었다. 트럭이 컨테이너 사이를 달려 부대를 빠져나갔다. 이인은 트럭이 향하는 노을을 바라보다, 일찍 몸을 돌렸다. 그렇게 해야 린이 편히 고개를 돌릴 수 있을 거였다.

한 달여의 시간 동안 한국군뿐만 아니라 이곳으로 파병된 각국의 병사들이 차례차례 본국으로 돌아갔다. 언제나 사람으로 바글거렸던 공용 샤워실도 물이 마른 지 오래였고 다 챙겨가지 못한 통조림과 잼들만이 부대 한가운데에 차곡차곡 쌓여 있었다. 종전과 승리로 인한 해산이었지만 이곳은 마치 외계 생명체에게 전멸당한 뒤 인간의 흔적만 간신히 남은 유적지 같았다. 이인은 쌓인 통조림 중 참치 캔 하나를 챙겨 컨테이너로 향했다. 여섯 명이 썼던 컨테이너는 이제 이인의 독방이 되었다. 닫히지 않은 린의 관물대 문을 닫으며 이인은 깔끔하게 정리된 린의 침대에 걸터앉았다. 컨테이너를 가득 채운 건 탁상 위에 놓인 시계 초침 소리였다. 초침 소리가 이토록 크고 걸리적거린다는 걸 어제까지는 알지 못했다. 컨테이너에서는 항상 다급하게 대화를 몰아 하고, 밤늦게 잠자리에 들었다가 동이 트기 전에 나갔으므로 잠깐 머무는 곳 이상이었던 적이 없었다. 이인이 탁상시계를 집어 배터리를 뺐다. 시계는 필요 없었다. 이곳에 있으며 시간이 있다는 사실조차 잊고 있을 때가 더 많았으니까.

컨테이너는 이인이 느껴왔던 것보다 좁고 추웠다. 단열재가 붙지 않은 외벽은 찬 기운을 묻힌 채 실시간으로 간격을 좁혀오고 있는 듯했다. 이인은 홀로 참치를 먹으며 끼니를 때운 후 중앙등을 점등하고 제 침대에 누워 눈을 감았다.

날벌레 사체가 가득 담긴 형광등. 낡아 끝이 갈라진 책상. 고장 난 전자 피아노, 그 위에 가득 쌓인 잡동사니. 솜이 다 죽어 늘어진 이불과 행거에 마구잡이로 쌓인 옷. 좁은 방을 천천히 훑다 이인은 생각했다. 깨어나야 한다. 다행히 꿈에 익숙해진 정신은 쉽게 경계를 오갔다. 이인은 컨테이너에서 눈을 떴다. 동이 트기 전이었고 입에서는 입김이 터져 나왔다. 얇은 군청색 이불을 끌어 올렸지만 그렇게 해도 몸은 따뜻해지지 않을 것이다. 결국 몸을 일으켰다. 세면도구와 새 옷을 챙겨 컨테이너를 나왔다. 푸르스름한 기운이 맴돌았다. 사물과 하늘의 경계가 흐렸고, 이인의 걸음 소리만 잔잔하게 울려 퍼졌다. 여유롭고 나긋한 아침이었다. 그토록 바라던. 인류가 그토록 염원했던.

여기를 벗어난다고 해서 이곳보다 더 나은 곳이 있는 건 아니에요. 그래서 모르겠어요. 무엇을 바라보며 버텨야 할지. 하지만 이게 더 낫다는 생각도 해요. 이 생활 자체가 저에게 힘든 게 아니라는 말이니까요.

강아지나 고양이 키운 적 있으신가요?

네, 서울에 혼자 살았을 때 고양이를 키웠어요. 집을 잃었거나 누가 버린 고양이였어요. 길고양이 같지는 않았어요. 창

틀에 앉아 며칠씩 창문을 두드리기에 버티다가 결국 집으로 들여보냈어요. 한 달 동안은 주인을 찾으려고 노력했지만 끝내 나타나지 않았어요. 나중에 보니 심장병이 있더라고요. 너무 늦어서 치료가 힘들다는 이야기를 들었어요. 그래서 버린 건가 봐요. 그 애랑 1년 반 정도 살았어요.

그 애 이름이 뭐였어요?

앨런이요. 좋아하는 소설가 이름을 따왔어요. 이름 짓는 걸 못해서.

잘 어울리는데요. 흰색 털이었을 거 같아요.

검은색 고양이였어요. 햇빛을 받으면 금처럼 빛났어요.

다시 사랑을 주고, 이름을 붙일 수 있는 존재를 옆에 두는 걸 추천해요. 당신에게 좋은 영향을 줄 거예요. 사람을 두는 것보다도 훨씬 안정적이죠. 당신처럼 가족이 필요한 친구들도 많고요.

나쁘지 않겠어요. 이 일이 끝나면요.

후발대로 남으신다고요?

일주일 정도요.

자원하셨다고 했는데 방금 말한 이유일까요?

벤과 인사를 나누고 가려고요. 아시다시피 벤은 묘지에 없으니까. 벤과 헤어진 장소로 가야죠.

군용 레토나 조수석에 가방, 그리고 담요와 생수 두 병을 놓고 문을 닫았다. 오랫동안 부대로 돌아오지 않을 예정이었지만 이 이상의 짐은 필요치 않아 보였다. 러시아군에게 수색을 보고하기 위해 찾아갔으나 빈 보드카 병이 줄지어 있는 것을 보고 말없이 걸음을 돌렸다. 어차피 그들도 이인을 찾지 않을 것이다. 그것들이 지구를 떠난 지 3개월이 지난 지금, 정리해야 할 것과 정비해야 할 것들은 모두 끝마친 상태였고, 이제 이곳에 남은 임무는 민간인이 접근하지 못하도록 막는 것과 몇천 명의 군이 머물다 간 자리를 최대한 깨끗이 치우는 일뿐이었으므로. 이인이 차를 끌고 부대를 빠져나갔다.

벤은 포르투갈에 와본 적이 있느냐고 물었다. 이인은 단번에 고개를 저었다. 그렇다면 어느 나라를 가봤느냐고 물었다. 파병 때문에 레바논에 갔던 게 전부라고 대답하자, 벤은 왜 다른 나라를 가보지 않았느냐고 되물었다. 이인은 왜 다른 나라를 가보아야 하느냐고 묻고 싶었다. 아니면 언제 다른 나라가 가고 싶어지느냐고 물어도 상관없을 것 같았다. 그러니까 이인은 그때까지 단 한 번도 해외여행을 가보고 싶다거나 어느 나라를 가고 싶다고 생각한 적이 없었다. 돌이켜보면 방학마다 해외를 돌아다니다 온 친구가 종종 있었다. 부럽다는 생각을 한 적이 있었던가. 단연코 없다. 이인은 그 아이들이 부러웠던 적 없었다. 이인은 방학이면 매일같이 집을 나왔다. 갈 곳이 없어도 학교에 가는 것처럼 눈을 떠 무조건 집을 나왔고, 그것이 이인에게는 다른 세상으로의 진입이었다. 하지만 어느 것도 되묻지 않고 나중에 갈 거라는 말만 내뱉었다. 벤이 여행 이야기를 꺼낸 것이 이인의 답을 듣기 위함이 아니라 자신의 이야기를 꺼내고 싶어서였음을 알아차렸기 때문이었다. 벤은 앞이 보이지 않을 정도로 뿌옇게 쌓인 안개를 바라보며, 스무 살 때 이곳 포르투갈에 왔다고 말했다. 지금 우리에게는 보이지 않지만 여기는 라고스 해변으로, 전 세계에서 손에 꼽을 정도로 아름다운 절벽이 펼쳐져 있다고 말이다. 이인의 눈에는 아무것도 보이지 않았다. 그저 하늘과 바다의 경계를 구분할 수 없다는 것, 저 아득히 파도 소리가 들려오고 있다는 것뿐이었다. 내가 기억하는 라고스로 네가 꼭 다시 와서 봤으면 좋겠어. 나랑 와도 좋아. 벤은 그렇게 말했다. 이인은 난생처음으로 해외여행을 가고 싶다고 생각했다. 벤이 기억하는 모습의 이곳으로.

차를 세운 곳은 부대에서 한 시간가량 떨어진 곳이자 벤과 라고스 이야기를 나누었던 장소이며 동시에 벤이 사라진 지점이었다. 이인은 가방을 쥐고 차에서 내렸다. 마음 놓고 올 수 있는 곳이 아니었다. 3개월 전까지 이곳은 분쟁의 중심지였고 몇 주 전까지는 외계 생명체의 흔적을 찾기 위한 조사 지역이었다. 오고 싶어도 쉽게 올 수 없었고 온다 하더라도 마음 편히 있을 수 없었다. 그러니 오늘이 처음이었다. 벤과 헤어진 장소에 다시 온 것은. 이인은 여전히 그것을 죽음이라 부르지 못했다. 아무것도 남기지 않았으니까.

이인은 비슷한 자리를 몇 번 배회하다 멈춰 섰다. 이쯤이었다. 이 자리에서 몇 발자국 뒤에 이인이 서 있었고, 이 자리에 벤이 서 있었다. 한국군과 미국군이 합동 수색을 나간 날이었다. 이인은 마른 풀잎이 바스락거리는 곳에 주저앉았다. 가방에서 초코바 두 개를 꺼내 발 앞에 나란히 놓았다. 그러고는 한동안 그곳에 우두커니 앉아 있었다. 한때 안개가 짙어 한 치 앞도 내다볼 수 없었던 장소는 '그것'이 거짓말이라는 듯 한없이 푸르기만 했다. 이인은 두 팔로 자신의 몸을 감싸 안은 채 들려오는 파도 소리에 귀를 기울였다. 꿈은 한 걸음씩 이인에게도로 돌아오고 있었다. 이곳에 있는 동안 멀어졌던, 이인이 벗어났다 믿었던 세계는 여전히 그 안개처럼 이인의 주위를 맴돌았다. 그럴 때면 나무로 덮어둔 상처가 욱신거렸다. 이 감각은 가짜다. 이인의 두려움과 우울함이 만들어낸 거짓 고통이다. 이인은 상처가 아파질 때마다 뿌리가 하늘로 자라는 나무를 생각했다. 이인의 허리를 휘감고 하늘로 뿌리를 뻗는 나무를 생각하면 고통은 오래 버티지 못하고 모습을 감췄다. 팔뚝을 감싸고 있던 팔을 올려 어깨를 더듬었다. 이쯤 어딘가에 뿌리 끝이 있을 것이다. 이인은 뿌리를 어루만지는 것처럼 제 어깨를 쓰다듬었다.

울어야 하나. 벤이 눈앞에서 사라졌던 순간, 아니면 지금. 누구의 말처럼 시원하게 울음을 터트려야 할까. 하지만 역시나 울음은 나지 않는다. 울면 소용이 있을지도 모른다는 말을 믿을 때가 됐는데 그것은 언제나 믿어지지가 않는다. 가장 힘차게 울었던 그 순간 울음은 어떤 소용도 되지 못했으므로. 벤은 알 것이다. 이인이 울지 않아도 충분히 슬퍼하고 있다는 것을. 이인이 초코바를 챙겨 자리에서 일어났다.

"한 바퀴 돌고 올게. 당신이 말했던 코스로 가보려고."

몸을 틀었던 이인은 그 순간 무언가가 제 몸을 감싸는 느낌에 다급히 고개를 돌렸다. 그 자리는 역시나 텅 비어 있었다.

차에 돌아간 이인은 생수 반병을 마시고 콘솔 박스에서 지도를 꺼냈다. N125번 도로를 타고 남쪽으로 달리면 된다. 길지 않은 길이었다. 길어 봤자 세 시간가량 소요될 거였고, 그 시간이면 러시아군이 술에서 깨기 전에 부대로 도착할 거였다. 이인이 차를 출발시켰다. 세상은 멸망한 것처럼 고요했다. 이인은 문명은 남아 있고 인류가 사라진 곳이 있다면 그곳으로 여행을 가고 싶다고 생각했다.

사고는 한순간이다. 잠시 눈을 뗀 사이, 잠시 방심한 사이, 잠시 안심한 사이. 하지만 그것은 사고에 대해 잘 모르는 소리다. 사고는 체계적이고 조직적이며 점층적이다. 사건이 일어나기 전까지 무수히 많은 확률을 좁혀가며 그 순간을 향해 뻗어나간다. 그리하여 지점에 충돌하기 전까지 그 일을 막을 무수한 기회가 있었지만 그것을 감지하지 못할 뿐이다. 그렇기에 사회가 존재하고 국가가 존재한다. 개인이 사고의 질주를 눈치채지 못하고 막을 수 없을 때, 국가가 대신하여 사고의 확률을 미리 막아야 한다. 사회가 제대로 돌아가지 않는 것은 그해 일어난 사고의 횟수로 알 수 있다. 충분히 예방할 수 있고 막을 수 있던 숱한 일들이 안일하고 무책임한 사회 곳곳에 넘실거린다. 그러니 사고는 한순간일 수 없다. 사고는 아주 긴 시간 동안 차분히 그 지점을 향해 달려오고 있다. 지도를 보기 위해 숙였던 고개를 들었던 그 순간, 한동안 나타나지 않았던 그 남자가 이인의 눈에 다시 보인 것도 한순간의 사고가 아닌 이전의 일로부터 파생된 사고의 연장선일 뿐이며 그로 인해 운전대를 급하게 틀다 절벽 아래로 차가 떨어진 것도 결국 계획되어 있던 일인 것이다. 누군가로, 혹은 세상의 어떤 불합리한 힘으로부터.

그 사람은 일상에 깃들어 있었다. 눈을 감으면 꿈 한 귀퉁이에 등장했고 눈을 뜨면 삶 곳곳에 자리를 차지했다. 그 사람을 처음 손으로 가리켰던 날, 그 행동이 불러온 비극의 파장을 이인은 기억했다. 이인의 뇌가, 이인의 몸이, 이인의 세포 하나하나와 그 속의 원자가 그것을 잊지 않고 대물림했다. 그 사람이 보여도 보아서는 안 된다. 보아도 말해서는 안 된다. 말해도 누군가 그 말을 들어서는 안 된다. 이인이 할 수 있는, 또 다른 사고를 막는 유일한 방법이었다. 그러니 그 사람이 찾아오지 않았던 전장은 이인에게 얼마나 평범한 일상이었던가. 그런 평범한 일상에 너무 익숙해진 탓이다. 그 사람을 보자마자 운전대를 돌린 실수를 저지른 건. 그렇게 사고를 확장시킨 건.

좌측으로 틀어진 바퀴는 계속해서 미끄러졌다. 젖은 잡초는 마찰을 일으키지 못했고, 관리되지 않은 레토나도 관성을 이기지 못했다. 차가 절벽 아래로 떨어졌다. 20년 전부터 이어져온 사고의 연장선이었다.

벤에게는 사별한 아내가 있었다. 어릴 때부터 함께 자란 두 사람은 서로가 아니면 안 된다는 것을 일찍 깨달았고 성인이 되자마자 100달러짜리 반지를 나눠 끼며 10주년 때 1000달러 반지로 새로 맞춰 끼자고 약속했다. 하지만 벤의 아내는 벤이 2018년 평창올림픽 출전을 위해 한국에 왔을 때 심장마비로 세상을 떠났다. 만일 벤이 한국에 있지 않았더라면 벤은 아내가 거실에서 쓰러졌을 때 곧바로 심폐소생술을 진행해 멈춘 심장을 다시 살릴 마지막 기회를 놓치지 않았을 수도 있다. 그렇지만 벤은 북태평양을 가로질러 한국 동쪽에 있었다. 벤이 아내를 살릴 수 있으려면 얼마나 많은 경우를 바꿔야 할까. 한국에 오지 않는 과거로, 스키를 배우지 않는 과거로, 신혼집을 시카고로 정하지 않는 과거로, 스모그가 짙었던 날 심장이 아프다는 아내의 말을 그냥 흘려듣지 않는 과거로, 스모그에 발암물질이 섞이지 않는 과거로. 그렇게 끊임없이 거쳐 올라가면 언젠가는 아내가 죽지 않는 우주를 만날 수 있을 것이다. 벤은 아내만큼 사랑하는 사람을 만날 수 없을 거라 확신했고 이인은 사람을 사랑할 수 없다는 걸 확신했다. 벤과 이인이 서로 옆집에 살자고 약속한 것은 이런 이유 때문이었다. 아무도 사랑하지 않는 삶을 살되, 외롭게 있지는 말자는. 이인은 벤에게 말했다.

나는 혼자 사는 게 아닐지도 몰라. 나는 계속 누군가와 함께 있으니까.

그 사람이 없는 곳으로 가려면 어디로 가야 해?

몰라. 지구에는 없을지도. 아니면 계속 전쟁을 뒤쫓아 가야지. 그게 아니라면 뒤로 가야지. 사고가 나지 않는 순간으로. 계속 거꾸로 가야지.

벤은 이인의 말을 들으며 웃었다. 사방에서 일정한 간격으로 딱, 딱 부딪치는 소리가 들렸다. 이인이 고개를 돌렸다. 벤과 이야기를 나누고 있었던 곳은 레바논의 작은 레스토랑이었고 사거리 건너편에서 자신을 바라보고 있는 그 사람을 발견했다. 그 사람은 이인을 주시하다가 건널목 없는 거리를 건넜다. 이인은 무시하기 위해 고개를 돌렸지만, 앞에 앉았던 벤은 어느새 그 사람으로 바뀌었다. 이인이 자리에서 벌떡 일어났다. 몸을 튼 순간 코앞까지 다가온 그 사람과 눈이 마주치며 이인의 시야가 암흑으로 변했다.

조금씩 또렷해지는 시야에 가장 먼저 보인 것은 거꾸로 자란 나무였다. 나뭇잎은 중력을 거스른 채 하늘을 향해 솟아 있었다. 이인은 나뭇가지를 멍하니 바라보다, 이마에 흐르는 따뜻한 무언가가 나뭇잎처럼 중력을 거슬러 하늘을 향해 흐르고 있다는 걸 알아차렸다. 고개를 들었다. 차 천장에 검게 얼룩진 핏물이 가득했다. 손으로 이마를 훑었다. 손바닥에 붉은 피가 가득 묻었다. 피의 따뜻함이 손바닥에 천천히 느껴지자, 몸의 감각도 점차 돌아왔다. 참을 수 없는 고통이었다. 이인은 뒤늦게야 짐승 같은 괴성을 질렀다. 창과 옆구리를 관통한 것은 나무의 단단한 가지였다. 차는 절벽에 매달려 뒤집혔다. 천장에 손을 뻗자 차가 흔들렸다. 가지를 빼내기 위해 몸을 움직였지만 아무 소용 없었다. 숨을 몰아쉬었다. 고통은 숨과 반응해 거세졌다. 차는 지상으로부터 그리 높지 않은 곳에 매달려 있었다. 이인이 천장을 짚은 상태로 숨을 더 크게 몰아쉬었다. 일단 이 나무에서 벗어나야 한다. 곧이어 다가올 최악의 고통을 예견하며, 이인은 숨을 참고 천장을 손바닥으로 내리쳤다. 차가 조금씩 흔들렸다. 허리를 관통한 나뭇가지도 따라 흔들리다 점차 무게를 버티지 못하고 휘기 시작했다. 입술이 하얗게 질릴 정도로 깨물어도 괴성이 튀어나왔다. 차라리 이를 전부 뽑아내는 게 나을 것 같다는 생각을 했다. 차가 심하게 기울었다. 머지않아 아래로 곤두박질쳤다.

이인은 다시 정신을 잃었다.

그리고 노을이 바다와 절벽을 전부 덮었을 때 눈을 떴다.

황금으로 뒤덮인 저승인 줄 알았다. 이인이 알고 있는 저승과는 달랐지만, 누구도 저승에 입성했다 돌아온 적은 없었으므로 실제 저승은 이렇게 아름다울지도 몰랐다. 그렇다면 저승에 온 것이 억울하지 않을 거라고. 하지만 이곳은 이승이었다. 떨어지며 빠진 피 묻은 나뭇가지가 검은 손처럼 이인을 향해 뻗어 있고 깨진 창 조각이 몸에 다닥다닥 붙어 있었다. 이인은 손가락 끝에 힘을 주었다. 어설프게 움직이는 손가락으로 자신이 살아 있음을 확인했다.

구겨진 차체에서 몸을 빼내는 것은 어렵지 않았다. 차는 조수석 창문이 모래에 닿도록 측면으로 떨어졌다. 안전띠를 풀자 몸이 조수석 쪽으로 떨어지며 통증이 느껴졌다. 이인은 차 밖으로 빠져나왔다. 버려진 차를 개조해 만든 군용 레토나였기에 에어백도 제대로 터지지 않았다. 오히려 다행이었다. 에어백까지 터졌으면 몸을 빼내는 게 꽤 어려웠을 것이다. 두 팔로 땅을 짚으며 차에서 빠져나온 이인은 푹신한 모래에 몸을 뉘었다. 이인이 떨어진 곳은 사방이 절벽으로 이루어진 아주 작은 해변이었다. 해변이라는 이름을 붙이기도 애석한, 절벽에서 풍화되어 떨어진 잔해들의 무덤 같은 곳이었다. 진득한 피로 뒤덮인 윗옷을 들춰볼 엄두가 나지 않았다. 상처를 마주하면 사라진 감각이 돌아올 것 같았다. 이인은 잠시나마 자신에게 찾아온 평화와 같은 시간을 누렸다.

챙겨 온 가방에는 초코바 두 개, 후드 집업, 그리고 권총이 전부였다. 이인은 가방을 내려놓고 조수석 발판에 떨어져 있는 담요와 물을 향해 손을 뻗었다. 허리를 굽히는 것이 곤욕이었다. 차체가 허리를 누를 때마다 피가 울컥 쏟아져 나올 것 같았다. 이인은 결국 허리를 일으켰다. 가지고 온 여벌 상의를 오른손 주먹에 둘렀다. 전면 창 앞에 무릎 꿇고 앉아 덜 깨진 창문을 내리쳤다. 상체가 들어갈 수 있을 만큼 틈새를 벌리기 위해서였다.

트렁크에 있던 응급 키트에는 붕대와 손전등이 들어 있었다. 상처를 소독할 수 있는 약은 들어 있지 않았다. 지혈할 수 있는 것은 다행이었지만 상처가 곪는 속도를 생각하면 오래 버티지 못할 거였다. 이인이 숨을 크게 들이마신 뒤 피와 엉겨 붙은 옷을 들어 올렸다. 허리와 배를 뒤덮은 검붉은 피가 드러났다. 배를 더듬어 상처 부위를 확인했다. 지름 15센티미터 정도의 크기다. 피가 굳어 상처가 막혔지만 벌어진 살이 맞물려 있는 것은 아니다. 이인은 반쯤 남은 생수 물을 상처 위에 부었다. 소독약을 쏟아붓는 고통은 뒤따르지 않았지만 살에 굳은 피딱지를 닦아내는 기분은 영 좋지 않았다. 어느 정도 피가 씻기자 붕대를 뜯어 허리에 감았다. 벌어진 살이 서로 붙을 수 있도록 살을 뭉개자, 그제야 잇새로 신음이 터졌다. 이인은 있는 힘껏 붕대를 조였다. 단단하게. 더 단단하게.

휴대전화는 차체 밑에 깔려 있었고 무전기는 보이지 않았다. 이인은 켜지지 않는 휴대전화를 가방에 욱여넣었다. 노을도 점차 검게 물들어가자 바닷바람은 거세졌고 차가워졌다. 옆으로 기운 차와 절벽, 그리고 바다. 그게 끝이었다. 누군가 우연히 이곳을 지나다 이인을 발견하는 일은 일어나지 않으리라. 이인이 절벽을 타고 올라가거나, 이인의 부재를 알아차린 누군가가 이인을 찾아 이곳에 와야만 했다. 챙겨 온 후드 집업을 껴입고 자리에서 일어났다. 통증은 여전했지만 움직이지 못할 정도는 아니었다. 물과 식량, 여분의 붕대가 든 가방과 담요를 챙겼다. 떨어진 차에서 멀어지면 안 되겠지만 날이 점점 추워지고 있으므로 이곳에 있는 건 안전하지 않았다. 하늘과 바다의 경계조차 구분되지 않았으므로 위험했다. 나갈 수 있는 길을 찾기에는 시간이 늦었다 해도 절벽과 절벽 사이, 바위와 바위 사이로 가기 위해 무거운 다리를 움직였다. 러시아군이 찾으러 오지 않을까. 아니 한국군이 남아 있다는 사실을 알기나 할까. 그들이 이인의 존재를 모른다면 무사 귀환을 알리는 린의 연락을 기다려야 했다. 연락을 시도했지만 닿지 않고, 또 닿지 않고, 계속 닿지 않음을 이상하게 느낀 린이 이인의 생사를 확인해 물을 때까지. 그렇게 한국이 이인을 찾기 위해 수색대를 다시 꾸릴 때까지. 그렇게 되기까지 얼마나 걸릴까. 나흘? 열흘? 어쩌면 보름이 넘을 수도 있다. 분명한 건 반드시 이인을 찾으러 한국의 헬기가 뜰 거라는 점이었고, 분명하지 않은 건 그때까지 자신이 살아 있을지 알 수 없다는 것이다.

원래 하나였던 절벽이 어떤 압력에 의해 갈라진 것 같은 좁은 틈으로 향했다. 자신을 공격해 올 짐승도, 적군도 없었지만 전장에 오래 나가 있던 몸은 사방이 뚫린 곳에서는 잠시도 편하게 있지 못했다. 이인은 담요로 몸을 감싼 채 잠깐이라도 눈을 붙일 생각이었다. 몸의 상태도, 이곳을 나가는 것도 전부 쏟아지는 잠을 처리한 후의 일처럼 느껴졌다. 이인은 가방을 베개 삼아 베고는 담요를 몸에 둘렀다. 몸을 천천히 둥글게 말았다. 손전등은 배터리가 걱정되어 오래 켜두지 못하고 껐다. 그렇게 기절하듯 잠에 빠졌다.

다음 날 이인은 이질감을 느끼며 단번에 눈을 떴다. 꿈을 꿨다. 악몽이 아니었다. 추억을 여행하는 꿈이었다. 특수부대 입대 환영식 날이었다. 이인이 기억하는 몇 안 되는 기억 중 하나였다. 웃기만 했던. 그 사람이 지켜보지 않았던.

생수를 조금 마셨다. 금방 빠져나갈 수도 있겠지만 그러지 못하는 최악도 생각해야 했다. 허기는 졌지만 음식이 급하지 않아 참을 만했다. 몸을 일으켰다. 상처 부위가 뻣뻣하게 굳은 것처럼 움직임이 쉽지 않았다. 사방을 둘러싼 절벽에는 출구가 없었다. 등반을 시도했으나 힘이 가해지자 느껴지는 극심한 통증에 몸은 지상에서 몇 미터 나아가지도 못한 채 추락했다. 바닥에 누워 숨을 몰아쉬었다. 떨어질 때 허리에 가해진 상처가 욱신거려 움직일 수 없었다. 절벽 끝은 닿을 수 없을 만큼 높아 보였다. 총을 들지 않은 적군에게 둘러싸인 기분이었다. 복면을 쓰고 있어 호의적인지 살의를 품고 있는지 알 수 없는, 죽어가는 이인을 지켜보는 심판자 같기도 했다. 이인은 그쯤에서 자리에서 일어났다. 절벽이 적군이든 심판자이든 중요하지 않았다. 총을 든 적군에게 포위되었을 때에도 살아남지 않았던가. 이인은 몸에 묻은 모래를 털어내며 해변가로 향했다.

수심이 얼마나 깊은지 가늠할 수 없었지만 수영을 해서 나간다고 한들 밟을 수 있는 땅은 보이지 않았다. 천장이 뚫린 동굴과 우뚝 솟은 바위. 그리고 이어진 절벽이 전부였다. 하늘은 맑았고 바다는 빛났다. 이인이 단 한 번도 마주한 적 없던 날씨였다. 푸르다 못해 하얗게 빛난다는 것. 바다의 경계는 다이아몬드가 깔린 것처럼 빛났다. 눈이 부실 정도로 반짝이는 바다와 하늘을 바라보다 이인은 소리쳤다. 바다와 절벽 너머를 향해. 이 근방 어딘가에 있을지도 모르는 사람을 향해. 절벽을 타고 올라간 목소리는 메아리로 퍼졌다. 돌아오는 대답은 없었다. 이인은 또다시 크게 소리쳤다. 절벽과 바다를 타고 퍼져나간 소리는 이 행성 전체에 울려 퍼질 것처럼 기세 좋게 나아갔으나 돌아오는 건 파도 소리뿐이었다.

손바닥 크기의 초코바 하나를 4등분으로 나누었다. 나머지는 가방에 도로 넣었다. 한 조각을 입에 넣었다. 해가 지고 있었다. 포르투갈의 일몰은 한국보다 늦다고 했다. 여름에는 밤 10시에도 노을이 져 있다고 했던가. 시간을 확인하지 않고 해가 질 때까지 놀다 보니 밤 10시였다던 벤의 말이 떠올랐다.

아무것도 할 수 없는 하루는 지독하게 길었다. 이인은 무전기를 만지고, 차에 든 물건을 다시 살피다 허공을 향해 손전등 불빛을 깜빡거렸고 몇 번의 짧고 긴 잠을 청했다. 혹시나 누군가 이 주변을 지날까 봐 푹 잠들지 못했고, 그때마다 꿈을 꾸었다. 역시나 마찬가지였다. 악몽은 꾸지 않았다. 그 사람도 보이지 않았다. 대신 이인이 기억하는 인생의 몇 안 되는 기쁜 순간들이 나왔다. 이름조차 기억나지 않는 단역의 사람들도 이인의 기억 한순간에 남아 있었다. 그것은 꿈이라기보다 재현에 가까웠다. 이인은 입에 남은 초콜릿의 달콤함을 느끼며 몸을 감싸 안았다. 바다는 분홍빛이었고 노란 자개가 박힌 것처럼 반짝였다. 자개는 바다에서 하늘로 점차 떨어졌다. 하나둘씩 떨어진 자개가 빛나기 시작했고, 곧 하늘에 길이 만들어졌다. 지구가 우주에 있다는 것을 이인은 그때 비로소 느꼈다. 지구를 찾아온 그것들은 정말 저 어느 곳에서, 하늘에 만들어진 길을 따라 찾아왔구나.

같은 자리에 도로 누웠다. 하늘을 향해 손전등을 몇 번 비추다 잠들었다. 그날 새벽에도 악몽은 꾸지 않았다. 꿈은 더 예전으로 거슬러 올라가, 이인이 2년간 일해왔던 카페를 그만뒀던 순간이 나왔다. 오랫동안 성실히 일해줬음을 고마워하며 점장은 이인을 위해 케이크와 선물을 준비했다. 사회에 나가서도 여기서 일했던 것만큼만 하면 어디서든 사랑받을 거라는 격려를 아끼지 않았다. 이인은 자신의 이름이 적힌 케이크를 품에 안았다. 점장은 개업 때 선물 받은 묘목을 가리켰다. 일을 시작했을 때는 이인의 무릎까지 오던 것이 지금은 이인의 머리보다 커졌다. 점장은 이 나무가 자라는 동안 너도 이곳에서 자랐다고 말했다. 이인은 미간을 찌푸리며 입을 열었다.

점장님, 나무가 거꾸로 자라요. 뿌리가…….

흙 묻은 뿌리가 위로, 위로, 위로 뻗어가고 있었다. 이인은 그때야 꿈이라는 걸 자각했다. 그러자 나무는 빠른 속도로 자라났다. 높게 뻗은 뿌리는 천장에 꺾여 넝쿨처럼 카페를 감싸기 시작했다. 점장은 다정하게 이인의 손을 감쌌다. 뿌리 하나가 뻗어 점장의 몸을 감쌌다. 점장은 아랑곳하지 않았다.

세상은 마주 보고 있어.

이인은 눈을 뜸과 동시에 상체를 일으켰고 동시에 극심한 통증을 느꼈다. 어제는 느끼지 못한 통증이었다. 옷을 들췄다. 두껍게 감은 붕대 위로 피가 올라오지는 않았으나 상처 부위가 따뜻한 것으로 보아 고름이 나오거나 피가 새는 모양이었다. 붕대를 풀어 확인하지 못하고 옷을 다시 내렸다. 통증이 멎을 때까지 그 자리에서 움직이지 않았다. 우두커니 앉아 있던 이인은 그제야 주변에 가득 낀 안개를 발견했다. 본능적으로 가방에서 권총을 꺼냈다. 총알은 한 발뿐이었다. 절벽을 등에 두고 자리에 앉았다. 수색대가 이곳도 살펴봤을까. 사방이 가로막힌 절벽 아래라 눈여겨보지 않은 것은 아닐까. 아니, 아니다. 단순한 해무일 뿐이다. 바닷가에 뜨는.

물을 몇 모금 마시고 몇 시간씩 절벽에 기대어 앉은 상태를 유지했다. 몸을 뒤척일 때마다 허리 통증은 점점 심해졌다. 통증이 지나고 나면 탈수 증상이 왔다. 물을 아끼는 게 쉽지 않았다. 하루에 두 모금 이상은 마시지 않으려 했고, 갈증이 급할 때도 입술만 축여야 했지만 땀과 피를 다량으로 흘리는 몸은 그런 의지를 허락하지 않았다.

죽음을 다짐한 사람들이 왜 더 오래 살아남는 줄 알아? 생명체는 기본이 살아야겠다는 욕망인데 그 욕망이 뒤틀어지면 지구의 흐름으로부터 빗겨나가게 되는 거야. 날아오던 총도 그 기류에 휩쓸려 비껴가게 되는 거지. 죽고자 하는 사람들은 그렇게 더 오래 살게 돼. 사는 것도, 죽은 것도 아닌 경계에서. 아내를 따라가려고 목을 매달았을 때는 문손잡이가 떨어졌어. 탄환을 사서 돌아오던 길에 가방을 도둑맞았고, 수면제는 아내가 착각하고 담아둔 비타민이었어. 그게 비타민인 걸 알았을 때 내가 죽을 수 없다는 걸 알았지. 내가 죽지 못하게 아내가 막고 있다는 생각이 들었거든. 그래서 이제 살고 싶어. 이번 전쟁이 끝나면 더는 전장에 발을 들이지 않을 거야. 네 말대로 서로 집을 옆에 두자고. 일단 동네 강아지들 산책시켜주는 일을 시작해야겠어.

구름이 지나갈 때마다 달이 출렁였다. 이인은 시선을 내려 바다에 비친 선명한 달을 쳐다봤다. 물에 비친 것은 바다의 달인데 흔들리는 것은 하늘의 달이었다. 이인은 더 오래 바라보지 않고 몸을 돌렸다. 손에는 빈 생수병이 들려 있었다. 물이 떨어진 지 일곱 시간이 지났다. 약간의 갈증을 느꼈지만 아직은 참을 만했다. 앞으로가 문제였다. 물 없이는 오래 버티지 못할 거였다. 근처를 지나가는 기척은 느끼지 못했다. 파도 소리뿐이었다.

이인은 절벽 앞에 섰다. 숨을 크게 들이쉬고 절벽에 솟은 돌을 붙잡았다. 발 디딜 수 있는 돌부리에 발을 올렸다. 오늘로써 마흔여섯 번째 도전이었다. 어느 정도까지는 짚고 올라갈 수 있는 길을 찾았지만 그 이상이 문제였다. 발은 디딜 곳이 없어 미끄러졌고 이인은 안전장치도 없이 몇 번이나 떨어졌다. 이번에도 같은 구간에서 발이 미끄러지며 아래로 추락했다. 통증에 숨이 막혔다. 기침하듯 숨을 토해냈다. 다른 구간을 찾아야 한다. 손가락도 움직일 수 없을 정도로 체력이 떨어지기 전에.

새로운 초코바를 4등분으로 나누었다. 이인은 망설이다 입에 넣었다. 퍽퍽했던 입안에 미약하게나마 침이 돌았다. 좋지는 않았다. 침이 마르면 더 강렬하게 물을 찾게 될 테니까. 잠이 든 이인은 또 꿈을 꾸었고 그때 알게 되었다. 꿈이 과거를 향해가고 있다는 것을.

무섭지 않았어? 나는 네가 죽을 줄 알았어.

나도 내가 죽을 줄 알았어.

그런데 용케 살았네. 너도 운이 좋았구나.

아니, 살려달라고 빌었어. 살고 싶어서 울면서 애원했어.

의외라는 표정이네. 너도 내가 죽고 싶어 한다고 생각했구나. 맞아, 한때는 그랬어. 그렇지만 그건 한때야. 한때는 영원할 수 없어.

그렇게 닷새가 지났다.

각질이 일어난 입술은 거칠었고 눈 밑이 계속 떨렸다. 상처는 괴사하고 있는지 고름이 계속 차올랐다. 붕대를 한 번 갈았지만 나아지는 건 없었다. 추위를 느꼈지만 땀이 더 많이 흘렀다. 절벽에 기대어 앉아 숨만 쉬었다. 그것이 할 수 있는 유일한 일처럼 느껴졌다. 이대로 잠들었다가 깨어나지 않는다고 해도 상관없을 것 같았다. 하지만 이인은 자욱한 안개 속 어딘가에 기필코 딛고 올라갈 수 있는 절벽이 있을 것이라 믿었다. 몸을 일으켰다. 근처에서 기척이 느껴졌다. 몸을 틀었다.

총을 겨누었다.

그러자 그것은 두 손을 들었다.

이인은 그것을 놓치지 않았다. 신체나 주변에 무기는 보이지 않았다. 이인은 방아쇠에 손가락을 건 채 경계했다. 고작 한 발뿐이었다. 한 발로 즉사할 수 있는 확률은 몇이나 될까. 확답할 수 없었다. 제로에 가까우리라. 두 손을 들고 있던 그것이 옆으로 한 발자국 움직이자, 이인은 총을 들이밀며 경고했다. 그것은 곧장 걸음을 멈췄다. 이인은 총구로 절벽을 가리켰다. 그것은 지시를 바로 알아들은 것처럼 절벽으로 다가가 벽을 바라보고 섰다. 모래를 밟으며 천천히 다가간 이인은 그것의 뒤통수에 총구를 댄 후에야 얼굴만 주시하고 있던 시선을 내려 몸을 살폈다. 그것이 입고 있는 전투복은 몇 번의 총질로는 구멍을 낼 수 없을 정도로 촘촘하고 질긴 섬유로 만들어졌다. 그래서 여러 명이 붙어 숨이 끊길 때까지, 총알이 옷을 뚫고 들어갈 때까지 무자비하게 사격하는 것이 작전의 전부였다. 전투복 곳곳에는 총알이 스치고 간 듯한 거뭇거뭇한 자국이 남아 있었다. 그것이 손가락을 구부렸다. 이인은 총구로 뒤통수를 눌렀다. 그것은 공격할 의지가 아니었다는 걸 표현하기라도 하듯 구부렸던 손가락을 다시 펼쳤다. 무기도 없을뿐더러 싸울 의지도 없다. 어쩌면 낙오되었을지도 모른다. 하지만 이런 추측과 상관없이 쏴야 한다는 것을 이인은 알고 있다. 머리에 쏜다면 분명 한 방에 죽일 수 있을 테니까. 그것들이 벤을 가차 없이 쐈던 것처럼.

하지만 하필 그 순간 이인은 그것의 손가락이 파르르 떨리는 것을 보았다. 떨고 있다. 손가락뿐만 아니라 전신을. 그것은 자신의 뒤통수에 닿은 총구를, 이곳에서 만난 적군을 두려워하고 있다. 이 떨림은 진짜일까. 그것은 이인보다 체구가 작았다. 인간이었다면 중학생 정도일까. 이인은 방아쇠에 손가락을 붙였다 떼며 망설였다. 지금 방아쇠를 쏘지 않은 것에 대해 후회하게 될지에 대해, 그것이 수작을 부리고 있을 가능성에 대해. 그리고 그것을 죽인다고 해서 자신이 살아남을지에 대해. 승리라 할 수 없다면 무엇을 위해 방아쇠를 당겨야 하는지에 대해…….

이인이 총을 내렸다. 그것은 천천히 손을 내렸다. 조심스럽게 뒤돌아보는 그것을 지켜보며 이인은 걸음을 돌렸다. 이인이 맞은편 절벽에 기대어 앉을 때까지 그것은 공격하지 않았다. 방아쇠를 당기려고 했다. 꽉 움켜쥔 손바닥 사이로 어디선가 꺾어 온 꽃잎이 보이지 않았더라면.

애원이 어떻게 그들에게 통했어?

내가 두려워하고 있다는 걸 알았겠지. 그 두려움이 나를 나로 보이게 한 거지.

너를 너로?

어. 무장한 미국군이 아니고 죽기 싫어하는 나로. 당신들을 공격하지 않을 거라고 처절하게 보여줬지.

절벽에 기대어 앉아 있는 것도 힘들었다. 이인은 방아쇠에 걸린 손가락을 잠시도 풀지 않았다. 정신은 또렷했다. 습관적으로 덮쳐오던 잠도 이 순간만큼은 오지 않았다. 그것은 아까부터 같은 자리에 웅크리고 앉아 모래를 쌓고 무너트리기를 반복했다. 꼭 모래성 쌓기를 하는 것 같았다. 천진난만함. 그저 놀고 있는 듯했다. 아주 가끔 이인의 동태를 살피면서. 이인은 궁금해졌다. 왜 여기에 있는지. 왜 인간을 공격하지 않는지.

'어쩌면 그들은 우리와 소통을 할 수 있을지도 몰라.'

'나는 들었어. 딱, 딱. 소리를 내며 유인하는 것을.'

목이 메말라 소리가 나오지 않았다. 이인은 갈라진 입술을 오므렸다가 도로 닫았다. 거리가 있어 소리를 내뱉는다고 한들 그것에게 닿을 것 같지 않았다. 이인은 천천히 숨을 내뱉었다. 입술을 벌려 혀를 입천장에 붙였다가 떼어냈다.

딱—

이인은 다시 한번 입천장에 혀를 붙였다.

딱—

그것이 고개를 들었다. 그리고 이인은 닷새 만에 다른 존재가 내는 소리를 들었다. 이인이 낸 소리처럼 둔탁하고 딱딱한 소리가 아니었다. 그것이 혀를 차며 내뱉은 소리는 새처럼 맑고 청아했다.

—!

'모두가 적대적이지 않을 수도 있다는 말이지. 우리처럼.'

그것은 말을 떼기 시작한 어린 짐승처럼 울부짖었다. 이인에게 건네는 노래 같았다.

삶과 죽음의 경계는 슬픔의 척도 같았다. 얼마만큼 슬프고 괴로운지를 알리기 위해서는 삶에서 죽음으로 기꺼이 넘나들 수 있어야 했다. 그런 시도조차 하지 않는 것은 거짓된 고통, 거짓된 슬픔 혹은 크지 않은 고통, 크지 않은 슬픔이 되었다. 고통과 슬픔, 좌절과 모멸, 증오와 살의가 존재한다는 것만으로는 만족하지 않은 것처럼 보였다. 누군가 살라고 말했다. 죽을 생각이 없는 사람에게.

죽음을 강요하는 이들도 있었다. 열여섯 살에 만난 친구들이 그랬다. 이인의 고통을 알게 되자 단숨에 끌어안아 위로해주던 아이들은 비틀어진 위로를 건넸다. 아이들의 얼굴은 전부 지우개로 밀어버린 듯 번져 있었다. 말을 하는 것이 누구인지도 구별되지 않았다. 잔인하고 다정했던 얼굴은 사라졌다. 아주 잠시 기억해내려고 노력했지만 되지 않았다. 이인은 도중에 포기했다. 떠들고 있는 애들 사이를 지나쳤다. 철쭉이 가득 핀 운동장이 보였다. 이인은 창틀에 기대어 서서 따뜻한 바람을 느끼며 하염없이 운동장을 바라보았다. 편안하고 행복했다. 누구도 말을 걸지 않았다. 삶과 죽음의 경계에서 선택을 강요하지 않았다. 이인은 살며시 눈을 감았다. 누구에게도 대답하지 못했지만, 역시 살아 있는 게 좋았다. 들려오는 새소리가 좋았다. 그 소리를 가만 듣고 있던 이인은 문득 귀에 익은 소리임을 깨닫고 고개를 들었다. 운동장 철봉 위에 그것이 앉아 있었다.

파도 소리에 고개를 쳐들며 잠에서 깬 이인은 총부터 쥐었다. 얼마나 잠들었는지 알 수 없었다. 눈을 감았을 때도, 떴을 때도 여전히 깊은 새벽이었다. 주변은 여전히 안개로 가득했다. 그리고 그것이 없었다. 자리에는 무너진 모래성뿐이었다. 이인은 몸을 일으키다 도로 주저앉았다. 상처 부위를 팔로 감싸며 이마를 모래에 처박았다. 현기증과 구역감을 동시에 느꼈다. 고통을 참는 것 외에 할 수 있는 일이 없었다. 붕대를 풀어볼 엄두가 나지 않았다. 마주치면 이 이상의 고통을 마주할 것만 같았다. 하지만 이인은 끝내 모래 위에 쓰러졌다. 뒤집힌 시야로 자신에게 달려오는 그것이 보였다. 그것은 이인을 부르는 것처럼 다급하게 짖었다.

가까이 보면 안 되는 얼굴들이 있다. 집단 속에 섞여 있어야 살아갈 수 있는 존재들이 있다. 개인의 얼굴을 드러내면 살아갈 의지를 강제로 빼앗기는 경우가 있다. 그래서 살고 싶어 군집 속으로 얼굴을 지우고 들어가는 삶이 있다. 벤이 그랬다. 벤만 보면 모두가 그토록 친했던 친구이자 사랑했던 아내를 잃은 것을 위로했다. 그래서 벤은 얼굴을 지우지 않고도 똑바로 마주 볼 수 있는 이인을 만난 것에 기뻐했다. 그것이 다가와 무릎을 꿇고 이인의 얼굴을 마주 봤다. 고통을 견디며 이인은 그것의 얼굴을 주시했다. 집단에 있으면 마주 보지 못하는 얼굴이 있다. 개개인의 얼굴을 바라보지 못하게 하는 곳이 전장이었다. 적과 얼굴을 마주 본다면 더는 겨냥하게 될 수 없으므로. 그것의 손에는 보라색 꽃이 쥐어져 있었다. 아파하는 이인에게 손을 뻗어, 쥐고 있던 꽃을 넘겼다. 이인은 안개에 갇힌 열흘 동안 꿈에 아내가 나왔다던 벤의 말을 떠올렸다. 분쟁 지역에 있는 동안 갖가지 꿈에 반응하던 동료들의 얼굴이 떠올랐다. 꿈을 그것들이 조종했다고 말할 수는 없었다. 꿈으로 인해 누군가 폭동을 일으키지도, 스스로 목숨을 끊지도 않았으므로. 아무런 성과 없는 일을 굳이 행할 필요가 없어 보였다. 하지만 왜일까. 이인은 지금 자신의 눈앞에 있는 그것이, 이곳에 떨어진 순간부터 자신의 꿈을 어루만지고 있다고 확신할 수 있었다. 운동장 철봉 위에 앉아 있던 그것은 기억이 만들어낸 가짜가 아니고 꿈에 찾아온 진짜라고. 모래에 누운 채 이인이 그것의 손을 붙잡았다. 식은땀이 흘렀다. 이인이 혀를 움직였다.

딱—

온몸에 힘이 빠졌다. 고통이 찾아들며 다시 잠으로 빠져들었다. 이인이 그것에게 보낸 신호는 초대였다.

다행히도 그것은 이인의 신호를 알아들었다.

굴다리가 있다. 높이 2미터의 길이가 길지 않은 곳이다. 담쟁이덩굴이 휘감은 굴다리 안에는 앞바퀴가 없는 오토바이, 쓰레기통이 되어버린 손수레, 뼈대만 남은 유아차들이 버려져 있었다. 아파트 단지 후문에 있는 굴다리는 바다로 가는 지름길이었지만 아무도 그곳을 이용하지 않았다. 밤이 되면 입구에 가로등 하나만이 덩그러니 켜졌다. 굴다리에서는 실제로 범죄가 일어난 적이 없었으나 어른들은 길이 어둡고 더러워 언제든 어떤 일이 일어나도 이상하지 않을 곳처럼 여겼다. 그 말은 곧 굴다리에서 일어나는 범죄의 책임이 그 위험한 곳에 간 당사자에게 있다는 말과 같았다. 아이들은 그걸 몰랐다. 어른들만의 암묵적인 약속이었으므로, 아이들은 종종 굴다리 안에 모여 앉아 게임을 하고 술을 마시고 담배를 피우고는 했다. 어른들이 아무리 무섭다고 말한들 아이들은 놀이터가 두렵지 않았다. 은밀하고 아늑해서 좋아했다. 문제집을 몰래 버릴 수 있고, 시험지를 찢을 수 있고, 몰래 울 수 있는 굴다리를 무서워할 리 없었다. 이인도 그랬다. 이인에게도 굴다리가 무서울 리 없었다. 단지 모든 건 굴다리 안에서 일어날 뿐, 아이 중 누구도 덩굴이 창살처럼 쳐진 반대편으로 나갈 생각을 하지 않았다. 이인도 마찬가지였다. 덩굴을 헤치고 가 건너편으로 갈 생각은, 단 한 번도 해보지 않았다.

부르기 위해서는 이름이 필요했다. 아니다. 이인은 그저 이름을 붙이고 싶었다. 전쟁이 끝나면 이름 붙일 수 있는 무언가를 옆에 두라던 상담사의 처방이 떠올랐다.

"앨런."

더 어울리는 이름을 생각하고 싶었지만 떠오르지 않았다. 그래도 그것은 자신을 부르는 소리인 줄 알아들었다. 굴다리를 쳐다보고 있던 이인은 고개를 돌려 가로등 밑에 서 있는 그것을 쳐다봤다. 그것은 이인보다 키가 커져 있었다. 이인의 키가 작아져 있었다.

"앨런이라고 불러도 돼?"

그것이 고개를 끄덕였다. 이제 그것은 앨런이 되었다. 비록 이인의 꿈속에서 잠깐 붙었다 떼어질 이름이라도. 머뭇거리던 앨런에게 손을 뻗었다. 앨런은 마치 신난 아이 같은 발걸음으로 이인에게 달려왔다.

"네가 한 짓이야? 인간의 꿈을 조종하는 거?"

이인은 앳되게 느껴지는 자신의 목소리에 움칫 놀랐다. 처음 듣는 목소리였다. 분명 아주 오래전 이인에게는 그 어느 목소리보다 익숙했을 텐데도, 기억이 소리도 함께 끌어안고 죽은 모양이었다. 앨런은 새처럼 울었지만, 어쩐지 이인은 앨런의 말을 알아들을 수 있었다. 반은 맞고 반은 틀리다고 말하고 있었다. 이인은 그 부분에 대해서도 궁금한 것이 많았지만 앨런과 대화가 통한다는 걸 느끼자마자 가장 먼저 해야 할 질문이 떠올랐다. 꿈이라는 사실이 이인을 편안하게 만들었다. 상처의 고통이 느껴지지 않았고, 적당히 따뜻했으며 길에는 사람과 차가 없어 조용했다.

"왜 아직 지구에 있어? 너 말고도 네 동족들도 아직 지구에 숨어 있어?"

앨런은 없다고 했다. 자신이 아는 한, 이곳에는 혼자 남았다.

"왜?"

돌아가고 싶지 않았다고 말했다.

"하지만 여기는 다른 행성이야."

이인은 이해할 수 없었다. 다른 도시도, 다른 나라도 아닌 다른 행성이었다. 남는다는 건 죽음을 택한다는 것과 다르지 않았다. 앨런은 이곳이 다른 도시나 다른 나라가 아닌 다른 행성이라는 걸 자신도 안다고 했다. 하지만 자신이 있던 행성은 너무 작아 그곳에서는 벗어날 곳이 없다고, 그곳에서는 숨 쉬는 것도 죽은 것과 다르지 않았다고 했다. 이곳에 있는다고 한들 특별히 더 괴로울 게 있겠느냐고 말하며 앨런은 길가에 핀 들꽃을 꺾었다.

죽더라도 여기에서 죽고 싶었어. 돌아가고 싶지 않았어.

꽃을 쥔 앨런은 그렇게 말했다. 이인은 그저 고개를 끄덕였다. 그곳에 있기 싫었다는데, 도망치고 싶었다는데, 거기에 가타부타 자신이 얹어야 할 말은 없는 것 같았다. 꿈을 조종하는 게 반은 맞고 반은 틀리다는 말이 무슨 뜻이냐고 물었다. 앨런은 두 팔을 벌려 보랏빛 하늘을 바라보며 이곳은 네 기억 속이라고 대답했다. 그날 하늘이 이렇게 보라색이었던가. 하지만 이인은 이토록 진한 보랏빛 하늘을 살면서 단 한 번도 본 적이 없었다. 앨런은 믿지 못하겠지만 이곳은 네 기억이 재현한 공간이 확실하다고 말했다.

그러니까 당신은 기억하지 못하지만 그때 보았던 짙은 보라색이 하늘을 뒤덮을 정도로 강렬하게 남았던 거야.

보라색. 그때 이인을 뒤덮었던 보라색은 무엇이었던가. 이인은 기억을 곱씹었다. 사인펜으로 칠했던 새끼손톱도 보라색이었고 가방에 달아둔 털방울도 보라색이었다. 그리고 또 무엇이었던가. 이인은 곰곰이 생각하다 입고 있던 치마가 보라색이었던 것을 떠올렸다. 앨런이 이인의 손을 덥석 붙잡았다. 떠올리지 말라며 고개를 저었다. 이인은 앨런의 말을 따랐다. 형체를 잡아가던 기억은 다시 뿌옇게 흐려졌다.

"여기에는 왜 왔어?"

되찾으려고 왔다고 했다. 이 행성을. 인간이 이 행성에 첫발을 내딛기 훨씬 이전에, 몇 번의 생명체의 멸망을 거슬러 올라가면 그들이 있었다. 북대서양. 그 아래, 인간이 발견했던 문명. 모든 것이 다 떠나도 이 행성은 끝내 흔적을 끌어안는다. 자신들이 떠났어도 이 행성이 그것을 기억하고 있듯, 인간이 사라져도 이 행성은 수세기 동안 인간의 흔적을 지우지 않을 것이다. 저 거대 항성이 폭발하며 모든 걸 삼킬 때까지. 이인은 진실을 캐묻지 않았다. 그것이 진실이 아니더라도 중요한 것은 앨런이 자신의 꿈에 왔다는 것. 꿈이어서 통증이 느껴지지 않는다는 것. 보랏빛 하늘이 아름답다는 것……. 이인은 앨런과 함께 걸었다. 길이 어디까지 나 있는지 궁금했지만 걷다 보면 굴다리가 나왔다. 제자리로 돌아오는 것인지 굴다리가 쫓아오는 것인지 구분되지 않았다. 이인은 덩굴이 뒤덮인 굴다리를 쳐다보지 않기 위해 묵묵히 앞만 바라보며 앨런의 말을 들었다. 아주 오래전 이 행성에는 말을 하지 않아도 소통할 수 있는 특별한 매개가 있었다. 그것은 서로의 꿈으로, 서로의 생각으로, 서로의 마음으로, 변화하는 모든 생명체와 소통할 수 있는 수단이었다. 하지만 이제 그 매개는 이곳에 없다. 그래서 인간의 말이 소리로 퍼져나가듯 그들의 대화는 안개처럼 뿌옇게 퍼져나간다. 그 안개는 전부 그것들의 말이었구나. 이인이 고개를 끄덕였다. 이인이 걸음을 멈췄다. 숨이 찼고, 힘이 없었다. 강한 허기를 느꼈다. 위가 뒤틀리고 헛구역질이 날만큼의 굶주림이었다.

빛이 보여서 왔어.

앨런은 그런 이인은 별 관심 없다는 듯 말했다. 어두운 새벽에 깜빡이는 빛이 보여서 왔다. 생명은 빛을 따라갈 수밖에 없어. 그 빛이 시초니까. 이 우주의.

그리고 죽지. 생명은 누구나. 하지만 죽음은 두 갈래로 나뉘어 있어. 죽는다는 것과 사라진다는 것. 저 너머에는 뭐가 있어?

앨런이 굴다리를 가리켰다. 이인이 굴다리를 주시했다. 검고 어두운 터널을 지나면 그곳에 무엇이 있더라. 매몰됐던 기억은 또다시 차츰차츰 조각을 맞춰갔다. 짙은 보랏빛의 하늘, 그리고 그 하늘에서 보았던 나무의 뿌리. 바스락거리는 잎사귀들의 대화.

"뿌리가 하늘로 자라는 나무가 있어, 저기 너머에는."

살점들이 덩어리째로 떨어지는 기분을 느꼈다. 괴사한 살이 흩어지는 것일까. 아프지 않아서 다행이라는 생각이 들었다. 아프지 않다면 그런대로 살아갈 수 있었으므로. 앨런은 굴다리를 지그시 바라보다 고개를 돌렸다. 없애줄까? 하고 물었다. 꿈도 결국 기억이고 기억은 결국 원자가 대물림하는 것이므로 꿈을 지우면 기억도 지울 수 있다는, 이해할 수 없는 말을 했다. 이인은 생각했다. 기억을 지우면 행복해질 수 있는가. 기억을 완벽하게 지우기 위해서는 어디서부터 어디까지를 도려내야 할까. 아무리 생각해도 그 경계가 보이지 않았다. 완벽히 지우려면 자신의 삶을 도려내야 했다. 그것도 끝에 삶이라고 억척스럽게 들러붙은 것이다. 그것도 삶이라고.

"내 눈에는 그렇게 보였어. 앙상한 뿌리가 하늘로 뻗어 있다고. 참 이상한 곳이라고. 지울 수 없어. 그건 나를 도려내는 일이니까. 이 행성에서 도려내져야 할 건 내가 아니고 그 사람이야."

원하면 언제든 말해. 사라지는 걸 원한다면 이 우주에서 완전히 소멸할 수 있어. 우리는 그렇게 죽어. 원한다면. 바라고 있다면.

이인은 앨런을 바라보다 고개를 숙였다. 눈앞에서 흩어지던 벤이 떠올랐다. 원한다면. 사라지게 되는 거였구나. 함께 살아가자 했지만 실은 그러고 싶지 않았던 거구나. 하지만 왜일까. 벤이 죽음을 간절히 바랐다는 것을 알게 되었음에도 이인은 벤을 따라가고 싶지 않았다. 죽고자 하는 것과 살고자 하는 것에는 왜 질문을 던질 수 없는 것일까.

사라지고 싶다면 그렇게 해줄 수 있어.

"원하지 않아."

그럼 죽고 싶어?

"아니, 죽고 싶지 않아."

그럼 살고 싶어?

"어. 나는 살고 싶어."

여전히 살고 싶었다. 삶을 지키고 싶었다. 잠에서 깨면 이인은 다시 절벽을 오를 것이다.

그렇지만 너는 죽어가고 있는걸.

"아니. 살 수 있어. 나는 살 거야."

어떻게?

앨런이 이 행성에 남은 이유가, 이인이 내뿜는 빛을 보고 찾아온 이유가, 앨런을 발견하고도 자신이 방아쇠를 당기지 않은 이유가 있을 것이다. 죽어야 할 생명체가 살고 있으므로, 살고 싶다는 욕망에 지구의 흐름이 뒤틀리며 앨런이 이곳에 온 것이다. 이인을 살리기 위해.

눈을 떴다. 여전히 절벽이 보였고, 파도 소리가 들렸다. 손가락 하나 까딱할 수 없었다. 숨 쉬는 것만이 유일하게 할 수 있는 일이었다. 하지만 서서히 걷히는 안개가 보였다. 근처를 배회하다 멀어지는 발소리. 이인은 감각이 사라진 입술을 움직이며, 혓바닥을 천장에 붙였다 떨어트렸다.

딱—

희미하고 미약한 소리가 퍼졌다. 저 멀리서 아주 희미하고 미약한, 새의 울음소리가 들려왔다. 이인은 버텼다. 늘 그렇듯이 덤덤하게.

◇

린이 항공편을 앞당기기 위해 항공사와 통화하는 사이, 이인은 가방에서 초코바 두 개를 꺼내 창틀 위에 올려두었다. 벤을 기리기 위해서는 이제 시간이나 공간의 제약이 필요치 않아 보였다. 하지만 벤은 이곳에서만 추억하고 말 생각이었다. 한국에까지 데리고 갈 마음이 들지 않았다. 결국 이것 역시 살아 있는 사람의 자기 위안이겠지만.

이인의 심장 박동이 점점 잦아지며 죽음이 덥석 발을 물어왔을 때 저 멀리서 헬리콥터 소리가 들렸다. 그 안에는 린이 타고 있었다. 앨런이 떠난 지 몇 시간이 지났는지 알 수는 없었으나, 어찌 됐건 이인은 버텼다. 이를 악물고 절벽을 오르듯이, 누군가 이곳에 올 때까지 이로 삶을 물고 있었다. 이인은 조난된 지 일주일 만에 구조되었다. 포르투갈 병원에서 치료받는 동안 린이 말했다. 꿈에 네가 나왔어. 네가 피를 잔뜩 흘린 채 해변에 누워 있었어. 그것이 꼭 사실 같았고, 무언가가 보내는 경고 같았어. 린은 곧장 포르투갈에 남아 있는 부대에 연락을 취했고, 이인이 절벽 아래에서 발견되었다는 소식을 듣자마자 이곳으로 날아왔다.

전화를 끝마친 린이 다가와 이인의 짐을 대신 들었다. 지금 가면 공항에 딱 맞게 갈 수 있겠어. 린의 말에 이인이 고개를 끄덕였다. 초코바 하나를 둘로 나누어 하나는 입에 하나는 창틀에 올려두고 몸을 틀었다. 린이 부축하려 했지만 이인은 린의 친절을 거절했다. 그리고 묵묵히 걸었다. 독이 심하게 퍼져 마비된 왼쪽 다리로. 앞을 향해 천천히 걸어갔다. 앨런은 약속을 지켰다. 다만 그것이 환상이 아니고 실제였다는 것을 누구에게도 증명할 수 없을 뿐이다. 하지만 이인은 개의치 않았다. 누구에게도 증명할 필요가 없으므로. 이인은 앨런에게 건넸던 마지막 말을 떠올렸다.

네가 나가서 사람들을 데려와. 어떻게 해서든. 그리고 가. 어디로든. 그렇다면 내가 이 행성에 침입자가 있다는 걸 비밀로 해줄게. 영원히.

이인은 이제 그 사람이 보이는 대신 언제 어디서나 딱— 딱— 청아하게 퍼지는 새소리를 들었다.

작가의 말

이유 없이 살아가자는 말을 너무 길게 한 것 같다.

누군가를 떠나보내고, 떠나보낼 예정인 상태를 너무 오랫동안 지속한 나머지 그 불안을 느끼지 않고 살던 시절은 도저히 기억나지 않는다. 언제나 매 순간 곁의 누군가를 떠나보낼 준비를 하는 마음이 퍽 지칠 때면 나는 나와 같은 얼굴을 하고 있는 타인을 본다.

우주를 좋아하게 된 이유는 기억나지 않지만, 우주를 떠올릴 때마다 고요한 그곳에 홀로 시끄럽게 돌고 있는 지구가 좋았다. 밖은 저토록 조용한데 이 안은 지나치게 시끄럽고, 지나치게 피곤하고, 지나치게 빠르게 흐르고 있다는 생각을 하면 평생 좋아하는 노래만 듣다 죽어도 괜찮을 것 같았다. 우주의 시간으로 내 삶은 노래 한 곡 같아서, 한 곡 정도면 내내 행복해도 될 것 같아서 마음이 편했다. 그렇게 따지고 보니 나는 불안으로 꽉 찬 나를, 나만 한 크기가 아니라 좁쌀만 한 크기로 만들고 싶어서 우주가 필요했던 것 같기도 하다.

2년 동안 청탁받은 소설들을 모으고 모아 한 권의 소설집으로 엮으며, 한 단어를 이렇게 길고 지루하게 하는 사람이 어디 있나, 싶었다. 분명 다 다른 이야기를 하고 있다고 생각했는데 모아놓고 보니 소설이 다 똑같은 얼굴을 하고 있다.

행복과 사랑을 이야기하고 싶었는데 그게 되지 않은 것 같아서, 그래서 읽고 나면 지치는 책이 될까 봐 두렵다. 여전히. 하지만 사랑하고 싶어 소설을 읽고, 삶을 알고 싶어 소설을 읽듯 가끔은 더 지치고 싶어 소설을 읽는, 나와 같은 사람이 또 있으리라 믿으며 두 번째 소설집을 이렇게 엮어 당신께 보낸다.

다시 생각해도 너무 길게 한 것 같지만.

2022년 초여름

천선란

수록 작품 발표 지면

흰 밤과 푸른 달 … 리디북스 우주라이크소설 발표(2021)

바키타 … 〈과학동아〉 2021년 11월호 수록

푸른 점 … 폴라리스 작품집 《저기 인간의 적이 있다》(아작, 2021) 수록

옥수수밭과 형 … 밀리의 서재 발표(2021), 《2035 SF 미스터리》(나비클럽, 2022) 수록

제, 재 … 과학잡지 〈에피〉 16호(이음, 2021) 수록

이름 없는 몸

-에게 … 르포 매거진 〈추적단 불꽃-우리, 다음〉(2021) 수록

우주를 날아가는 새 … 《평화도시 인천 스토리텔링 2》(인천문화재단 기획, 2021) 수록

두 세계 … 《책에 갇히다》(구픽, 2021) 수록

뿌리가 하늘로 자라는 나무 … 《우리는 이 별을 떠나기로 했어》(허블, 2021) 수록

노랜드

초판 1쇄 인쇄 2022년 6월 10일
초판 1쇄 발행 2022년 6월 22일

지은이 천선란
펴낸이 이상훈
편집인 김수영
본부장 정진항
문학팀 김다인 최해경 하상민
디자인 형태와내용사이
마케팅 김한성 조재성 박신영 조은별 김효진 임은비
사업지원 정혜진 엄세영

펴낸곳 (주)한겨레엔 www.hanien.co.kr
등록 2006년 1월 4일 제313-2006-00003호
주소 서울시 마포구 창전로 70 (신수동) 화수목빌딩 5층
전화 02-6383-1602~3
팩스 02-6383-1610
대표메일 munhak@hanien.co.kr

ISBN 979-11-6040-494-4 03810